何建明文集

卷一

落泪是金

何建明 著

新世界出版社
NEW WORLD PRESS

图书在版编目（CIP）数据

落泪是金 / 何建明著 . -- 北京 : 新世界出版社，2018.3

（何建明文集 ; 1）

ISBN 978-7-5104-6297-9

Ⅰ . ①落⋯ Ⅱ . ①何⋯ Ⅲ . ①报告文学—中国—当代 Ⅳ . ① I25

中国版本图书馆 CIP 数据核字 (2017) 第 122539 号

落泪是金

作　　者 : 何建明
特邀丛书编辑 : 韩小群
责任编辑 : 贾瑞娜
责任校对 : 宣　慧
责任印制 : 王宝根　苏爱玲
出版发行 : 新世界出版社
社　　址 : 北京西城区百万庄大街 24 号（100037）
发 行 部 :（010）6899 5968 （010）6899 8705（传真）
总 编 室 :（010）6899 5424 （010）6832 6679（传真）
http://www.nwp.cn
http://www.nwp.com.cn
版 权 部 : +8610 6899 6306
版权部电子信箱 : nwpcd@sina.com
印　　刷 : 北京京华虎彩印刷有限公司
经　　销 : 新华书店
开　　本 : 710mm × 1000mm　1/16
字　　数 : 400 千字　　印　　张 : 27
版　　次 : 2018 年 3 月第 1 版　2018 年 3 月第 1 次印刷
书　　号 : ISBN 978-7-5104-6297-9
定　　价 : 72.00 元

1978 年——中国改革开放启幕

1978 年——我的文学生涯开始

庆幸，我的命运与时代、与祖国同行。还有一份安慰：当我离开这个世界时，有人可以从我的文字里触摸到中国今天的脉搏是如何跳动的……

何建明

重要创作历程及个人成就

1978 年	创作第一篇中篇散文《湘西探险记》
1980 年	发表第一篇报告文学《腾飞吧，苍龙》
1982 年	创作第一部军事题材小说《第二道战壕》
1986 年	出版第一部报告文学作品集《缉私大王》
1988 年	出版第一部长篇小说《东方毒蛇》
1989 年	由同名作品改编的电影剧本《西行囚车》被搬上银幕，此片获珠江电影制片厂优秀故事片奖
1990 年	第一次获中华宝石文学奖
1993 年	任文学杂志《新生界》主编
1993 年	发表第一部长篇报告文学《野性的黑潮》
1994 年	第一次成为《青年文学》封面人物
1995 年	《共和国告急》出版，此后获第一届鲁迅文学奖
1995 年	《科学大师的名利场》发表
1998 年	《落泪是金》发表，此后获第二届鲁迅文学奖、第一届徐迟报告文学奖、中国改革开放优秀报告文学奖
2000 年	《中国高考报告》出版，此后获第一届正泰杯全国报告文学奖
2001 年	《中国高考报告》被日本、澳大利亚翻译出版
2002 年	《根本利益》发表，此后获第二届徐迟报告文学奖、人民文学奖特等奖、第六届国家图书奖提名奖、第二届正泰杯全国报告文学奖，入选中宣部推荐的党的十五大献礼书目
2002 年	《国家行动：三峡大移民》出版，此后获中宣部第九届“五个一工程”奖，入选中宣部推荐的党的十六大献礼书目

2003 年　《北京保卫战》发表，获《文汇报》优秀作品奖

2003 年　完成电影剧本《廊桥悠悠》创作（此为与谢晋导演合作项目）

2004 年　由《根本利益》改编的电影《信天游》上映

2004 年　《永远的红树林》发表，此后获第四届正泰杯全国报告文学奖

2005 年　《李琬若：从中国留学生到美国市长》出版，并被美国翻译出版

2005 年　获国务院授予的“全国劳动模范”称号

2005 年　任《中国作家》杂志主编

2006 年　《男人的美丽男人的梦》出版

2007 年　散文《父亲的体温》入选中学课本及教辅资料

2007 年　《部长与国家》获第四届鲁迅文学奖、第三届徐迟报告文学奖荣誉奖

2008 年　《生命第一——5·12 大地震现场纪实》出版，此后获第二届“中华优秀出版物”奖、第四届徐迟报告文学奖

2008 年　任作家出版社社长

2008 年　荣获“全国新闻出版行业领军人才”称号

2008 年　根据《国家行动》改编的同名电视连续剧在央视播出

2009 年　任中国作家协会党组成员、书记处书记，中国作家出版集团党委书记、管委会主任

2009 年　《国家行动》电视连续剧获中宣部第十一届“五个一工程”奖

2009 年　《我的天堂》出版，获中宣部第十一届“五个一工程”奖

2009 年　《永远的红树林》获新中国六十年优秀中短篇报告文学奖

2009 年	获中华全国总工会“时代领跑者——新中国成立以来最具影响的劳动模范”评选活动提名奖
2010 年	根据《部长与国家》改编的电视连续剧《奠基者》在央视黄金时段播出，此后获中宣部第十二届“五个一工程”奖
2010 年	《忠诚与背叛：告诉你一个真实的红岩》出版，此后获中宣部第十二届“五个一工程”奖、第三届中国出版政府奖，入选“2013 年全国青少年推荐阅读的优秀书目”
2010 年	任中国作家协会副主席至今
2011 年	《国家——2011·中国外交史上的空前行动》出版，后获人民文学奖特等奖，入选“2012 年中国报告文学优秀作品排行榜”、中宣部推荐的党的十八大献礼书目
2012 年	《三牛风波》出版，荣登北京图书大厦畅销书排行榜
2012 年	任中华文学基金会理事长至今
2012 年	当选中国报告文学学会理事长至今
2014 年	《南京大屠杀全纪实》出版，此后获第四届中国出版政府奖、人民文学奖特等奖
2015 年	获亚洲品牌协会“中国文化品牌新领军人物”荣誉
2015 年	《真假之间》发表
2016 年	《爆炸现场》出版，获中国出版集团优秀销售奖，入选“2016 年中国报告文学优秀作品排行榜”
2017 年	《死亡征战》出版，被英国、法国翻译出版
2017 年	《那山，那水》发表

（截至 2017 年 9 月）

目　录

引子　白鹿原下的祭奠

探究别人的痛苦本身就是一种痛苦。

这件事是我不愿去做的，但这件事我又必须去做。自我踏进大学校园的第一步起，我的身心与灵魂就再也不能安宁。本来这部专为大学里一个特殊群体而写的作品，可以早些封笔，但陕西方面又传来一则令人震惊的消息：陕西蓝田县汤峪镇白家坡村一对农民夫妇因惧怕孩子上大学后无力承担高额的费用，于 1998 年 4 月 4 日晚，服下剧毒农药双双自杀身亡。为此，我不得不再次抽出时间到陕西跑一趟。

我去的那天正好是 6 月 1 日，阳光灿烂的西安城内处处沉浸在儿童节的花和歌的气氛之中。然而同属西安市管辖的那个蓝田县白家坡村却见不着一丝一毫的喜色，相反依旧因白引明夫妇的惨死而笼罩在悲恸的重云间。一路上，陪我前往蓝田的友人指着紧搭在小秦岭山脉的那条绵延百里的黄土高坡，说这就是陈忠实写的《白鹿原》里的白鹿原。白家坡村离西安不足两个小时的车程，但这里农民的生活水平却是我们很难想象的。蓝田县隶属西安市，这里不仅有驰名的蓝田玉，也是与北京周口店古猿人齐名的中国“蓝田古猿人”发源地。可蓝田人没有因此而走向富有，相反却在今天被国家列为全国一百多个国家级“贫困县”之一，而且是唯一的一个省辖市管区内的贫困县。蓝田人很友善，但当他们把我领进那一排破旧不堪的平房，当我坐定在县委组织部副部长的那间办公室后稍一环视，就如同回到了记忆中的 70 年代生产大队部的情景。地，是凹凸不平的碎砖所铺；房顶，则依旧是破落的竹片；一堆煤球和一个铁炉子是这间屋里除了办公桌椅之外的全部用具。“我参加工作近三十年了，到现在每个月的全部工资收入为520元。可就这份月收入还长期不能按月兑现，今年春节过后干部们只领到一次工资。”王战科副部长的话，使人能够想象得出这里那些靠天吃饭的农民的生活水平。

白家坡村离县城有三十来里路，一条公路延伸至村边，交通不算闭塞，农民住的房子大多是新房，地里麦浪翻滚，看不出它是想象中的那一类贫困村落。但当村民们得知我是去采访近两个月前自杀的白引明夫妇之事时，许多人都躲进了屋。县委组织部的同志先把我领到村党支部书记家，意在请村支书带我们到白引明家采访可能要顺利些。可是等了很长时间不见村支书的面，家人一会儿说他在地里干活，一会儿又说上集市去了，总之一直没有露面。已是下午三四点了，不能再等了，我们便从支书家出来直接打听白引明家，准备自己去。正在这时，我们迎面遇见了村委会主任。说明来意后，不想那村主任一脸的不高兴，说什么也不愿给我们带路。无奈，我们只得自己往村里走。白家坡村是个二三百户的大村，有人告诉我们白引明家在村的最里头，而那条通往村里的土路泥泞得不能再泥泞。当我们快要走到白引明家时，突然迎面走来一对三十多岁的农民夫妇截住了我们，并将我们引进了一个小院子。

“我叫白引旗。白引明是我哥……”那位男子一边自我介绍，一边非常热情地引我们进了他家的内屋。就在这时，外面进来好几个人。

“这是我三哥。这是我侄女。”白引旗又向我介绍一个男子，并特意把那位被他称做“侄女”的姑娘领到面前。“她刚从长沙回来一星期，她爹妈出事后开始一直没告诉娃……”

“你就是在长沙读中专的白引明的女儿？”

"是。我叫白敏娟。"这姑娘比我想象的要坚强得多。

"知道你爹妈出事的原因和过程吗？"我说了来此的目的。

姑娘马上低下头，极为难受地说最好问她四叔。于是她四叔白引旗介绍了白敏娟父母出事的过程："……今年春节过后，我哥嫂觉得自己家的日子越来越难过，打元旦到敏娟和她上高三的弟弟上学走之前的两个多月里，一家人连一滴油都没沾过，外面还欠了2800多元债。我哥嫂便在3月份里连续几次把在县城读高中的我侄儿叫回家，劝他别再一门心思考大学了。我侄儿上的是县重点中学，成绩不错，所以说什么也不想放弃考大学的念头。这么几次劝说无用后，我哥嫂心理压力越来越大。大女儿今年中专毕业后还不知能不能找上工作，儿子又要上大学，别说十几年来为供儿女上学已经欠下的一屁股债没法还，现今儿子如果考上大学，一年至少还得四五千元钱，四年下来就是几万元！我哥本来身体一直就不好，嫂子又是不能下地的残疾人，全家仅靠三亩果树和一亩多地，哪生出那么多钱供儿女们找工作和上大学呢？这不，俩人越想越背呗，4月4日夜里，就把家里两瓶除果树害虫的农药给喝了……"

白引旗在叙述自己哥嫂的死时说得很平静，但当时我们所有在场的人听了都像心里堵着一团棉似的那样难受。

"你哥嫂多大年龄？"

"我哥51岁，嫂比他小几岁。"白引旗说。

"平时你们没有发现你哥嫂他们要走绝路的什么迹象？"

"我嫂虽说是残疾人，但从来很要强。就我哥平时在我们几个面前老在念叨啥现在城里人也到处在下岗，将来我俩侄就是上了高中、大学出来还是找不到工作啥的，心理压力看得出一直是很大的，可谁也没有想到他们会往绝路上走。这不，年前我哥还让我们兄弟几个帮着一起将他家两棵大树锯成板，准备给儿女交下学期的学费。可还没等到用上，这些树板成了他们自己入葬的棺材木，而且仅够一口棺用料……”白引旗说到这里哽咽住了。

全屋的人都跟着低泣起来。这是一幕无法想象出的悲恸与凄怆的场面。

为了照顾两个孩子不因父母的死而影响学业，做叔叔的白引旗和其三哥等，便一直让在家等待分配工作的侄女白敏娟住在他们家里，在县城上高三的白敏娟弟弟则自埋葬父母后便没有回过家。出殡的第二天，白引旗便送走了侄子，并对他说：“你现在什么都不要想，要做的一件事就是今年考大学，这是对你亡父亡母最大的孝敬。”据说，白敏娟的弟弟回到学校后得到了政府和同学的一笔捐助，但在今年高考时他却意外地落榜了，现在他正在人生的岔路口徘徊……

天色已暮。在我执意坚持下，白家人带我来到白引明夫妇生前住的小院。这里自 4 月 6 日出殡后便一直被锁闭着，当亡者的兄弟把紧锁的门打开那瞬间，我感觉屋里头有股凉气透彻肌肤，随即是内心深处的重重寒意：空荡荡的三间屋子里，除了那座落满尘埃的土炕与灶台外，只有墙上那幅毛主席的像依旧挂在那儿……这一景实在大出乎我所料。因为在进屋之前，我以为在屋子里定会有这对可怜亡者的专设祭台，可事实上没有，于是我也无法以一个远道而来的探访者身份向白引明夫妇的牌位鞠个躬。面对人去房空的农家小院，我不知如何是好……

离别白家坡时，白敏娟和她的叔婶们远远地为我们送行，就像第一次感受有人在为他们分担不幸，这使得我心情更加沉重。

自杀身亡的白引明夫妇一家，其实与 500 多万在校大学生家庭相比，并不是特别困难的。他们所在的村有 318 户人家，去年人均收入 1800 元，按照国家划分贫困地区的标准已经属于脱贫的农民了。然而在这个村算得上具有中等收入水平的白引明一家，却因供两个子女读书造成债台高筑的重负，走上了本不该走的绝路。他们的死，在当地引起轰动，人们在纷纷议论穷人家还能不能供得起子女上大学。其实，从我所采访的数百名贫困大学生及他们的家庭情况看，没有一家不是与白引明家庭经济情况相类似，而更多的家庭远比白引明家困难得多。那么这成千上万个家庭又是怎么供自己的子女上大学的呢？而那些家庭境况比白引明家还要艰难得多的贫困大学生们，又如何努力在校走过四年甚至更长的求学之路？他们的现实与未来命运又将怎样呢？

第一部　失泪大学城

第一章　九月，独木桥前“状元”泪

7月，又是一个异常炎热的夏季。

早晨起来，石开就觉得老天一点不讲情面，如此“重大决战”，还不作美些？真是的，干吗大学考试每年都非得放在这又热又燥的几天？不行不行，管这些做啥，别影响了考前的情绪。

石开强制自己集中精力，但越是这样，心里却越烦乱。于是他赶紧借洗漱之机清醒了一下自己的头脑。

好了，一切恢复正常。

石开觉得有些饿了，于是情不自禁将手伸进了口袋。可是他马上就像触电一样地将手抽了回来。不吉利，× 的，太不吉利。石开心里暗骂了一句，这话只有他一人知道是什么意思。同学们不会知道，老师也不清楚，但石开清楚。就在前两日，紧张的复习进入最后阶段了，距高考仅两三天时间，别的同学忙着让家长买营养品、准备氧气瓶什么的，可石开却又在为自己的吃饭问题四处借钱，偏偏又到处碰壁。正在他又一次陷入困境时，百里之外的父亲托人捎来一包东西和110元钱。当时石开真有些激动不已，可一点钱数，心头猛地打了个寒战：110，父亲是给我报警的呀！石开吓出一身冷汗……

别人不知父亲是个什么样，石开太了解了，打他懂事那天起就知道父亲是不支持他念书的。石开有四个哥哥，他们都在小学没毕业就辍了学，所以在父亲看来他们金家门里出不了有能耐的人，干脆在家种地挣点钱。石开至今记得自己第一天上学的情景，那天他书包都已经背在肩上，可父亲就是不让他出家门，还说穷人家的娃，念也念不出大学问，上几年学又有啥用？村上的小朋友都在村口等着，石开就大哭，不停地跟在父亲后面哭。父亲被哭恼了，端着一只大饭碗，一边喝粥，一边不停地骂，最后实在看着没法，气呼呼地扔下三块钱，说："中，看你小兔崽子能念出个啥名堂！"

石开就这样上了学。庆幸的是他学习成绩一直很好，老师特喜欢他。但家里穷，父亲与老伴要拉扯五个秃小子，所以他仍然几次不让石开念下去，甚至有一次开始农忙时跑到学校，要拖石开回家干活。老师看到了，说老金啊老金，要是我有这么个好娃儿，就是砸锅卖铁我也要让他念下去，直到他上大学！父亲听完这话后愣了半天，最后一句话没说就回了家。打这以后，父亲就再没提过让石开辍学的事，相反觉得五娃儿有盼头，于是干起活来特别卖命。虽说日子还是那么苦，但看到石开贴得满墙的奖状，父亲心里乐滋滋的，看得出，他暗暗在企盼金家有那么一天真的出个光耀祖宗的大"状元"哩！为了这一天，父亲瘦小的身躯默默承受着一个八口之家的重负。当时石开的奶奶还在世。

那几年，石开是幸福的，因为不用每天看着父亲的脸色，像小偷一样地悄悄上学去。他甚至非常辉煌地做了好几年学校"小智星"。只是因为家穷，在这辉煌中不期然地留下一些颇为令人寒心的笑料。有一次他只穿一条脏兮兮的短裤，赤着两只脚丫就走进了教室。老师没顾上跟他说几句，就将他推到一辆载沙的拖拉机上，说你代表学校到乡里参加抽考去吧！石开一听自己是代表学校去考试，顿时浑身气昂昂地来了精神。可当他大步走进考场时，竟引来其他学校的同学哄堂大笑。抽考的老师也生气了，拉着他就往外走，结果弄得带队的老师十分无奈。老师苦笑着朝石开摇摇头，说金石开啊金石开，你是俺校成绩最好的学生，可也是班里最穷的学生，哪一天让你到北京上学看你怎么去？石开回去把老师的话对父亲说了，父亲开始没吱声，后来说你要是能到北京上学，我金家金山银山任你搬。石开觉得父亲真够爽气，他把这话牢牢记在心底。石开还有一件事在村里是有名的。有一段时间为了控制夜里看书做作业不要太长了，他就用小药瓶自制了一盏油灯，每夜就学一“灯”油。老师把这一做法向同学们推广后，小朋友们给了石开一个诨号：“一灯油”。

石开后来以全乡第一名成绩考入初中，之后又以优异成绩考入县中。就在他一年一年往上念书时，家里的景况却一年年地往下降，几度到了揭不开锅的地步。从奶奶去世，到大哥、二哥、三哥相继盖房结婚，本来就干瘦的父亲被榨得只剩皮包骨。越穷的地方，婚丧嫁娶还越讲排场，等石开念高中时，家里的债务已经不堪重负。按照县中规定，高中生必须住校，可石开出不起住宿费，就只好每天在学校与家之间来回跑。几十里路程，石开记不清遇过多少个炎炎烈日，多少次刺骨寒风，更记不清月亮多少回伴他走山崖……

但是，所有这些在石开看来并不算什么，他感到绝望的是高三毕业后的第一次高考，他的考分本来已经高于河南省本科录取线 23 分，却因为在填报志愿时没把好关，结果名落孙山。一向要强的石开接受不了这残酷的现实，独自跑到一家武校，企图用严酷的体罚来折磨自己。父亲更接受不了这一打击，几乎一夜间便丧失了劳动能力。恰在这时，石开的四哥又到了盖房娶媳妇的年龄。金家五个儿子，除了不断积起的债台，没有一个可以让老父亲感到可以在别人面前抬着头走路的。

但哥哥们认为石开不该自暴自弃，他们凑钱让石开去补习，争取来年再考。石开接过哥哥的钱，心头更加沉重。他自幼好强，硬是到了一个至今仍不想让人知道的地方去悄悄补习。他当时这样做是为了以防万一，万一补习后再考不上真让村上人知道后不就无法活了嘛！石开知道这脸面上的事并非关系到他一人，还有老父亲呢！

独处异乡的日子非言语所能描述。但再陷入困境，石开也尽量在别人面前装得轻松。有一次，他吃完中午饭后身上再也找不到一分钱。恰巧三哥寄来一封信，不知何故，三哥的信里夹着四张邮票。石开眼前一亮：对呀，邮票也可以变钱嘛！于是他真的拿着三张邮票（留下一张是给家里回信用的）去“变钱”了。生意不错，一切如愿。石开笑笑，因为他又一次躲过了老师和同学们对他的异样目光……

时间过得真快，这回石开是第二次参加高考，他不止一次告诫自己，这回可不能再有任何闪失。其实，远在家乡的父亲最明白儿子的心，只是感觉无能为力。刚刚借得 100 元钱，父亲便赶忙让顺道的人捎去。慢！父亲突然叫住那捎钱的人：这儿还有 10 块，一起带给他吧。110 元是这么出来的，可石开仍然愿意相信这是父亲给自己敲响的警钟。

石开顺手伸进父亲托人捎来的口袋，一摸，是鸡蛋。这么多呀！一个、二个、三个……共十八个。十八是什么意思？是“你要发”的意思嘛。嘿，这回吉利。石开想这肯定也是父亲鼓励他的话。对，三天考试，每天六个。嗬，天天“六六顺”！

石开顿觉精神大爽。

一个小时后，他与所有参加高考的同学一起进了考场。之后连续三天都是这样，他没有忘记进考场前的一件事：吃三个鸡蛋……

“开儿——快来听呀！”山弯弯里，父亲突然举起耳边的小收音机，欣喜若狂地叫喊起来，“有你的名字！有你的名字呀！”

“真的？哈哈哈……我终于考上大学啦！我终于考上啦——！”金石开简直兴奋得快要晕过去了。他看到大哥、大嫂、二哥、二嫂、三哥、三嫂、四哥、四嫂都冲着他在笑。对，还有爸，还有妈。妈笑得最开心，连平日布满皱纹的脸都像绽开了花。

“我早说过，你是‘大难不死，必有后福’的人。”晚上，煤油灯下，母亲乐滋滋地又开始夸耀起当年的事，“你刚生出来时，全身发紫，吸气也难，你爸一看又是个小子，就说不中，爱怎么着就怎么着吧。正好有个医生路过这儿，我那时就说，小五娃是有福之人，这不现在真中‘状元’了！”

“得，得，要没有我那回扔给他三块钱，他能把书念到现在？”满脸堆笑的父亲也抢功说。

石开笑了，不过鼻子很快又酸起来。他看到昏暗的灯光下，自己的父母都苍老异常。此刻的石开只有一个念头：再不能让二老为自己读书的事操心了。

几日过去，大学的入学通知书被人送到了村上。

石开看到信封上自己的名字，心都像要跳出来似的。然而，几乎在同一时刻，石开的眼里刚刚闪出的喜悦，即刻消失了……

怎么啦，娃儿？父亲接过通知书，急急往下看，当目光扫到“学费”一栏时，脸色也倏然变暗了。

小村里的人并不知道金家父子心中想的什么事，依旧嘻嘻哈哈不停地前来祝贺道喜，而石开呢，每当看到父亲在众乡亲面前露出的那副尴尬笑脸，心头更如刀割。

夜已深，热闹了一阵的乡亲们终于都走了，屋里只剩金家老父亲和石开的哥几个。一阵很长的沉默之后，父亲终于咳了一声，缓缓地说道：“都听着，我知道你们几个现在都不易，老大的房子被修路的扒了要重新盖，老二也有俩娃在念书，老三、老四的媳妇也都快要产娃了，可你们的弟上大学是大事！是我们村上的‘状元’！可不是，谁家的娃上了大学？谁家的娃能有他考得这么好？”父亲停了片刻，声音低了下来，“唉，可我和你们妈老了，不中了。这回你们弟上大学的学费，我和你们妈得求你们啦！求你们啦！”

“爸——”石开听父亲说到这儿，再也忍不住地哭出声来，“要是实在没钱，我就别……”

“混账！”父亲一个巴掌将石开的嘴给封住了。

就这样，金家四兄弟当晚根据父亲的意见，商定贷款供石开上大学。老大贷了800元，老二、老三、老四各贷了500元。

这一夜，金家的十几口人除了不懂事的小孩呼呼大睡外，没几个是合眼的。石开听得仔细，父亲和母亲不停翻身叹气，四哥的房内打熄灯起就没断过声，没几支烟工夫，那边突然响起嫂嫂的哭声，而且整整一夜没停……

第二天早晨，石开醒来，见自己的枕头边湿了一大片。他顾不得自己的事，赶忙跑到四哥的屋里。

“哥，嫂子呢？”

“回娘家去了。”

石开见四哥独自抽着闷烟，不知如何是好……

（金石开现在是中国农业大学学生。他把四个哥哥贷的款交完学杂费后，只剩455元。开学一个星期后，听说学校能为部分家庭特别困难的学生减免学费，于是他赶紧写申请，并获得批准。）

唐丽霞是比金石开高一年级的同学，高考成绩也是当地的“状元”。但她没有金石开那样有四个哥帮他。她只有一个妈，一个弟和一个患糖尿病的后爸。

这样一个家庭出身的女“状元”，注定了她的大学路要比别人艰难得多。

唐丽霞的家在安徽贵池的一个渔村，离长江很近。父辈都是渔民，河边的那两间并没有多少年头的茅棚，记载了她家并不长的半渔半农的历史。唐丽霞对童年的回忆特别充满感情，因为那时有她亲生的父亲。

在唐丽霞呱呱落地的时候，北京正在召开党的十一届三中全会。因而她父亲赶上了好机会，由原来的划小船打鱼，改成了承包大机帆船跑运输。童年时的唐丽霞很幸福，父亲每次远航回来总能带好多城里人才能吃上用上的东西。由于这个原因，她在同龄的小孩中自然而然地成了“头儿”——她靠小玩意儿赢得了大多数小伙伴儿的拥戴。于是她养成了“疯”毛病，不知啥是委屈啥是苦。父亲说，女孩家太野了不好，于是到处给她联系上学的事。后来她就进了一家单位的子弟小学。父亲还是那么爱她，每次回家总先到学校看她，放下很多她喜欢的食物。放假时，父亲把她带到船上，整整在南京待了一个月。每次上岸，父亲总拉着她，一看到哪个单位的门楣标牌，就让女儿念一念。“不会的都记下，回去查字典。”父亲说。她因此在假期多识了好些字，开学时直被老师夸。

9 岁那年的冬天很冷，那天小丽霞睡得早。一睡下去，她就想起父亲，因为父亲已经有一段时间没回家了……时过半夜，梦中的她，突然听到有人在堂屋悲痛欲绝地大哭。她“噌”地从床上坐起，定神又听——不是梦，是有人在哭。她赶忙穿上衣服往堂屋走，结果被姥姥一把抱住。“儿啊，我苦命的儿——”姥姥放声号哭。半晌，小丽霞才明白是自己的父亲死了。

“爸爸，爸爸——！”小丽霞拼命地哭喊着，她未能与父亲见最后一面。后来她才知道，父亲因长期在外风餐露宿，得了严重肺结核。由于没能及时治疗，病情急剧恶化。大人怕传染孩子，故没让她和弟弟上医院与父亲见最后一面。唐丽霞对此感到终生遗憾。母亲告诉她，父亲临终时拉着母亲的手不知说了多少遍这样的话：“我只牵挂两个孩子，他们都很聪明，是读书的料。你无论吃多少苦，也要让他们念书，念中学，念大学。”母亲在那天晚上，一手搂着小丽霞，一手搂着儿子，一边流泪，一边不停地说：“你们一定要听话，妈就是做牛做马，就是挨家讨饭，也要供你们上学……”

孤儿寡母的生活艰难异常。没有文化的母亲，只能靠仅有的宅前一亩鱼塘和二分自留地养家糊口。看到母亲天天从早忙到黑，小丽霞仿佛一下长大了。上学回来，她就动手帮妈洗衣服、做饭、收拾屋子。女孩子手脚灵巧，小丽霞学会了做家务事，又开始琢磨起帮妈挣钱的事儿。她知道父亲去世时还欠了一笔债，如今她和弟弟念书也要不少学费啥的。

“妈，我也去抓螺逮虾！”一到四五月份，母亲每天都是早上4点起床下河去抓螺逮虾，等到天亮上街去卖。这一天，小丽霞向妈提出请求。

母亲看了看她，点点头。十来岁的女儿从此踩着母亲的脚印，不管是春还是夏，是秋还是冬，只要能下水她就下水；只要不耽误上学，她就把所有本该属于天真烂漫的童年时光，全都用在为母亲减少一分负担的辛勤劳作上。她有好几次险些被滚滚激流冲走，还有无数次在大街上受人欺凌的经历，但她都顽强地挺了过来。

上初二时，继父来到了她家。老实巴交的继父除了整天埋头干活，对小丽霞和她弟弟都不错。但要强的女儿还是认为自己应该帮大人做些事，因为她想把书读下去。中学的学费对一个农村家庭来说也并不轻松。唐丽霞决心靠自己的劳动来养活自己。从这时起，她开始做买卖。河塘里的鱼虾因污染而捕捞不到了，她便上岸跑码头。人们看到，唐家的小姑娘不是在夏天推出板车卖西瓜，就是在冬天沿路摆摊卖瓜子。唐丽霞呢，不管别人用什么眼光看，她的心里总是那么灿烂，她为能用自己挣的钱交学费和买些学习用品，心里格外高兴。

上高中了，她本应当集中精力学习，偏偏继父又日渐消瘦，一查，是糖尿病。有人背后说唐家的孩子都是苦命，可唐丽霞没有流泪，她把满腹的苦涩留在肚里。她比谁都心疼母亲，她要为母亲分担痛苦。

她不得不继续边上学、边做小买卖。学习是不能放松的，挣钱也是一点不能少的。她几次在做买卖的路上晕倒，醒来后又背上书包赶到学校，又有几次在放学的路上因做买卖而遇雷雨交加，被浇得通体瑟瑟发抖。她不是不想哭，可她想到家里比她还辛苦的母亲和躺在床上的继父，以及也在上学的小弟，她不哭，跌倒了爬起来再走……

1996 年 7 月，唐丽霞以 580 分的高考成绩，荣获所在中学的“状元”。

接到录取通知书的那一天她哭了，母亲也哭了。“好孩子，你亲爸可以在九泉之下开心地笑一笑了。”母亲对她说。

女儿抬起头，像突然发现什么似的惊叫起来：“妈你的头发呢？啊，怎么剩这么几根了？”

“掉的。妈老了。”母亲苦笑道。可女儿知道，她才 42 岁呀！

“妈，你太苦啦！我怎么能放得下心去北京念书呀？”女儿忘情地伏在母亲的怀里“呜呜呜”地痛哭起来……

唐丽霞，现在是中国农业大学社会学专业大三学生。她到学校报到时，继父把自己治病的钱全给了她。交完各种费用后，只剩 200 多块钱。她没有把自己的困难告诉别人，因此学校也一直不知道。她说学校贫困生很多，还有比她困难的。并说自己从小做工干活惯了，能养活自己。在这之后的两年多里，她靠打工和母亲寄些钱来维持。但后来继父病情越来越严重，1999 年 4 月中旬，母亲急电催她回家，她火速赶回安徽贵池，看到已近似骷髅的继父。孝女的一声“爸爸”，使垂危中的继父从死神那儿转了回来。“好囡囡，不要惦记爸。回去读书吧。”继父使出最后的一丝力气想让女儿放心地走。4 月 23 日唐丽霞回到北京。第二天下午 6 时，她给老家打电话，让邻居叫一下母亲。母亲在电话里告诉她：“你爸……在你走后就……”唐丽霞一听，脑中“嗡”的一下成了空白。许久，她重新拿起电话时，听到的是弟弟的声音。弟弟告诉她：“妈说让你只管好好念书，她去给爸办丧事去了……”唐丽霞半天说不出一句话。最后，她哆嗦着嘴唇对弟弟说：“你今年一定要考上大学，否则对不起妈。”弟弟说：“会的。我一定争取像你考个‘状元’！”

“李骏，祝贺你成为我市今年高考状元！”1997 年度的高考成绩在市报上公开后，以 672 分高分取得理科第一名的李骏，一时间成了苏北盐城的“新闻人物”。学校老师和同学们纷纷前来向李骏和他的家人恭贺。

“状元有什么好的？念不起还不照样白搭！”谁知李骏把高高兴兴的一帮人给打了个闷棍。

“李骏，这是怎么回事？你不仅是咱盐城市状元，而且是全江苏第三名，复旦大学以第一志愿录取了你，应该高兴才是呀！”李骏的班主任有些生气了。

“老师，我不是成心的，您不知道我家……”李骏说着，鼻子就酸了起来。他把头扭到一边，不想让大家看到自己的伤心。

“家里怎么啦？”

“您就别问了，我根本就念不起……”李骏知道再说下去，非哭出来不可，便借故甩下老师和同学径直回了家。

唉，这就是我的家！李骏望着自己家的那间即将搬迁的小平房，强忍泪水。他弯下身子走了进去，两眼无神地落在这间伴他度过了二十年的小屋。这是他和父母及奶奶四口人长年居宿的家，一间不足15平方米的小屋。因为拥挤不堪，从中学起的六年里，李骏便住在用一块木板隔起的“小楼”上。那是一块上不能伸头、下不能蹬腿的蜗牛地——李骏这么称自己的天地。就在这块小蜗牛天地里，李骏默默苦学，先后拿下了16项（次）全国、全省的数理化竞赛奖，成了班上年年优秀的好学生。李骏知道自己家贫寒，所以他从不嫌弃自己小屋里的每一块地方，尤其是那小阁楼，只是如今想到自己无力去上大学而觉得有愧于为他学习做出了那么多贡献的一板一凳……

李骏的父亲李立林是下乡知青，回城时，小李骏才六个月。母亲蔡苹虽然解决了户口，但一直没工作，且有先天性残疾。全家的经济来源只有靠在锅厂工作的父亲那几百元的微薄工资。李骏的父亲后来因腰椎间盘突出而长期请病假，工资就更少了。三年前锅厂因效益不好，基本停发了李骏父亲的工资。打那以后，全家人就靠上街卖报纸为生。李骏懂事，虽说他生长在这么困难的家庭里，但他从不自卑，刻苦努力，学习成绩一直在班上名列前茅。为了帮助父亲分忧解愁，他用稚嫩的双肩分担家里的重负。放学回家，他帮奶奶洗菜做饭，吃完饭后又上街替换卖报的母亲。别人家的小孩子，逢年过节又是玩又是吃，李骏却一整天一整天地跟着父母在大街上吆喝卖报。即使在高考前三天，李骏还在帮着母亲卖报。更令人难以相信的是，在参加高考的三天里，李骏每天还要抽时间替换母亲回家吃饭。

然而现实对这位勤奋而贫苦的“状元”太不公平了。他接到复旦大学录取通知书，还没来得及高兴一下，即被上面的4000元学费和未知的生活费给惊呆了。哪来那么大的一笔钱呀？父母栉风沐雨、起早摸黑一个月也就是三四百块钱，仅维持全家四口的生活就已经极其艰难。李骏对自己家眼前的景况和一旦上大学后的这两笔账太清楚了，所以从接到入学通知书那阵起，他的“状元”之喜，早已烟消云散。

当其他那些比他成绩差一大截、录取学校也非重点的“准大学生”一个个喜气洋洋地串门访友、设宴阔请时，李骏像什么事也没有发生似的照常跟着妈妈在大街上吆喝卖报。倒是一些好心人在为他悄悄做着事……不几日，《盐阜大众报》记者将他因家庭经济困难无法进复旦大学的事刊登在报纸上。一时间，引起盐城人民强烈反响。与此同时，一位在盐城工作的复旦校友向母校领导反映了李骏的情况。

李骏的命运一下发生了巨变。

“你是李骏吗？我是复旦大学学工部应岳林老师啊，你的情况我们学校已经知道了。校领导非常重视，让我转告你三点：一是只要你努力学习，我们复旦不会让经济困难的学生辍学的；二是我们有减免学费的政策，你的情况我们核实后一定会妥善解决好的；最后我们学工部已经为你准备了一些生活用品，其他事你来了再说。记住：一定要来报到……”9月13日，李骏突然接到这一令他喜出望外的电话。虽然当时他心里仍没底，但第二天他还是简单收拾了一下行李，直奔上海。

15日早晨刚到7点，复旦大学学工部副部长应岳林家的电话便已经响起：“什么？你是李骏同学呀！好好，你在校门口等着，我马上就去！”

之后的几个小时里，李骏就像是在做梦：他先被领到学工部新生报到处报到，然后又在应老师的协助下把宿舍安顿就绪。中午前他走到校门口品味一下自己是否真的进了复旦，即被几位记者团团围住，请他讲讲作为一个新大学生对刚刚召开的党的十五大的感想。

“我……我要为中华民族崛起而读书！为新世纪祖国建设而读书！”李骏终于激动地掉泪了。因为他知道自己真的进了大学，而且在代表复旦万余名大学生向祖国倾诉衷情。

第二天的《人民日报》（华东版）刊出了李骏在复旦校园的大幅照片，这回“状元”真的露脸了。

李骏的“状元”没白当。但像他这么幸运的人毕竟不多。赵永均就比李骏的命运差多了。

赵永均在内蒙古赤峰老家的那块地方，成绩也是响当当的。方圆几十里，哪听说谁家的孩子考上大学了，而且是名牌大学？

可赵永均那天到南京的东南大学报到时他好心酸。

场面好热闹，他赵永均长这么大还真是头回见：如潮的汽车，如潮的人流……赵永均开始不明白出了什么事，后来反应过来，那都是家长们成群成队来送新生报到的！乖乖，车真好！瞧，那学生的后面简直是个“运输大队”呀！啧啧，不知哪个地方来的娇小姐，跟爸妈分手时还来个吻别！

好奇，新鲜，目不暇接……但等赵永均清醒过来，他猛然发现自己与这里所有的人格格不入。

看看，人家也是新生，在父母和亲人们的簇拥下个个像进宫殿的小皇帝那样趾高气扬，而我赵永均孤单单地穿着一身皱巴巴的衣服，手拎两只塑料旧包，整个就像“流浪汉”，充其量也是被人看做“打工仔”。他顿时脸上火辣辣的，慌乱地低下那颗从不轻易低下的头，像做了什么错事似的靠着路边走。兴许因为只顾盯着自己的脚尖而没有注意前面，他猛撞了一个与他同年龄的新生。那新生娇滴滴地尖叫了一声，于是旁边的一位满身珠光宝气的中年妇女，狠狠地朝赵永均白了一眼：“走路怎么不看人哪？”说完，那位富有的女人拉起自己的宝贝孩子远远地躲开赵永均，嘴里嘀咕道，“怎么大学里还让叫花子进来么？”这话赵永均听得清清楚楚，他顿时全身像触电似的僵在那儿久久没有动弹……

许久，他那颤动的手不自觉地伸到口袋里——没错，那是与别人一样的入学通知书！赵永均仿佛一下有了救命的力气，他看看从自己身边匆匆走过的人流，张开嘴巴就喊："我不是叫花子，我也是大学生！"

可他发觉怎么也喊不出声，只有那苦涩的泪像决堤的潮水涌出眼眶……这是为什么？不就是因为我的这副行头寒酸么！不就是因为没有父母护送我来报到么！我父母……赵永均一想起在大草原上的父母，再也没了想喊的力气。

赵永均忘不了那天在接到入学通知书后的情景。

"妈、爸，我被东南大学录取了！"赵永均最先把入学通知书给了妈看，然后又给继父。他想这回得让辛辛苦苦好几年供自己上学的父母好好高兴高兴，但却半天不见老两口说一句好听的，继父干脆长叹一声背着手出门去了。

母亲更怪，躲到一边竟抹起眼泪来。

赵永均一愣，问："妈你咋啦？"

母亲抬起泪眼说："孩子，家里哪付得起那么多钱呀？"

儿子听了这话，才明白了一切。父母是被入学通知书上的4000多元学杂费给愁的。赵永均低下方才还是那样骄傲的头颅，泪水一下溢满了眼眶，但他倔强地没让它流出来。他轻声地说道："我知道这……"

赵永均确实知道父母在哀叹中没有说出的苦处与难处。6岁那年，赵永均的生父去世，当时母亲一个人带着连他在内四个小孩，最大的还不能帮她干活，最小的才刚刚会走路，日子过得非常苦。许多年后，继父才走进了赵永均家。在这片贫困的草原与山丘组成的边远乡村，人们祖辈过着以放牧养畜为生、自给自足的生活，由于交通闭塞、信息落后等等客观条件制约，即便你守着一座金山又能怎样呢？何况知道自己家连像样的几匹马都没有，全家人的生活每年都有三四个月的短缺。如果不是他自己咬着牙坚持上完小学上初中，上完初中上高中，他早到了跟人去远山相媳妇的时候。赵永均心里明白，在他家乡，在他家里，像他这样一门心思想上学的人，除自己想法子外，不会有其他办法。至于家里，能不拖你后腿就是最大的支持了，其余的你想都别想。

第二天开始，赵永均就开始自己想辙。

他赶了几十里路，先到了乡政府。人家告诉他乡里没地方拿出这笔钱，再说也不能补你一个人。看着人家根本没把他这个“状元”放在眼里，他发誓再不进这衙门。

他还是采用了上高中时的老办法——到亲朋好友那儿去借。

“你怎么老借没见还呀？”朋友早已生气了。

“我、我不是刚高中毕业嘛。”赵永均每逢此时，总觉自己的底气特不足。

“那就赶快上山里圈个草场啥的，要不出山上南方打工挣大钱去嘛！”

“我都去不了……”

“咋？”

“我考上大学了。”

“嘿你小子，有出息啦！”

“所以想借些钱……”

“多少？”

“学费共 4000 多块，你看着给借吧。”

“唉！这一借是没个期限啦！”朋友长叹一声，拿出 500 块钱，“日后发达了可别忘了咱山里兄弟呀！”

“不会。谢谢了。”

赵永均又跑到亲戚家。

“伯伯、伯母好。我考上大学了，想借……”赵永均刚说到这儿，伯伯、伯母就把门一关，里面传出一句难听的话：“咱家又没菩萨，以后别老来！”

赵永均“扑通”双膝跪下：“伯伯、伯母就是菩萨，侄儿我给你们磕头了……”于是，他的额上留下一片红肿与泥块。

门，“吱嘎”一声终于沉重地打开。“苦命的孩子，我们也是没法呀！”

“侄儿知道。等我上完大学了，一定加倍偿还。”

“你就别嘴上说好听的了，上高中时你不也说过类似的话？”

赵永均顿时无言。

就这样，赵永均用了将近一个月的时间，挨家挨户到亲戚朋友那儿借得了他认为可以上路的钱，于开学报名前来到南京……在 97 级同班同学中，他路程最远，却没有一个家人送他上学，为此他悄悄流过泪。

（赵永均现在是东南大学大二学生。他说学校大概看他独立能力强，一进校就让他当班长。他因上学欠了 1 万多元债款，没让家人知道，学校也不清楚。现在他主要靠假期打工解决学费和生活问题，日子过得仍极艰难。）

第二章　儿女，从母亲的“十字架”上走来

安金鹏太幸运了！他是代表中国高中学生参加在阿根廷举行的第38届国际奥林匹克数学竞赛的金牌获得者，被北京大学免试直接录取的1997年新生。那天他接到北大“入学通知书”后，给第一个看的人就是自己的母亲。

“妈，你看，我终于可以上大学了！而且还是北大！”儿子喜出望外。

母亲一边擦着泪，一边双手颤抖着看那份烫金字的入学通知书。她看了很久很久，然后十分自信地对儿子说：“小鹏，妈知道你一定能考上北大的！这回，妈还要陪你到北京，送你进大学门！”

9月5日，安金鹏早早起了床，因为再过一个来小时他就要离开自己的家，到北京去报到了。他发现自己在此生活了十几年的那幢破旧不堪的农舍里早已腾升着袅袅炊烟，跛着腿的母亲则在灰暗的锅台前忙上忙下。

“快来吃，妈给你把面煮好了。”母亲像往常一样麻利地端上一碗热腾腾的鸡蛋面。

儿子端起碗，怎么也吃不下去。他知道这碗里的面是母亲昨天用五个鸡蛋从邻居那儿换来的，而母亲那条跛腿也正是前天为了多给他筹点学费，推着一平板车蔬菜去赶集时扭伤的。安金鹏想到这里，顿觉手中的筷子重如千斤。他放下碗，走到母亲的跟前跪了下来，久久抚摸着母亲那只肿得比馒头还大的脚，哽咽着问道：“妈，你的腿好疼吧？”

母亲将儿子扶起，轻轻为他擦去泪水，摇摇头："不疼，妈看到你今天总算考上大学，心里比蜜还甜。真的……"

"妈——"儿子再也忍不住了，他的哭声惊动了四邻。

家在天津武清大友岱村的安金鹏同学确实是中国五千多万中学生中最幸运的一位，这倒不是他今天能考上北大这所人们心目中的"中国最高学府"，而是他有一位比泰山更伟大的母亲始终如一地在他追求"大学梦"的路上，给他架桥铺道路。

同所有贫困农家子弟一样，安金鹏从生下来那天就开始与苦结伴。小时候，他便知道父母为了给有支气管哮喘和半身不遂的爷爷奶奶看病而拖了一身债。7岁上学那年，几块钱的学费也是母亲从别人家借来的。可小金鹏发现自打他上学后母亲反倒一直不爱坐在他身边看他做作业。后来他明白，由于他手里常使的用细线捆在一根小棍上的铅笔头是被同学扔在地上后捡来的，练习本则是用橡皮擦了一次又一次反反复复用的旧本本……母亲不愿看到这些，看了她更伤心。不过好在母亲也有高兴的时候，因为学校每次考试，儿子总是全班第一名。聪明的小金鹏，上初中就把高中的数理化课程给学完了。1994年5月，在天津市举办的初中物理竞赛中，小金鹏是市郊五县学生中唯一考进前三名的农村娃，并因此被天津一中破格录取。当他欣喜若狂地跑回家报喜时，万没想到家人竟没一点儿喜色，反而笼罩着一层愁云。原来奶奶刚去世，久居病榻的爷爷又紧接着生命垂危。1万多元的外债像一座高山压得全家喘不过气来。懂事的小金鹏默默地回到自己那间小屋，然而他怎么也忍不住心头的酸苦，眼泪整整流了一天。

傍晚，小金鹏在里屋听外屋的父亲和母亲争吵不休。原来，母亲要把家里的那头怀上驹的毛驴卖掉好让小金鹏到天津上名牌一中，但怎么说父亲就是不同意。正是这一阵高过一阵的争吵声，让久病的爷爷听到了，老人家知道孙儿是因为自己的拖累而无奈的，他觉得再活在世上是全家无法摆脱的枷锁，便选择了一条绝路……

第二天醒来，小金鹏得知爷爷已永远离他而去，哭得死去活来。他明白这一切的发生都与他上学有关。当他伏在爷爷那冰冷的尸体上时，他真想对父亲和母亲说一声这个书我不读了，可他没这勇气——他太渴望读书，太渴望将来上大学了。

埋葬爷爷后，债台高筑的家又多出了几千元债务。过了两天，小金鹏和父亲发现家里的那头小毛驴不见了。父亲马上猜到了，于是铁青着脸问母亲："你真把毛驴卖了？以后盘庄稼、卖粮食你用手推、用肩扛啊？这一头毛驴也才几百块钱，能供得起金鹏念一学期还是两学期？"

那天母亲哭了，她几乎是吼着回答父亲："娃儿要念书有什么错？他考上市一中在咱全县是独一份，咱不能让穷家把娃的前程给耽误了！明白吗？我、我就是用手推、用肩扛一辈子，也要让他上学、上大学……"

金鹏捧着用毛驴换得的600元钱，真想给母亲跪下磕上几个头。他发誓一定好好学习，读好中学，考上大学，报答父母之恩。

秋天到了，金鹏回家取冬衣，他一进门就愣了："爸爸，你的脸咋这么黄？人也瘦了好多……"

病榻上的父亲苦笑了一下，没有理睬儿子的话。可懂英文的儿子一看桌上的药瓶说明书，顿时吓了一跳：爸吃的可都是些抑制癌细胞的药呀！他找到了母亲，悄悄问这是怎么回事。母亲一脸痛苦地告诉儿子，在金鹏到天津念书后，爸就开始便血，一天比一天严重。母亲急天急地借了6000元钱，到天津、北京给父亲查了一遍，最后确诊是肠息肉，医生说要尽快做手术，可父亲死活不同意再借别人家的钱。"医生说不动手术病会更难治，我寻思就是踏破天也要为你爸把看病的钱借来。这事千万别对你爸说，他穷怕了，一提钱就整夜整宿睡不着。”

那天金鹏帮母亲在田里干活时，邻居告诉他，说他的母亲一个人既要为父亲看病，又没人帮她种地，一个女人家没足够的力气把地里的麦子挑到场院去脱粒，也没钱雇得起人使用脱粒机，于是她只得熟一块割一块，然后用平车拉回家里，等晚上再在自家的院子里铺一块塑料布，搬来一块大石头，用双手抓起大把麦秆在石头上抡打着将一粒粒麦秆脱尽。整整几亩地，母亲全是靠这样跪着割、趴着脱……金鹏没等别人说完，便飞身回家一下搂住为他补衣的母亲大声哭泣着说：“妈，我再也不去上学了，我要在家帮你干活……”

母亲转过头，那双含着泪花的眼盯着儿子，坚定地摇摇头：“好孩子，妈顶得住。你在学校好好念书，念出好成绩，考上大学，妈就有力气，明白吗？”

金鹏点点头，他知道母亲多么看重自己的儿子将来能上大学！他也明白，对一个农家子弟特别是贫困的农家子弟来说，考上大学才是最大的希望所在。儿子的前程，在母亲的心目中比她自己的生命还要重百倍、重千倍！金鹏懂得只有自己好好地读书，才能对得起母亲，除此别无他路。

他回到了学校。由于家庭负债累累，安金鹏的生活费每月只有 60 元到 80 元，这么点钱在大城市里生活怎么过呢？可他知道，就是这几十元钱，也是母亲每天一分一分地省、一元一元地攒，把全家所有可能积攒得出的现钱给他送来，而母亲和有病的父亲及弟弟只能在家吃腌菜拌汤过日子。母亲知道儿子在城里不容易，又是长身体的年龄，便每月都要步行十几里路去批发 20 斤方便面渣给金鹏送去。每次送方便面渣时，母亲还特意赶到 6 里外的一家印刷厂讨一包废纸给儿子做演算草稿用。除此，母亲的布包里还有一件金鹏熟悉的推子，那是专为儿子理发用的。母亲对儿子

说 :“你现在是在城里读书，出去得像个样。可咱家没钱让你上理发店，所以妈每个月来为你理一次发，省下钱你就多买个馒头什么的，把肚子填饱。啊，听到了吗？”

金鹏点点头，什么话都说不出。

在学校，金鹏是唯一在食堂连素菜都吃不起的学生，馒头、方便面渣和咸菜就是他的一日三餐。母亲捎来的废草稿纸用完了，他便到校内外捡那些一面没印字的废纸用 ；他自进中学从没用过一块肥皂，洗衣服时便到食堂要点碱面将就……然而这样艰辛的学习生涯从没有使安金鹏自卑过，因为每当苦难压得他喘不过气时，他便想起了母亲。是母亲给了他力量，给了他智慧，给了他生命的全部意义。而他也无愧于母亲那大海般的慈爱，成为出类拔萃的学子。

安金鹏终于笑着走进了大学门。那是因为在他身后有母亲那一片无比灿烂的阳光照耀着……

家住北京那条很有名的柳荫街的高洁同学，是 1998 年 9 月成为一名大学生的。我知道她的事纯属偶然。那天我正在赤膊上阵赶我的稿子，我的夫人说她单位同事的孩子有个同学家很贫困，今年考上大学了，可为那 3500 元学费，全家人伤透了脑筋。

“怎么回事？”

“没钱呗。”我夫人说。

夫人见我没话说，便道 :“我出个主意，你看行不行？”

“什么主意？”

“你不是在写关于贫困生的书嘛，把这个叫高洁的苦孩子写进去，这样人家看了书不是可以给她资助了吗？要不……”夫人的话没有说完，只是望了望我。我马上明白了，因为如果不是她知道我已经为了写贫困生而一路赞助了好几位贫困大学生的话，夫人准会说“干脆我们帮帮这孩子吧”，但现在她没有说。其原因我清楚：我们家近期的经济也出现了危机。

“那好吧，我明天去采访一下那女孩子，看她到底怎么样。”我作了一次非计划之内的采访。第二天我到了离我家只有两站路的柳荫街。高洁家在柳荫街铜铁厂胡同。当时我心头有种不可言喻的感觉，那就是我不太相信在这么一条十分出名的北京胡同里，竟然会有一个女孩子为交不起上大学的学费而愁得走投无路！

然而这是事实。

高洁家的境况比我想象的要可怜得多。她那个生活了十九年的家，竟只有九平方米之大。除了一张床外，便只能放一个柜子了。屋内无法放炉子，做饭只能在外面临时搭出的一块小地方。好客的高洁父母忙让我坐，其实我只能坐在他们全家唯一的那张床上。

“实在不好意思，只能让你坐在床上了。”腿脚不利索的高洁父亲很歉意地说，而高洁那个有病的母亲只能从屋里退至门外——因为小屋内已没有多余空间。

“能说说你上学的事吗？”我转头问一声清秀的高洁姑娘。我看得清楚，这孩子先是不好意思地一笑，继而两颗豆粒般的泪珠一下子掉在脸上……随我一起采访的摄影师拍下了高洁的这一景，而后来高洁那闪着泪水的照片，成了《落泪是金》一书的封面，出现在神州大地的无数媒体上。这是后话。

“瞧你这孩子，人家何作家跟你说话呢！”父亲不满地对女儿说了一句，随后直向我道歉，又长长地叹了一声，“这孩子命苦，投错了胎……”

我这时已有些看出高洁一家的贫困根源了：原来她的父亲是个腿脚有残疾的人，而这还不是主要的，主要的是那位站在门外一直笑眯眯却不说话的母亲。

“我有病……一直有病，拖累这家，拖累这孩子了。”母亲说着，再不笑了，只是不停地在擦眼泪。

我转头再看看高洁。女孩已是满脸泪水……

好可怜的一个家呀！

“高洁，反正你离我家不远。改日请你到我家去，然后我们好好聊聊行吗？”我知道这一天无法完成采访，便说。

高洁又是点头又是擦泪。

这是一个受苦太多的孩子。而像她这样年龄的女孩，尤其是生活在首都北京的女孩，本该是每天在父母面前撒娇的宝贝呀！可这在高洁的记忆中似乎从来没有出现过。

也许我的建议是对的，高洁在与我单独谈话的时候，刚一开口便忍不住地泪流满面起来。她那天当着父母面真的想哭出声，可她强忍住了，因为她不想伤父母的心。她说她父母与其他家孩子的父母不一样。高洁父亲在娶她母亲为妻时腿就有残，就是因为父亲有残才娶了有病的母亲。高洁的父亲平时很要强，人也很直爽，但他那残疾的双腿注定了一生的不幸命运：干什么事都硬不起来。在高洁的眼里，父亲依然是个标准的男子汉，尽管腿脚不利索，可家里的重活累活，父亲总是毫不含糊。然而男人毕竟是男人，一个家庭里如果没有一个完整的女人将会出现生活的倾斜……

高洁的母亲得的是哮喘病，后来又发展到肺气肿。在高洁的记忆中，她母亲几乎每个月都要进医院一次。因此小时候的高洁极少有笑脸，女孩子家本来总爱脸上挂笑，可高洁不行，妈妈在家时，她看到爸爸天天提心吊胆，怕妈妈的病又犯了，自己也跟着担心；假如妈妈因犯病上了医院，她便更不可能有笑脸了。后来高洁上学了，但从上学的第一天起，高洁就被老师点名说，你这孩子为什么上课时老走神？老师哪里知道，小小的高洁，心里装的东西太多，她上课时也时不时想起在家的妈妈是不是现在又开始犯喘了，或者在医院的妈妈是不是又在打针了。上小学时，高洁并没有也不懂得把家里的事告诉老师和同学，只是以为家家可能都是这样吧。那天下课回家，爸爸告诉她妈妈又住院了，当晚爸爸带她上医院给送了一次饭。第二天放学回家，高洁看到本来就腿脚不好的父亲一脸疲惫，便对爸爸说："爸，你把饺子包好后我给妈妈送去。"

"你？"父亲瞪大了眼。

"嗯。我给妈妈送。"小高洁十分自信地朝父亲点头。

"你真行？爸爸今晚要值班，你能代我送那倒是好，可你不行，太小，要乘好几站车呢！"父亲摇摇头，长叹着只管包手头的饺子，一边自言自语地，"什么时候等你长大了就好了……"

小高洁看在眼里，她心里想着今天一定要做给爸爸看看。当爸爸把饺子煮好并盛好后，放在一旁又去办其他事时，小高洁拿起饭盒，又给爸留了个小纸条便出了家门……

"小洁，怎么是你送饭呀？你爸呢？"病榻上，正挂着点滴的妈妈看着才七岁多一点的女儿一晃一晃地提着饭盒走进病房时，惊呼着伸出一只手把女儿拉到身边，问。

"爸爸没来，是我一个人来的。你快吃吧，饺子还热着呢，妈妈！"小高洁有架有式地一边掀开饭盒，一边兴奋地用小脸凑在热腾腾的饺子上。

妈妈两眼满是泪水地把女儿揽在怀里："你这孩子，以后不许你一个人到这么远的地方来。听到了吗？"

"不！妈妈，我要来，我要给你送饭来！"谁知小高洁一下子从妈妈的怀里直挺挺地站出来，大声说着，像在庄严承诺。

"这孩子多懂事呀！你看才几岁就知道心疼她妈了！"

"可不，从柳荫街到这边北大医院好几站路，你说要是我们的孩子还不知瞎闯到什么地方去呢！"

与母亲同一个病房的人在一旁齐声夸起小高洁来。

七岁那年的小高洁，当她听到别人如此夸她时，那颗单纯而幼稚的心充满了自豪感。她感到自己是多么了不起，她感到自己从此可以开始为有病的妈妈承担责任了！所以在之后的若干年里，小高洁把上医院为母亲送饭看做是自己一份神圣和极其了不起的责任。因此无论医院离家有多远，无论是雨夜还是黑天，她都义无反顾，没有丝毫的胆怯，也没有半点叫苦喊屈的时候。尤其当她跨进母亲的病房，周围的那些大人们总是左一个夸她好机灵，右一个夸她好懂事时，她的这种自豪感总是溢在心窝……

但是后来高洁大了，渐渐地在一次次给母亲往医院送饭的时候，她发觉自己再不像以前那么自豪了，她看到别人家的孩子每天放学回家不是聚在一起玩，就是在一起做作业；可她不行，她要一分钟也不能耽误地赶到医院为妈妈端屎端尿，端茶端饭。她开始觉得自己很可怜，可怜得没人看得起自己，因为那些与她同龄的女孩子不是父母身边受尽呵护的娇小姐，就是想什么有什么的“小上帝”。而这还不是主要的，主要的是她没法正常上学。自从高洁第一次给母亲送饭、第一次亲手给妈妈做菜后，她便主动接过了家庭中本不该让男人做的家务活。妈妈有病，妈妈的病需要精心和尽心的照顾。别看小高洁平时说话不多，但心里细着呢。然而这一切的养成，与她年龄太不相称，那时她才八九岁。苦人家的孩子就是这样，一切都开始得早。高洁记得，在她上学的第一天，她心头便蒙上一层阴云：那个早晨的前夜，有病的母亲为了让自己的女儿也能高高兴兴地上学去，特意给她缝了一件衣裳，那晚母亲一边喘着一边又不停地为女儿缝着，小高洁当时就想着能穿新衣裳上学的事，却忘了妈妈的病，她甜甜地睡在妈妈的怀里度过美好的一夜，清晨兴高采烈地上学去。中午当她兴冲冲地拿回新书本想让妈妈看一眼时，却发现家里的门反锁着……

"妈妈，妈妈——"小高洁喊了半天仍没人答应。她哭了，哭得异常伤心。后来邻居告诉她，就在小高洁上学不久，她妈就开始大喘，父亲和一个邻居赶紧将高洁的妈送进了医院。小高洁的一颗滚烫的心一下子变得冰冷。下午当她回到学校时，看到小伙伴们高兴的样儿，小高洁忍不住泪水汪汪……

这是高洁上学第一天的记忆。而日后这样的痛苦记忆就再也数不清了。

小高洁在上初中的时候，学校的一次又一次考试像打仗一样地频繁。本来成绩一直在班里前几名的高洁，由于连续几次给母亲陪床而直线下滑。期末考试了，高洁发誓要夺回自己的名次。那段时间她特别卖力，母亲半夜醒来常见女儿还在灯下做作业，便轻轻地端上一碗糖水——这是高洁从小就能得到的最好的母爱之一。她望着妈妈咳喘的身影，含着泪水又埋头苦学起来。高洁的心头腾起一种强烈的愿望：我一定要好好学习，长大后赚了钱第一件事就是先给妈妈找家最好的医院把她的病治好！那一夜，高洁在凌晨一点多才睡下。清晨，当她还在睡梦中时，突然被父亲叫醒："小洁，快起来帮一下忙，你妈又喘得不行了！快快！"高洁"噌"的一下从被窝里跳起来，她第一眼看到的是母亲脸色苍白，胸脯像鼓风机一般地剧烈起伏着……那情景极其吓人。高洁慌手慌脚地帮着父亲给母亲穿上衣服，抬上小三轮车。

"我去了啊，把门关上，早晨自己弄点吃的就去上学啊！"父亲一边吃力地蹬着车直奔医院方向，一边回头吩咐道。

寒风中的高洁直挺挺地站在那儿，似乎什么都没听到，她心里装的全是母亲那张苍白的脸和喘得地动山摇的胸脯……那一天，高洁的成绩考得一塌糊涂，不仅没能实现自己的愿望，而且又落下几个名次。

她感到灰心了。不灰心也没辙，母亲不知什么时候又会喘起来，而每一次喘似乎都比上一次更严重。住院送饭送菜不说，光陪床就够受的。女病房里男士进出总不太方便，所以父亲总是更多地让高洁去医院陪床。母亲尽管有病，但一直尽可能地为女儿着想，一般白天基本不要家人来陪着，但晚上高洁是一定要去为母亲陪床的，她担心有个好歹。别看并不复杂的陪床，那可是活受罪的差事。你既不能睡好又不能随意走动。高洁在读书，学校的作业是绝不会因她陪床而减少。无奈，她把陪床当作做作业的好当口。高洁的母亲只能住最普通最拥挤的病房，病房的嘈杂是可想而知的，然而高洁已经习惯了，只要母亲不叫她，高洁可以趴在母亲的床沿上一做作业就是一两个小时。高洁又是个孝女，母亲劝她早睡，可她从来都先让母亲睡。当她看到有病的母亲睡熟时，她才合上眼……

“呀，不好啦，我又要迟到了！”这样的事太多，高洁在陪床时常常突然惊叫起来。由于困得要命，她经常在醒来时发现离上课的时间太近了，于是便惊慌失措地赶紧帮着母亲做完该做的那些事，拔腿往学校赶。在教室的座位上，她那颗心仍怦怦直跳，要到第二节或第三节课时，高洁才能感觉平静下来。

那是一种真正的磨难。有一次高洁在体育课上做俯卧撑，做着做着，高洁觉得两只胳膊像面条似的软了下去。她想撑起身来不做了，可就是支不起来。后来她不知不觉地闭上了眼睛，等到醒来时，她发现自己身上重重的暖暖的，嗯，谁的衣服盖在我的身上了？

“啊，同学们，高洁醒了，她醒了！”这时，她看到全班的同学一齐向她奔来，不管是男生还是女生，大家像亲人一般地问这问那，百般地叮嘱高洁如果太困了就再睡一会儿，甚至有的同学说：“高洁你忙不过来，我们轮流替你上医院给你妈陪床怎么样？”

高洁的眼泪顿时像决口的河水，哗哗直下。

这是一个生活中有太多眼泪让她流的女孩。

有一次母亲又开始犯喘，父亲上班不在家，小高洁好着急，可她又没法用自己的自行车驮着母亲上医院呀。家里的那辆三轮是专为给母亲上医院用的，但高洁不会骑它。怎么办？妈妈的病不能耽误！高洁心一横，便把三轮车推了出来，然后吃力地将妈扶上后座，自己便脚踩镫子朝医院直奔。这是高洁第一次蹬三轮，她的手心紧张得全是汗。就在走向积水潭医院的路上，一个下坡坎儿边，高洁因为不会刹闸，眼巴巴地看着车和有病的妈连同自己全都翻倒在路边。小高洁开始还笑，后来醒过神来，看到自己的妈妈与车都倒在那儿的惨劲，忍不住地哭了起来。路过的好心人帮助高洁扶起了她妈和三轮车。那次，直到母亲在医院住下挂上针的几小时后，高洁还在不停地抽泣着，最后，她独自走出病房，躲在一个没有人看得见的地方大哭了一场……

最让高洁难受的还不是这些。她感到自己最难受的是由于母亲长期有病，家里一切可以变为现金的东西全没了。本来提前病退的母亲就只拿二百多块钱一个月，父亲干的是临时工，工资更不固定，全家除了吃外，所有可以省下的钱全部留着下一次高洁她妈住院时开支。女孩子大多爱吃零食，高洁其实也喜欢，可她不能，她甚至连上学用的每一张草稿纸都要用到不能再用为止。同学们经常看到高洁整个冬天换不上一两套衣服。高洁告诉我，到现在为止，她身上的衣服都是亲戚家的几个姐姐给的，自己家基本没有给买过什么像样的衣服。但是高洁爱读书。有一次爷爷和几个亲戚在春节时给了她几十块压岁钱，高洁精心保存了大半年，她有两个打算，一是等妈妈特别需要时给买瓶梨水罐头，二是一定要买本辞典。后来她把这几十元钱真的用在了这两件事上，而自己连根冰棍都不舍得吃。

初中毕业了，父母跟她商量，说我们家境不好，你就读个中专算了，以后早点参加工作。这回高洁想不通了，她用眼泪回答了父母，因为高洁想的是将来她要上大学。

由于这是自己选择的路，高洁觉得更应该为可怜的爸妈多做出贡献。然而这似乎无法改变的家境，使高洁一直陷入极端痛苦之中。那一天中午，高洁从学校回来赶到医院把自己赶着做的饭送到母亲的病榻前，她妈就是不吃，并说以后你也不用送，妈妈等着饿死算了。高洁急了，她知道妈妈是心疼自己，怕耽误自己的学习与成长。高洁含着眼泪对妈妈说："你不吃我就不走，永远不走！"母亲开始有意背对着女儿不理睬，过了好一会儿，母亲以为孩子走了，掉过头来，只见高洁满脸泪水地站在一边，那一颗颗豆粒一般大的泪珠，打湿了她的一大片前衣襟。

"小洁，我好苦命的孩子……"母亲忍不住一把搂过女儿。母女俩在病房里抱头痛哭了一场。那是高洁一生中难忘的一幕，她深深地懂得天底下的母亲都爱自己的儿女，尽管自己的母亲有病在床，内心却同样对她寄予深深的爱和希望。高洁大了，她更懂得如何能为母亲和父亲做点事，因为这个残缺的家庭里，只有她是一个最完整的人。她知道在今天的社会里，有病的母亲和有残疾的父亲难免受人歧视，她当女儿的绝不允许这种使她父母伤心的事发生，于是便开始承担起一些不该让一个女孩承担的事。母亲的单位是个小企业，效益不算好，自然像高洁母亲这样的老病号，对单位来说也是十分沉重的负担。可高洁家没有别的路子可走，所以每一次母亲住院，总得先到母亲的单位求爷爷告奶奶一样地要出一张支票。干什么都不容易，但要钱是最难的。父亲要钱不灵后便把任务交给了女儿高洁。那就去吧，为妈的病。高洁没想到的是要钱竟如此之难。人家说了，不是不给，而是单位效益不好，还要养活那么多在职的人。"给你妈看病了，我就没法让每天上班的人拿回工资去，你知道吗？”厂长的话句句在理。高洁呢，她说：“叔叔，我知道这个理，可我妈她病得实在不行才住院的，你们帮我救救她吧，好吗……”高洁不会说更多的话，她只有眼泪。

唉，看在可怜的孩子面上，给！厂长没辙了，撕下支票，不忍心再看一眼眼泪汪汪的女孩。

谢谢，谢谢叔叔。高洁仿佛一下子搬掉了心头的石头。她尽快地回家把支票送到父亲手中，一边又帮着母亲收拾住院的东西。可转头见父亲默默地坐在那儿发愣。怎么啦爸？

你看吧，这钱哪够交住院押金的！

高洁接过支票一看，可不，才1000元。高洁的心顿时凉了。

九平方米的小屋里又开始沉默，只有床头的母亲在不时喘咳着，而且越咳越厉害。母亲的每一声咳，就像敲在女儿的心头，“妈，我们只管去住院，明儿我到学校给您募捐去，啊。我们快去吧！”高洁对妈和爸说。

第二天，高洁的同学和老师真的不少人给了高洁钱，高洁又流泪了……

我眼前的高洁似乎已经到了不能自控的地步，她的泪水让我无法看着她，因为我觉得我的眼睛里也早已模糊一片……

高洁后来的事我知道，她于1998年7月考上了大学，本来她是完全可能考上重点大学的，但因为在高考紧张阶段，母亲又多次住院，对高洁的复习影响很大。但高洁并不后悔，她说母亲的病是最重要的，虽然我上大学也极为要紧。入学通知书下来时，高洁一家着实又难了好一阵，3500多元学费，对早已一贫如洗的高洁家来说，真的是天文数字。但高洁没有放弃机会，她到处借钱，甚至利用假期早出晚归打工……她说再苦再穷，我决不放弃上大学，这是我一生最想做的事。

我再一次发现泪水不断的高洁，实际是个很顽强的女孩。

后记：

《落泪是金》在《中国作家》杂志上发表后，高洁作为“封面人物”，一下成了众多媒体关注的人物，先后有多人向这位可怜的女孩子伸出了援助之手，有西藏的边防战士，有特区的老板，也有普通的百姓，他们用自己的爱给予了高洁无比的温暖。一天，高洁跑到我家，兴奋地告诉我说，她现在已经能基本解决学习和生活上的困难了，妈妈的病也大有好转。这是我第一次看见高洁的脸上充满了灿烂的笑。她笑时很美，像天下所有幸福的女孩子一样……

第三章　千里打工、乞讨为求大学“入门券”

4 月，我到上海采访的第一个学校是华东理工大学，这个学校是上海几十所高校中贫困生最多的一所。学生工作部的老师特意给我介绍来了该校 96 级化学专业的曾祥德同学。

在我面前坐着的这位瘦小的同学身上，看不到一点点在东方大都市上学的那种特有的上海大学生风采。他穿得上大下小，似乎蛮新的罩衣和很旧的球鞋，低着头、搓着手说话的神态，一看便明白地告诉你这是个“山里娃”。

只有知识和语言属于这所著名大学的学子，果不其然。

“我到上海读大学一年多，没上街出去过。只有在香港回归那天学校组织上了一次南京路，也就是一两个小时就回来了。”曾祥德同学说。

“老师说你是 1995 年考上大学的，怎么你现在才是 96 级学生呢？”

“我考上大学后整晚了一年才有学籍的。”他说。

“为什么？”

“接到录取通知书后家里没有钱，我就出去打工，给耽误了。”

“那——你当时没怕失去学籍？那样不就遗憾终身么！”

“我当然知道。可……当时什么办法也没有。”他抬起头时，两眼泪汪汪。

“能给我说说吗？”我轻轻端过杯中水，怕触痛他的伤痕。

曾祥德同学稳了稳神，说：“可以。”

下面是他的话：

我的家在四川丘陵山区，全家六口人，种四亩地，丰年时够吃，能卖点农作物换些油盐酱醋的现钱，一到灾年就有四五个月靠东借西挪过日子，所以我的同龄人一般初中毕业就辍学了，不是在家干活，就是到外地打工。我六岁上学，同时也开始帮家里干活。八岁时我就能挑水、打猪草，十岁便能下地与大人一起干农活。父亲在一家窑厂帮活，后来弄伤了身体，花了不少钱，家里因此欠了很多债。中学毕业后，父母让我去广东打工，说村上的小孩都去了，你也该为家挣钱了。我没听，因为我心里有个“大学梦”，为此可想而知我的高中三年是怎样结局了。我在家里是老二，老大出去打工挣钱了，家里就剩我是主劳力。记得读高二时，父亲在农忙时把脚扭伤了不能下地，母亲本来一直有病躺在床上。地里所有的活就我一个人干，十四五岁的人，在城市是“花季、雨季”的宝贝儿，可我们不行，不仅要干繁重的活，而且还得挑起全家生活与劳作的重任。那十二天里，我不分日夜地干，硬是一个人既收割，又播种。乡亲们一提那年“二娃”的事，至今还能说出个一二。我的小名叫二娃，他们说二娃将来准出息。可不，高考我一下考取了，被上海华东理工大学录取。爸妈对我上大学并不怎么高兴，他们觉得上大学还不如去广东打工。说你上大学四年，一分不能为家里赚钱，还要一年花几千元的学费，这里外里，四年家里要损失多少？就说大学好，可以后毕业了还说不准连工作都找不到，不还是去打工吗？所以劝我别上了。我哪能同意嘛！穷山沟沟里十几年上学你不知有多苦！我绝对不会放弃好不容易得来的机会。可是总不能两手空空去上学呀！入学通知书上写得清清楚楚，学费和学杂费几项加起来得4000多块！上哪儿弄出这么多钱？亲戚朋友也没富人，自个儿家里连吃饭都成问题，当时我真觉得走投无路。父母毕竟心疼儿，最后悄悄把家里唯一的一头耕牛给卖了。当我从他们手里接过那几百块钱时，我就有自己上大学是一种罪过的感觉。可几百元的耕牛钱与几千元学费之间还差得远着呢！不得已，我流泪告别家人，踏上了漫长而遥远的打工攒学费的艰辛之路。

我搭上四川到福建的火车，到了福建永安的舅舅家。我选择这儿是希望舅舅能帮我一把，因为我必须在一个多月之内把4000多元的学杂费挣到手。结果一到永安舅舅家，心里就凉了：舅舅家比我家好不了多少，更主要的是我的舅娘是他的后老婆。那女的太厉害，舅舅干什么事都得看她的脸色。我这么一个外乡人突然进了她的家，吃着住着，她哪会有好脸色嘛。没几天，我已经觉得再不能在舅舅家呆了，便决定搬出来。舅舅好心，背着舅娘给我弄了辆三轮板车，说永安城内交通不便，你有个板车可以拉点活能养活得了自己。我失望地看着自己的舅舅，可又能说什么呢？后来我租了一间小破房，每月30元，小得只能够我躺下伸直。住定后，我就开始找活打工。先是到建筑工地搅拌水泥，后来又卖菜。可永安是个小市，啥都不是那么景气，干啥都赚不了大钱。我很着急，越着急则越不灵，人生地不熟的，好挣钱的活也轮不到我呀。于是我又做起收破烂的活，每天早上三四点就起床，一直走街串巷到天黑。就这么辛辛苦苦干了两个月，人家说省吃俭用，我是常常不吃不用，到头来也才挣了1400元。这时已到开学的时间了，我原本认为出来打工一两个月就能把学杂费挣回来，然而我千里颠沛、受尽苦难，仍然计划落空了。当我在永安街头收破烂时见到人家扔下的报纸上说全国的大学已经全部开学时，我呆呆地坐在大街上欲哭无泪……一些新开学的小学生从我身边走过扔下几个可乐瓶，说："收破烂的，送你吧！"然后哈哈哈大笑着走了。我当时真想告诉他们，别搞错了，我是一个堂堂正正的名校大学生！可我说得出口吗？说了又有谁信呢？我一副无可奈何的样子，继续迈着沉重的步子，凄婉地沿街吆喝着："有破烂卖喔——！"我始终没有停下自己的吆喝声，因为我心中仍然编织着"大学梦"。

12 月 8 日，当我怀揣 3000 多元钱，来到上海，找到我心中久已向往的华东理工大学时，老师惋惜地告诉我由于来得太晚，他们不能再准许我注册入学。我一听差点当场晕倒，好在后来他们说可以给我保留一年学籍。有这话就行，我就开始在学校餐饮服务公司打工，但又有人不让干了，说学校有规定不是本校的人不能在学校打工。我好伤心，因为从情理上我也该算是学校的人呀！无奈，我把 3000 元钱存在学校的储蓄所，又开始了漫长的打工生涯。在走出校门的那一瞬间，我回头向学校默默地说了一句："明年，我一定要上学……"

1996 年 9 月，曾祥德如愿以偿，成了华东理工大学的正式学生。只是这一程，他走得太艰难太漫长。其实，在每年近百万的新生中，像他这样的又何止一个！而且，那些经济困难的学生，当他们历尽辛酸迈进大学门后，等待他们的仍然是一个又一个不曾想到的沟谷与坎坷……

不过比起另一些同学，曾祥德仍算是幸运者。

苏州是我的老家，这片富饶的江南水乡，在历史上曾经出过三四十位影响过中国历史进程的金科状元，因此这儿的父老乡亲们对读书人一直极为敬重。大概也正是这一点被一些出于无奈的“今日状元”所看中，我故乡的朋友告诉我，曾在1995、1996年两年的八九月份里，富裕一点的乡镇街头和车站码头边，出现过好几位讨钱的大学生。江南人本来就心善，加上当地比较富裕，这些讨钱的大学生几乎都能如愿以偿。后来街头路边这样的“乞丐大学生”多了，便引起了当地公安机关的注意。某日，在锡沪公路沿线的名镇支塘一带，公安人员突击出动，把一名正在街头举着“乞讨书”的大学生“请”进了派出所——

公安人员：“你叫什么名字？”

学生：“我叫×××。”

公安人员：“什么地方人？”

学生：“安徽××人。”

公安人员：“为什么要到这里乞讨？”

学生：“因为我考上了大学，家庭困难，交不起4000多元的学费……”

公安人员：“拿出你考上大学的证明材料。”

学生便从口袋里拿出学校录取通知书和高考分数单等。之后，候审室里除了一名警察外，其余公安人员不知为什么进了另一间屋。方才还并不在乎的这位学生开始紧张起来，看着墙上“嘀嘀”走动的闹钟，他忍不住呜呜大哭……

“对不起，×××同学，让你委屈了。”屋里又突然进来好几位公安人员，其中一个领导模样的非常和蔼地对他说，“你可以走了，因为刚才我们与录取你的某大学取得联系，证实了你的身份。”

学生听后，先是一惊，继而更加放声号哭起来：“完了！我还没进大学校门，学校就知道我在外当乞丐，我的脸放哪儿呀？……”

公安人员赶忙说：“我们并没有把你在这儿的事实真相告诉学校嘛！”

“真的？”

“这还有假！”

学生顿时破涕为笑：“谢谢你们。”

“先别忙走。”有人叫住他，并郑重地交给他一个红包，“这是我们全所同志刚刚集得的1200元钱，一点心意，祝贺你成为一名光荣的大学生！”

学生接过红包，“扑通”一声，跪倒在全体干警面前，早已泣不成声……

两年后，我几经周折才与这位学生见上了面。

“真对不起，如果不是知道你也是曾经给予我大恩大德的苏州老乡，你的采访肯定会失败。”见面第一句话他便这样告诉我，“尽管如此，在学校里还是没一个人知道我曾经是靠做乞丐来上大学的……”

“为了面子？”

“不！”他非常严肃地回答，“你完全说错了。”

“那又为什么？”

他神情惨然地仰天长叹一声，说：“那段当乞丐的日子，对我来说实在是太痛苦了……”

下面是他的话——

……我的家在安徽大别山区，父母都是农民，我是家里老大，下有一弟一妹，还有一个奶奶。父亲对我上高中就不太赞成，可考上大学后他着实高兴了一阵，觉得儿子给他露了脸。但等学校的入学通知书接到手里，他就再也不说话了，整天唉声叹气。我知道父亲是被几千块一年的学杂费给难住了。在我们那儿，要让一个普通村民家庭一年里拿出几千元现钱，除非全家都是在外打工的壮劳力。我家上有老、下有小，根本不可能拿出入学通知书上说的那些钱来供我上大学。政府帮助？不行，乡里、县上都靠吃国家救济，你跪下来求人家也没用。一天夜晚，我跟父亲坐下来认认真真地作了次对话。我说爸你只要说一声同意我上大学去，其他的事你就甭管了。父亲说你考上大学也不易，但家里这个样原本还想让你帮着支撑，可现在你要走，求个出息，我不反对，只是希望可能的话在上大学后能帮家里搭一把手。当时我听了太伤心，心想上大学又不是去打工，一年几千元学费让我这个两手空空的人对付就已经难上加难了，哪儿还能有啥办法帮家里搭把手呢？可我知道父亲说的是实话、心里话。村上像我这个年龄的青年，都到外地打工挣钱去了，父辈们生在山里长在山里，他们只听人说山外面能挣大把大把的钱回来，并不知道那钱在外面也不是好挣的。为了不让父亲失望，我违心地点头同意了。在接到入学通知书第三天，我就像村上的打工仔一样，背起铺盖，离开了家乡。父母所能给我的是卖掉了奶奶那口寿棺的150元钱和20个熟鸡蛋……

走出大别山，我没敢直接到我所要上学的那座城市，而是径直到了苏南的一个乡镇找我在此打工的同村老乡。当时我有两个打算，一方面早知那儿的经济发达，乡镇企业多，看能否找份既现成又能挣大钱的工打。另一方面想到几位要好的同乡那儿借点钱，凑足我的学费。但一到这人生地不熟的地方，我才发现自己临出家门时的想法过于乐观。要说在苏南一带找个工打并不算难，可想一个来月里挣得能让我跨进大学门的钱就不容易了。同村打工的老乡那儿几乎也没有什么钱可借的，因为他们工资的大部分要等年底才能拿到手。我初中的一个同学很仗义，听说我借钱是为了上大学，就到他的老板那儿想提前把工资要出来，没想第二天他被“炒了鱿鱼”。之后我再不敢轻易到同乡好友那儿提借钱的事，便琢磨着想别的辙。后来我发现苏南一带那些有钱的家庭妇女、特别是上些年纪的妇人，很爱烧香拜佛。于是我从一个小摊上花了五块钱买了一本“八卦算命书”，并用了一夜工夫熟读了几遍。第二天我就悄悄来到一个小镇的服装小市场，挨摊向那些上年纪的妇女问要不要算命。还真有人前来凑热闹。或许是我心里老惦记着能挣钱上大学的事，所以每次给人看相说事时我特别认真，尽量把自己以前学到和听到的那么一点半玄半虚的所谓“积累”都用上，因而时不时能让几个心事重重的算命对象相信一二。第一天尽管口干舌燥胡说了十来个小时，最后也只是挣得了二十多块钱。有了第一天经验，第二天我的“生意”翻了一倍，得钱近五十块！夜里我躺在同乡的宿舍里，暗暗思忖着如果照第一、第二天的水平，不出一个月，我就有可能把上大学的学费全部挣到手哩！哈，看来我上大学有救了！那一夜，我睡得特别的香……等醒来时，发现已经大天亮。

“小半仙，起来起来，快请我们撮一顿吧！”新一天正好是工厂休息日，我的几位同乡硬要我请他们吃一顿。我想了一下也该酬谢酬谢他们给了我一个立足之地，于是便痛快地答应了。一进饭店，看几位同乡像几年没闻到油香味似的，我心头一阵酸疼，咬咬牙，把刚得来的70元钱一下花去了整60元。吃完饭，同乡们回到厂子又去加班，而我重新开始“算卦生涯”。偏偏这天乐极生悲，来了霉运——当地公安、文化部门联合“打非扫黄”，把我这个“嫌疑犯”也一起抓了进去。执法人员查问半天，我也没敢说出自己的真实用意，咬定是为了混口饭吃。虽然在里面没受啥罪，可蹲在小黑屋里的那六七个小时直叫我心惊胆战，想这回钱没挣到，弄不好还有可能把自己一生前程给搭进去。执法人员搜了一通，看我身上除10块钱外，就是一本脏兮兮的“八卦算命书”，便扣下书后放我出来。在走出铁门的那一瞬间，我的两腿都软了。你问为什么？我庆幸啊！我庆幸那天把自己上大学的那些手续全放在了同乡宿舍里，要是那天带在身上被查出来我多丢人！

我再不敢干骗人的“算命”勾当了。当我迈着沉甸甸的步子路过那个服装市场时，有人突然猛地抱住了我的双腿，我吓得大叫一声。低头一看，原来是个面相丑陋、身体佝偻、失去双足的乞丐，趴在地上可怜巴巴地向我行乞：“我、我知道你是仙人，行行好吧，我已经几天没吃饭了，家里还有一个可怜的老母，你要不信我这里有村里、乡里的证明……”那乞丐说着，从口袋里掏出几份盖着红印的皱巴巴的纸要我看。还有什么说的，也许是同病相怜，当时我毫不犹豫地把自己仅有的10块钱扔给了他。那乞丐在我身后“扑通扑通”地磕着头，我怎么也不敢回头再瞅他一眼……

那一夜，我怎么也睡不着，眼前总是晃悠着乞丐的影子。不知怎么的，我觉得自己虽然四肢齐全、五官端正，可骨子里连那乞丐都不如。人家有难处，明明正正向人要、找人讨，我呢，却假装斯文给人算命骗钱。又不知是哪根弦牵动了一下，我的脑子里突然冒出个奇怪念头：何不干脆亮出自己是个上不起学的大学生！对，听说这儿的人历来尊重读书人，兴许他们能帮我大忙哩！主意一定，我就从同乡那儿借得一纸一笔，把自己的情况往上面如此这般的一写。你不要笑话我，当时我往纸上写下那段话时几乎没费任何脑子，就像往外倒苦水似的，眼泪跟着墨水走……第二天，我起得很早，我知道苏南一带的人爱上早市，于是便早早来到某小镇，选择了一个人多的十字路口，开始了我的乞丐生涯。

你问我第一次当乞丐什么感受？唉！一句话两句话真是说不清。这么说吧，我当时把贴在一块硬板上的“乞文”竖起后，自己的头就再也没有抬起过，甚至连眼睛都不敢张一张。我惧怕别人走近，怕人家当我一个无赖，一个只会向别人伸手的懦夫。可我又希望很多很多的人走近我，向我问这问那，直到最后掏钱……唉！我心里矛盾极了，说实在的，当我低着头、坐定街头那冰冷的地面时，我就后悔死了，如果不是听到已经有脚步声走到跟前，我可能就扛起讨钱的那块牌子逃跑了。但已经晚了，我感觉已有很多人将我团团围住。最初听到的是有人奇怪地在问为啥年纪轻轻的当起乞丐来了，后来就有人开始读起我的“乞文”来，随即是一片喧哗与惊叹声……之后几乎都是这样，有人认认真真、反反复复读几遍“乞文”，之后便是大发感叹或议论。虽然他们谁也没有碰我一下，而我则仿佛在这此起彼伏的感叹与议论声中，被人无情地从里到外、从上到下地将身上的衣衫扒个精光，什么尊严，什么羞耻，统统被各式各样的锐利目光所吞噬了。不知咋的，好像前后还不足十来分钟，我的额头却已大汗淋淋，而身上却冷得瑟瑟发抖。我弄不明白是怎么回事，咬着牙关告诫自己挺住！挺住！可越这样就越不能自控，完了完了，我明白自己只有最后一点力气了，就在里三层外三层的围观者还没弄清是怎么回事时，我扛起那块行乞的牌子，冲出人群，不知用了每秒多少米的速度跑到了一块无人过往的玉米地边，“扑通”一声瘫坐在田埂头，抱着牌子，情不自禁地大哭了一场……当眼泪再不能流出来时，我发现自己是个彻头彻尾的懦夫了。你想，这个世界上还有比当乞丐更低贱的？而我连一个乞丐所应有的那么一点勇气和能量都拿不出来，我还能做什么呢？还能朝大学的路上迈开步子吗？想到这里，我像疯了似的狠狠用拳头揍了自己，当我再次出现在街头时，我真的成了一个十足的乞丐——既可怜又污秽，既颓废又有些垂死挣扎。

如果不是亲身体验，谁也无法想象得出一个乞丐内心所感受的那种痛苦与扭曲。有一天我在某小镇的一家服装厂门口行乞，那时已近下班时分，在毒日下烤坐了好几个小时后，我感觉已经快要虚脱了。这时有几个与我年龄相仿的街头闲逛人走过来，他们先是围着我数落一通，然后其中一人拿出一张10元钱的票子在我面前晃悠着，阴阳怪气地说考上大学的人都不简单呀，那肯定你的脑子很灵了，这样吧，你跟我们玩几把麻将，如果赢了，这钱就归你怎么样？我一看他们不是正经想帮我，便回答说不会麻将。他们便说那就玩抓阄，谁输了谁付钱。我知道今天不陪他们玩几把就别想有好果子吃，于是只得搁下行乞的牌子，开始跟他们试几把。我当时想双方各50%的输赢概率，我也有同样的机会。但一开始，我就发现自己根本没有赢的可能，我越着急，就输得越快，结果没两支烟的工夫，口袋里乞讨来的五十多元钱全部掏空了。等我发觉自己上了别人当时，那几个人却得意忘形地拿着赢我的钱在一个西瓜摊上狂吃了一通，最后他们把一堆西瓜皮扔在我的跟前，说像你这样智力低下的大学生只配吃瓜皮。被嘲讽数落和烂西瓜皮淹没的我呢，又懊悔，又羞愧，简直无地自容。我心里不知哪头一下涌出的气，抓起西瓜皮就狠命地朝自己头上砸，一直砸得浑身泥污，泪流满面……街头的行人以为我疯了，远远地躲着，那些顽皮的小孩则用瓜皮和饮料瓶向我扔来，嘴里还一边冲我说着脏话。可我已经不在乎了，并装成疯子似的跟他们逗乐嬉闹。这时的我，脸上露着阿Q式的笑容，用夸大的动作在街道上大摇大摆地招摇过市，而心头却在一滴滴地流血……

如此几天以后，我感觉自己的脸皮厚了，神经也不再那么敏感了。别人怎么损、怎么挖苦，我都麻木了，唯有我的心境依旧，那就是凑满足够的钱，我要上大学！而正是为这，我行乞了数十个城镇，走遍了苏南大地。其间，我一连睡过几次露天，也为躲过市容执法队的搜查而屡次装扮成小贩。但我还是要说我碰上了无数好心人，特别是一次在我半途中暑昏倒在街头时，几位好心人把我送进了医院。当我醒来时发现口袋里多了几百元钱，却找不到一位留名留址的恩人。

9月初，大学开学了。当我拎着一书包鼓鼓囊囊的钱票到学校报到时，学生处的老师一边点钱一边很不耐烦地问我是不是做买卖挣来的钱，我告诉他们说是，我是卖我自己。他们奇怪地看着我，不明白我说的什么意思。我心想，这个秘密永远只有我一个人知道。

……

这位同学给我讲完他的“乞丐生涯”后，留下一句“代为保密”的话后，便消失在大学城内。在后来的调查采访中我才知道，有过行乞经历的学生，在每年的大学新生中，不止一两人。在他们沉重的脚下，都留有一串凄怆悲凉而又执着的烙印……

第四章　失落的“天之骄子”

1997 年春节刚过，像所有大学生一样，英子匆匆地收拾起行李，踏上了返校的旅途。春风拂面的新学年校门内，刚刚从父母身边归来的同学们一个个欢天喜地地倾诉着回家的新闻以及过年的开心事。唯独英子坐在教室的一角默不作声，她的脸上不见半点喜色，反而比放假前多了一层深深的愁云。

“英子，你怎么啦？这么不开心，是不是回家相了个对象分手几天就害相思病啦？”同宿舍的女同学拿她开心，想让英子露一点笑容。

谁知，英子不但没有笑容，竟伏在桌上呜呜大哭起来，哭得全身都在发颤。同学们害怕了，远远地躲到一边。大家知道英子有个苦命的家，天下的好事似乎从来就没有降至她的身上。唉——，同学们无奈地长叹一声，方才的那份欢快已荡然无存。

老师走进教室，新学年宣布开始。英子抹去泪痕，与同学们一起打开书本。

“英子英子，快快，你的急电！”

才离家不到十天，又出什么事了？英子的心七上八下，赶紧展开电文，上面明白无误地告诉她：家里有急事，让她务必回家一趟。

英子请了假，从成都连夜赶上火车，直奔千里之外的那个偏僻的老家。一进门，英子迎面看到的是母亲那双含着泪水的眼睛。

“妈，出什么事了？”英子急促地问。

“孩子，妈对不住你……”母亲还没开口，就呜呜地先哭个不停。

“说呀妈！”英子用力摇晃着母亲的双肩。

母亲终于抬起了泪眼：“英啊，前些日与你订亲的那个小伙子不是你的真对象，他是你订亲对象的哥。”

“啥？啥啥？”英子眼前一阵晕眩。随即，她定了定摇晃的身子，抽身出了家门，直奔那个媒人家。

“骗子！骗子——！”此时的女大学生英子像头发了疯的怒狮，一边骂着，一边举手奋力向那媒人的脸上狠狠抽去……

“天哪，我为什么这么苦命啊——！”面对苍天，英子失声号哭。

英子是成都某大学的在校学生，不应该有对象，更不应该发生订亲一类的事，然而英子却真的有了一个在广大农村普遍公认为“既成事实”的已经走完相亲订亲程序的婚约，且这个“既成事实”才刚刚发生在她新学年开学的前十来天时间内。已是大学三年级的英子，已是受现代高等文化教育的英子，尽管死也不想记住这个日子，但那屈辱无奈的一幕又使她无法忘却这个日子：1997年2月14日。

这一天，异常料峭的寒风肆虐着英子的家乡。父亲江泽高和无主张的母亲忙里忙外地张罗村上乡邻和亲戚们在院子内胡吃海塞着“订婚酒”，在他们心里似乎在里屋哭得死去活来的大学生女儿英子根本不存在一样。哭吧，英子，你本不该放假回来，你更不应该作为一个在校大学生答应一桩为了学费而牺牲青春、牺牲前途的草率婚约。哭泣中的英子此时更没有想到在这桩无奈的婚约中还隐存着一件比眼前的“订婚酒”更让人气愤的事……

英子哭，她哭自己的命。父亲老实巴交，但老实得叫人有时拿他没有办法。英子有一个姐，一个弟，一个高龄的奶奶和一个多病的母亲。能为家里帮个忙的大姐远嫁后，父亲便一个人背起全家生活的沉重负担。好学上进的英子从小学到初中，在班上的成绩始终名列第一。本来为解家庭困难而考中师、中专的英子在考试时大病一场，最后只得到县上念普通中学。但只读到高一的英子因见父亲数天借不到学费而忍着心酸办了停学手续，装上几本书，带着仅有的 10 元钱，只身闯到成都打工，以求日后挣得学费再进教室。

打工妹的辛酸可以用泪作书，而一心想重返学门的英子打工岁月则可以用血撰书。一天，英子在一家个体纺织加工点织毛衣，别人忙里忙外正在搬运货物，老板娘李姐找不见英子，左喊右叫，最后在厕所里发现英子正如痴如醉地在看书。

“你这个不要脸的！别人都忙出尿来，你却躲在尿堆里看臭书！我让你看！我让你看——！”老板娘愤怒地抢过英子手中的书本，撕了个两半，狠狠地扔在地上。

英子望着破碎的书本，心也跟着碎了。

是夜，经规劝后的老板娘李姐来到英子的宿舍，默默地把自己动手撕坏的书擦了又擦，然后从口袋里拿出 300 元钱，对泣不成声的英子说：“妹子，姐刚才做得不对……你，还是回去读书吧，这打工不合你的心境。先把这钱拿了，以后有难就找我李姐。”

这是英子所没有想到的。她要跪下给好人磕头，但被李姐扶了起来。

入夜，英子左思右想，300 元虽是个不小的数，但还是不能供自己读完一年的学业呀！于是英子作出了一个大胆的决定：拿这本钱，做点小买卖。就这样，1993 年春节一过，英子满脸笑容地重新走进了高二的课堂，这回她自豪地告诉同学和老师：是自己打工挣来了学费。

1995 年，英子如愿以偿地考上了曾经洒过她泪水的成都某大学。在接到入学通知书的那天，英子满面春风地向西南方向的那座遥远的城市深情地遥望了许久，她心里在一次又一次对那座城市说：成都，这回我可以昂着头向你走去，我不再是以一个打工妹身份去请求你的施舍，而是以一名光荣的大学生去拥抱你！

春风中，英子笑得那样开心。而此时，远处一片浓重的阴云向她袭来……

父亲江某这一夜也很兴奋，但兴奋之后他掰了掰手指：一年3000元学费，三年就是9000元哩！这还没算其他日常生活啥子一大堆费用呢。老江发起愁来，他推醒一旁的老伴：我看英儿考上大学也太不易了，咱再穷也得让她上这个学。是喽，老伴说，要不把圈里的那几头猪给卖了，凑凑。老江说，行。

第二天天黑时，老江回到家，见老伴便说：猪卖了，这回英子上学的钱差不离了。说完便伸手去口袋里掏钱。这一掏不要紧，老江的脸一下灰了：呀，我的钱到哪儿去啦？钱，我的钱！钱到哪去啦？！

老江跳了起来！老伴闻讯更是吓得惊惊颤颤地围着老头子直转，你咋整的么！咋整的么呀！

顿时，哭声、嚷声、嚎声，震荡了整个小山村。英子看着绝望中的父亲和母亲，突然大声吼道："你们、你们不要吵了！我、我不上大学了行不行？！"说完，英子冲出院子，消失在无边的夜幕之中。

江老汉丢钱的事后来传遍了四方乡邻，农家女子英子姑娘刻苦求学的精神也感动了乡亲们。一位好心的乡干部以自已的房子作押，帮江泽高家贷了2500元款。这回受感动的是英子，她带着父母和乡亲们的重托与亲情日夜兼程赶到成都，就是这样的速度她还是比学校规定的开学时间晚了整二十天，是全校新生最后的一名报到者。老师和校长听了英子的诉说，没有多余的话："你的情况特殊，什么事都别提了，进教室上课去吧！"

英子终于走进了大学殿堂，这是她做了多少年的梦，当她坐在明亮的教室时，简直有些不敢相信这是真的。但是，同学们很快发现英子常常在课余时间不知去向，甚至有时星期天节假日整天无影无踪。同寝室的同学问她上哪儿去了，英子不是推说上亲戚家便说探访好友什么的。然而同学们对她的特别行踪总是放不下心。一日，英子离开校门向外面出走时，几位同学悄悄跟在了后面……“秘密”终于被发现了，同学们感到震惊的是，英子这位农家弱女子竟与一群壮小伙子混在一道当起了卖苦力的搬家工。

“英子，那么重的家具你当心啊！”望着瘦小的同窗好友吃力地搬着沉重的家具一步一步挪动在楼梯的情景，躲在后面“侦察”的同学们不禁心疼地喊出了声。

“是、是你们呀！”英子听到熟悉的声音，转头一看是自已的同班同学，顿时全身一阵抽动，手中的家具顿时脱落而下，重重地砸在了脚上……

“英子——！”同学们呼喊着英子的名字，等将倒在地上的英子扶起时，楼梯内已是一片泣不成声。

学校得知了英子的事，很快为她在校内安排了一个勤工俭学的机会，业余在图书馆管理图书，每月20元。20元对一位普通的城里姑娘来说，就是多吃或少吃一两个冰激凌而已，但对没有任何经济来源的大学生英子来说，可就意味着有了基本的生活保障，至少，一天可以让肚子能填进一汤半勺呀。英子在艰难与感激中读完了第一学年，但新学年开学不又要交3000多元吗？要强的英子暗暗下决心：利用暑假狠狠地挣它一笔。她把所有的希望全部寄托在暑假打工之上。英子心里明白，如果不打工不赚足钱，就等于失去重返大学门的机会！

这是一个穷家学子的命运生死战。

英子为了赢得这场“命运生死战”的胜利，真是急红了眼。

这时，她正好碰上当年一起在成都的几位打工妹欲南下广州“挣大钱”去。

“我也去！”一听那边有大钱挣，英子义无反顾地跟着姐妹们搭上火车。

辗转多日之后，凭着大学生的独特优势和熟人介绍，英子终于在一家电子加工厂有了一份工作。老板不错，每月工资1000元，另加30元的生活补助和提供简易宿舍。

这对外出打工的英子来说，就等于遇见了好心人。正当英子好高兴好卖力时，她抬头看了看日历牌，一下愣了：距开学只有十多天时间了！咋办？英子急得不知如何是好，左思右想也寻觅不出一个好办法，最后她一横心：挣足了学费再说！

干起活来的英子不要命，而老板也格外欣赏这个山西妹子，便提升她为车间班长，薪水更优于别人。

正当英子卖苦力欲挣大钱之时，远在千里之外的江老汉家突然接到成都那所大学来信，询问英子为何不去上学。“这鬼丫头，上哪去疯了？”江老汉夫妇差点急出毛病，左打听右打听才知道原来她上广州打工去了。有病的母亲一听更是一卧不起。医生诊断说如不及时治疗，就有终生瘫痪的可能。

江老汉跑了几里路，给远在广州的英子发去一封急信。

接信的英子得母亲的病讯，心如火焚，上老板办公室乞求着提前要回了自己的工资，星夜兼程赶回山西老家。一进家门，英子见了二老，立即掏出自己的血汗钱：“爸，快去请最好的医生，一定要给妈治好病！”

卧在床头的母亲老泪纵横：“英啊，妈妈不中用了，你爸他年岁也大了，你把钱留着还是去成都上学吧，啊？！”

英子两眼溢满了泪水，但她强忍着没让它流出来。她安慰妈：“妈您啥都别想了，看病要紧。”不知是英子的孝顺感动了老天还是别的什么原因，母亲的病情真的缓解了。

成都。某大学。

班主任黄君蜀老师正在又一次寻思着英子的事，一位农家老妇突然出现在面前。

“您就是那个大恩大德的黄老师？”老妇人这话让黄君蜀一惊。

“正是。我就叫黄君蜀。您是……？”

“我是英子她妈，从山西赶来的。”老妇人说。

“啊哟，大娘您快坐，快坐。”黄老师忙让座、倒水，“英子呢？她怎么没来？”

“老师哪，英子她命太苦。都是我们家穷，害了她呀……呜呜，呜呜呜……”英子的母亲再也忍不住地痛哭起来。她用最简单的语言向老师诉说了自己那个穷家和英子为挣学费而南下广州打工的事。

“老师，我求求你，行行好，千万让我英儿再来上学，她太爱读书了，不让她上完大学我和她爸这一辈子就别想心安了。”英子妈屈下双膝，要用她所能做到的大礼求老师对她的女儿开恩。

“别别，快起来，快起来。”黄老师赶忙将她扶起，“我马上向学校汇报，你先等着。”

学校领导听了黄老师的汇报，十分同情英子，决定破例恢复她的学籍，降一年级。

还有什么能比重返大学更好的了？英子妈满口言好。当把这个好消息带回家时，老人家没有料到一件比她千里迢迢上成都求黄老师给英子恢复学籍更难的事正等待着她。

原来，英子那21岁的弟弟前些日子相了门亲，姑娘家这一日突然托人带信说要5000元彩礼，扬言如不答应就要断了这门亲事。贫苦的农家娃相门亲不是件容易的事，江老汉一听这就急得不知如何是好。英子妈正是这个时候从成都回的家，她不知其情，只顾先把英子能重新上大学的事给家人说了。本来这几天就发愣的儿子为女方退亲一事愁眉不展，一听娘说姐还要在大学念三年书，他原本想全家咬咬牙兴许能想个办法把5000元的彩礼给凑齐了，这回完了，姐还要念三年大学，光凑姐的学费都不够呀。英子的弟弟一想这，两眼一黑，趁家人不备，拿起一瓶剧毒农药就往嘴里灌……好在发现得早，这位可怜的娃儿没出大事。

但江家老两口可就作大难了。江老汉成天长吁短叹。英子的妈看着一家人这个样，横横心，来同英子商量：英儿，前几日有个媒人来说有个男娃家里挺富有，自己也一个月挣1000来块，还说只要你跟他定了亲，不但能供你上大学，还能给一笔彩礼，你看……

英子一听差点跳起来：“妈，我是正在上大学的学生呀！就是不读书，也不能做这样荒唐的事呀！”

母亲无奈地哭泣起来。父亲异常烦躁地指桑骂槐发脾气。弟弟成天低着个头，偶尔抬起时那目光里积满了怨恨。

英子在全家人面前感到了彻底的绝望。倔强的她，泪流满面地对父母说：我同意见见。

老人一听，赶紧找来媒人。第二天，“对象”来到了江家。小伙子一米七的个头，言行举止还算得体。英子偷看了一眼，心想命虽苦，倒还没有苦到尽头，于是点了点头。

那什么时候定亲?

“你们急啥？我还要念完大学呢！”这回轮到英子大声说话了。

行行，既然是一家人了，啥事都好商量，好商量。“对象”很开明，并且不无气度地一挥手，说：英子上大学的学费，还有生活费，我全包了！

英子就这样带着满腹的苦涩，回到了日夜思念的大学。然而她万没想到好不容易刚刚重新踏进校门，又一件痛心的事正等待着她。

这就是前面所说的那一幕……

英子可能是千万个穷人家成长起来的大学生中的最苦命的一个。她后来回到学校，愤然提笔同男方解除了这桩荒唐的婚约，抹干眼泪，勇敢地接受了贫穷带给她的人生挑战。但英子不是贫困生中最可怜的一个，因为在发生这件事时，她毕竟在大学已经走过了三年时间。

一天，北京某校的李老师被请到派出所。

“你是某某校的老师？”警察仿佛把她也当成犯罪嫌疑人似的审问道。

不用说，李老师毕恭毕敬地掏出工作证。

“你们堂堂大学教师，平时都怎么教的？”

“怎么啦？”

“你说怎么啦？”警察的声音拉得很长，“像她这种人已经偷了不止几十回，差不多把北京城大大小小的百货商场都偷遍了，你们就没有见她平时有什么异样？”

“真没注意。我们只知道她平时似乎很富有，穿着很讲究。”

“那当然。不用花一分钱，想要什么就伸手，当然很‘富有’了！”警察不屑一顾地盯了李老师一眼，然后冷冰冰地说，“回去把这女学生的情况写个详细材料来，越早送来越好。快啊！”

李老师走出派出所时，要求看一眼自己的学生。这个要求被允许了，可李老师在见到她的学生时，差点气晕。“你、你怎么会……”她想怒斥一通这个不要脸的女学生，可就是说不出一句话来。

后来李老师调查清楚，这个一向“很富有”的女学生原来家里穷得连一头猪崽都养不起，父亲是个跛子，母亲很早就改嫁了。她上大学是乡里贷的款。到了大学后，她经受不住大都市的物质诱惑。有一次，当同宿舍的女同学的父亲来京看望，带着她一起上赛特商场一趟，她看到那父亲给女儿买了一大堆几百元、甚至上千元一件的衣服和物品时，她惊得目瞪口呆。之后她才惊呼道：这才是父亲！这才像生活！然而她不可能也从赛特商场买回时装和饰品，虽然那同宿舍的女孩的父亲执意也要送给她一件意大利裙子，可她当时回答说："我爸过几天也要从深圳来京……"她的老爸不可能来京，来京一次就等于扒他老人家一层皮。但同宿舍的女同学们确实发现过了一个星期后，她真的在那个周末的傍晚回宿舍时，向同学们展出了她也是从赛特商场"买"回的高级时装。"哇，你穿这一身真是太漂亮了！简直就是'中国梦露'！"她本来长得就比较美，这时的她真是光彩照人。那一夜同学们的艳羡，似乎使她第一次发现了她自身的"价值"，而这"中国梦露"是需要不断更新换装才显出无比魅力的，于是她就开始经常出入京城的高档百货商场——她从不带钱，但却总是满载而归。

这样的日子有大半年，终于有一天她被"请"到了派出所。"中国梦露"的劣迹，不仅让教她的李老师料想不及，更使所在学校一片惊诧。

"想不到她父亲穷得连条裤子都穿不起，可她倒好，当起三只手来了！"

"啧啧，这些穷光蛋，真给咱大学生丢脸！"

……

大学生们议论纷纷，有人说，如果是男同学，我一定狠狠抽他几巴掌。女同学们则说，打谁呀？你们就没想想她如果有钱还用得着做"阴阳两面人"嘛！

一个没有结论的话题。

一个充满痛苦的话题。

在又一个喧闹、喜庆的校舍里，同学们正在为有个当“公司总裁”的同学买回了一台IBM新电脑而欢呼、庆祝时，那个平时被同学们讪称“木头”的男生，怏怏地离开了这热闹的场面。不多久，屋里那位IBM电脑的主人突然惊呼说自己的钱包怎么不见了！

“搜身搜身！”在场的同学们嚷嚷着说不能白受冤枉。于是不管男生、女生，一律互相搜身，结果没有发现谁有嫌疑。忽然有人说：“哎，刚才‘木头’不是也在场么！”

“对，这小子平时就很蔫，说不准是他干的……”有人这么一提醒，事情就八成铁钉钉棺材——死稳了。

有人第二天开始“侦查”，发现“木头”的那张饭卡上的钱数猛涨，而这个时候学校的“副补”至少还有十来天才能打进去。“准是这小子干的好事！”同学们顿时开始用另一种眼光看待他，而这一天从不吃荤的他不知何故也竟然在开饭时要了个三块钱的鱼香肉丝。这一下麻烦就来了——

“你吃这肉丝就不感到像鱼骨刺嗓吗？”

“谁说你‘木’？你其实一点也不木！来，把肉丝端过来，让我们一起品尝一下什么叫‘耻味’！”几个同学当众三筷两夹全给消灭光了，随后他们抹抹嘴，哼着小调出了饭堂。

“木头”眼巴巴地看着那朝了天的饭盆，两眼一动不动……

上课了，老师发现“木头”没有在座位上，派人去找时，他竟依然坐在饭堂的那张桌前，不同的是那双眼睛在看人时变得发怵了。

后来他被送进医院。后来那个IBM电脑的主人竟无意中在自己的床底下找到了那只曾经“失踪”的钱包，当他和同学们去医院看望“木头”并一再道歉时，“木头”哭了，哭得上气不接下气，最后他说：“我饭卡上的那钱是我连续几个星期上城里的一家澡堂给人家搓脚挣来的。那天吃饭时我想对你们说明白，可我怕你们更加嘲讽我……”

在场的同学们抱住“木头”痛哭了一场。事后有人说“木头”真该早把真相说出来。一位贫困生愤怒地冲着此人斥道：你晓得个屁！

确实不是所有人都懂得和明白那些身负经济压力的贫困生们的行为与心理。也许你是一句无意的话，可在他们听来可能是一个不容宽恕的罪过；也许是一次好心的关切，可在他们看来这种恩赐是对其人格的羞辱。在他认为你们之间缺少平等时，你任何想走近他们的举动都可能被他们理解为冒犯；至于你没有经得他的事先同意而贸然做出一件你认为的好事，有可能他反而会勃然大怒，与你生死决斗。

他们惧怕别人过多的打扰，即使你认为是众所周知的事，他也认定你的打扰是充满敌意的，是带有破坏隐私权式的。他们拒绝交往，特别是与那些洋洋得意、挥金如土的有钱人交往，他们甚至认为这种交往对他们而言简直就是一种挑衅。

最要命的是你的言行和眼色。当心，任何一种稍稍的高傲与斜视，就有可能深深地伤害了一个青春，甚至毁灭了一个活脱脱的生命。

绝不是耸人听闻。陕西省某市的一所民族学院里就有这样一个学生。

他姓蒋，我们暂且叫他蒋永吧。蒋永是这个学校的95级行管班学生。该同学来自边远的贫困家庭。在开学的第一年里，他勤奋学习，样样课程学习都在别人前头，一度被学校挑选为“精神文明督导员”。然而就是这样一位品学兼优的学生，却经不住别人一句话的刺激。有一次他看到班上的几个同学在校门外的小吃夜市喝酒划拳，他便上前劝说。

“滚滚，你这样一个连裤头都不知从哪捡来的穷蛋蛋也来管我们！有本事跟我们一起喝几杯才是好汉！”那几个酒兴正酣的同学用不屑一顾的目光和挖苦的话狠狠地损了他一通。一向在别人面前不低头的蒋永当时脸色涨得似猪肝，他想到酒店老板那儿包它一桌给这几个混蛋看看，可当他摸摸那只穿破的裤袋时，他的自尊心变成了一摊软塌塌的稀泥……

蒋永感到自己受了大辱。“喂，借点钱给我。”他第一次开始向要好的同学伸手，“50 块太少，能不能多来点？”

五张“大团结”出手，蒋永觉得还是不够派，比起人家划拳一个赌就是一张“工农兵”来，自己依旧脸上无光。于是就由 50 元借款升到了 100 元、200 元，最后直到上千元；于是就一个星期上一次大街，到后来一天不上街腿脚就痒痒。他已经顾不得把向别人借款当做一件丢面子的事，只要“场面”上不丢份就够派！他因此也不再把那么来之不易的学业当回事了，只要不被那些有钱人瞧不起就足够——他的人生目标完全沦丧。然而，更可怕的事还在后头。

一天，被师生们称为“校花”的赵某正和一名男同学有说有笑旁若无人地从他身边走过，那一瞬间，蒋永心头顿起醋意，望着赵某背影骂道：不就是喜欢“傍大款”嘛！我倒要看看你小妖精跟不跟我走……

“哼，也不照照镜子自己是什么德行！”那天，赵某独自走在校园内的小道上，见蒋永死皮赖脸地跟在后面要和她“交朋友”，赵某就没有好气。

“啥？他 × 的瞧不起咱！”蒋永对自己初次出击的失利怀恨在心。回到宿舍，他真的对着镜子照了又照——确实先天不够“发达”，这都是穷得叮当响的老爹老妈带来的结果。先天不足何所惧？只要有钱就不怕天下的美人儿不向你走来。于是他又开始大举借钱，这回的数目可就今非昔比了，在姑娘面前特别是漂亮的妞面前不是花钱如流水是绝不行的。他坚信“有钱人终成眷属”。

“说吧，你到底愿不愿意同我交朋友？”他变得蛮横而又无耻，不管什么时候，不管什么场合，只要有机会就缠住赵某，并且不厌其烦地重复提出那些无聊的话题与要求。

又是一天，被堵在宿舍门内无路可走的赵某，实在气恼不过便对蒋永说：“你追吧，追到 100 个姑娘，那 101 个便是我！”

“这话可是你说的。我们一言为定！”蒋永那张早已扭曲的脸顿时露出一团光芒，他当着赵某的面，把手指向屋顶，说，“我发誓照你的话做。”

从此，这位学校的“文明督导员”，一下变成一个臭名昭著的“女人追猎者”。那之后的半年多里，他像一条疯狗似的在校内外不断寻找“猎物”，凡是能成为其目标的他都不放过，不管采取什么手段。他竟然一连追了 56 名女人！有一次，他喝完酒，借着酒劲，擅自闯到女生宿舍寻衅闹事。学校终于出面对这个疯狂之徒做出了留校察看一年的处分。然而就在学校对蒋永的错误进行调查处理期间，他竟发展到连续两次持刀闯入赵某的宿舍进行威胁，从而震惊全校。

1997 年 12 月 19 日，学校做出决定：开除蒋永的学籍。

事隔半年后的 1998 年 6 月初，在我到该校采访时，系党总支书向我讲述了蒋被开除后的情况。这位老师说：“后来我们派两名老师护送蒋永返回原籍。他的家在云南曲靖，那是个山连着山的真正边远地区，我们下汽车后又整整在山里步行两天才到达蒋永的家。原来学校虽然也知道这个学生家庭是个贫困户，但那时对贫困概念实在极为模糊。到了蒋永的家一看，我们简直不敢相信：他的家仅有一间破木板钉成的小屋，里面黑黝黝的连盏小油灯都没有，除了一张用木板垒起的床以外，就是一只木箱和一条连上面印什么样的花纹都看不清的被子。蒋永的父母亲根本不知道我们带他们的儿子回去是为了什么。当我们说明情况后，穿得破旧不堪、满头白发的老两口‘扑通’一下双双跪在了我们面前，老泪纵横地乞求我们无论如何不要将他们的儿子开除出大学。我们当时都流泪了，说句心里话，看在这对可怜的老人面上，看在这可怜的家的面上，也想过如有可能重新把蒋永带回学校，但那已是不可能的事了。我们更感到心痛的是，就在这时，全寨子的男男女女、老老少少，全都在门外跪着。那个村干部告诉我们，蒋永是他们寨上有史以来第一个大学生。叫我们看在老天的面上也要想法帮一次忙，宽恕他们几年来一直引以为自豪的儿子——蒋永的错。我们无奈，除了向这位村干部摇头外，别无选择。而这个时候，像是刚从噩梦中惊醒过来的蒋永也突然跪在地上双手紧抱着我们的双腿不放，一个劲地哭喊着：‘老师，我对不起你们，我对不起爸妈……’可为时已晚了，我们能做的便是给他和他家留下身上所带的几个有限的钱……”

蒋永的行为和结局，真叫人难以料想。

或许，这也是许多贫困大学生的精神误区之一。

1997 年 10 月 25 日，庄严的人民大会堂举行了一次特殊的会议。由团中央和全国学联联合邀请了来自全国各大学的近百名贫困生代表，接受恒安集团赞助 1000 万元设立的“恒安济困奖学金”。全国人大常委会副委员长雷洁琼和团中央、全国学联领导向出席此次会议的贫困生代表发放了奖学金。这是团组织进行的最大一项济困奖学金，所以能得到这项荣誉的都是些家庭特别困难且品学兼优的大学生。会议请来了 50 多位外地学生代表，他们是那些优秀特困生中的佼佼者。这对正在采访此一主题的我来说自然是不可多得的机会。因为全国的高校 1000 余所，再加成人高校

1000余所，我不可能也没办法全部跑到。学生们参加领奖仪式后只有一天时间，我在团中央有关部门的配合下，向50多位贫困大学生代表散发了一份书面采访信，期望他们能把自己的心扉向我这个写作者敞开一下，以便我了解更多的第一手材料。但时过半年，我仅收到了三位学生的回信，其余均杳无音讯。可以肯定部分学生可能是由于学习紧张，但大多数则完全是拒绝式的没回信。我之所以这样肯定，是有足够例子证明许多贫困大学生极不愿意接受别人的采访，特别是新闻记者。他们不愿自己的贫困与生活的难堪被别人当做“好素材”去炒作。有位贫困女大学生对我说，本来她在学校就可怜巴巴，吃饭躲在别人后头，集体活动从来不敢参加，平时干什么都低着头，你要是再向社会一说我是贫困生，我就没法再直起脖子走路了。有位团委书记告诉我，某大学一位才貌出众的女学生，平时瞒着学校在大都市的一家豪华歌厅当“三陪小姐”（其实据我对几个大城市的大学和娱乐场所实地采访，有些姿色的女大学生偷偷出去当“三陪小姐”，甚至直接从事卖淫活动的也非个别。京城一些影视艺术院校的女大学生不住学校住别墅，一个月挣万八千的也不是一个两个），她的收入自然也算丰厚，故而在同学面前衣着俏丽也十分体面。在她大三那年，一位记者在一篇专题报道中把她的父母为了供她上大学和养活家里另外的四个娃儿，每天只能沿街收破烂为生的现状曝光后，这位女大学生差点投河自尽。后来自个儿办了转学手续，从此不知去向。

谁都有自尊，贫困大学生正是因为他们受过高等教育但又非常拮据，因而也有很强的自尊，这是无可非议的。但是他们的自尊心比普通人的自尊心要强烈得多。中国人好面子，不到万不得已，谁都不愿将自己最可怜、最羞于见人的一面亮在公众面前。这不仅仅是勇气的问题，而是中国文化和几千年所遗留下来的传统观念所决定的。另一方面，在社会上和校园内确实也存在着歧视贫困生的现象。

在清华大学，我遇见这样一位学生，他对我说："如果你何先生不是单独来采访，我是不会坐到你面前的。"我问为什么。他说："你别看我平时学习优于别人，在入学时也是全省'状元'，但只要我一参加学校为解决我的经济困难而安排的勤工俭学，拿起扫帚在教室里劳动时，马上就有人趾高气扬地在我面前吹起口哨。那神情明显是在说你小子平时牛得很，这回也该老老实实低下头了吧！"这位同学说，"我从小一向自尊心特强，看不惯也受不了别人用另眼对待自己。可我又有什么办法？上大学前走过的路可以说不堪回首，现在上了大学，过去的事可以不去想，然而面对无法逾越的经济困难的现实，我不低头也得低头。那是一种什么滋味你何先生知道吗？不瞒你说，那时如果有人在我面前做得稍微过分一点，我想杀了他的心都有！"

"有这么严重？"我很是震惊。

"绝对是这样。"这位学生说，"我始终没有那样做，是因为每当这时我的眼前就会浮现出在高中时也是因为我和欺负我的一个同学打架，我母亲跪在地上乞求老师不要开除她儿子学籍的可怜情景……我妈和爸太苦了，他们为了不让我在别人面前受委屈、丢面子，几乎把做人的所有自尊和面子全丢掉了。前年我父亲送我到北京报到，交完学杂费后总共只剩下二百来块钱。父亲把它全塞在我口袋里，说你要上学吃饭。当时我心想 200 元我能花几天嘛！可我先想到的是另一件事：爸那你怎么回家呀？他说你就不用管我了，现在好人多，总会有办法的。身无分文的老爸头也不回地走了。可我当时实在想不出没钱的他怎么能回到几千里外的老家呢！后来我放寒假回去才知道，老爸离开我后就到了车站，连续几天站在进出口处当起了向行路人讨钱的乞丐。可那还不够，老爸说最多一天也就讨来十几块，于是他便到了一个建筑工地，正好那个包工头是老乡，便给了一份苦力。就这样，老爸起早贪黑整干了一个月，不仅有了回程的路费，而且还挣了三百来块钱。他一到家就把这些钱寄到我学校。你也许想象不出来，我这个一向自命不凡的人，一下感到在自己的父亲面前变得那样脆弱渺小，着着实实跪在父亲跟前磕了三个头。”

“真羡慕你有个了不起的父亲。”我也被他的故事所感动。

“可是你不知道，在自己父亲面前做的事，在别人面前我无论如何也做不到。”他说，“我永远受不了别人哪怕是无意的一点点蔑视，尤其是因为我是穷人家的子弟而对我另眼相待。有些城里同学对像我这样学习特别好而家庭经济又特别差的同学，内心又嫉妒又瞧不起，总想从我们身上找回些平衡。金钱和物质是他们唯一可以击败我们的手段，一些这样的同学存心在我们面前刺激我们，伤害我们，装出可怜我们的样子甚至来施舍。这种情况发生时，我从来不要，宁可不吃不喝，饿着肚子。我不排除许多同学是真诚地向我们伸出友善之手，但我也拒绝接受。”

“这是何苦？”

“你不知道，有一次学校里把社会上一笔赞助分发给了我们几个贫困生。我刚拿着这笔钱吃了顿饭，有同学就在一边阴阳怪气地说这回某某某也有嘴短的时候了。当时我肺都快气炸了，心想干吗，我在班上一切都是最好的，干吗为了几个钱就非得比别人短一截？不，绝不！从此我就再也不要任何资助了。”

真是个太要强的大学生。然而我知道这种学生的内心深处却比一般的同学负载更沉重的难言之痛。

北京某高校还有过这样一件事：首钢的一位工程师赞助了这个学校的一名贫困生。这种“一对一”的捐助，按照有关约定，受助的学生应经常把自己的生活与学习情况向捐助者进行汇报。这个首钢的工程师打捐助后就一直没收到过受助者的回信，起初他也并没在乎，因为他说我捐助本身又没考虑什么回报。话虽这么说，但每次辛辛苦苦把钱邮出后就想知道一下对方到底收到了没有。这位工程师做了一两年的好事，却始终见不到学生的一封回信，也没任何其他音讯。这位工程师越想越觉得不对劲，说虽然我捐助不求啥回报，但如果我捐助的对象连最起码的人情味都没有，我干吗要捐助这样的人啊？学校老师知道此事后赶紧找到这位受赞助的学生，问他怎么回事，说你至少也得给人家回几封信吧？这个学生低着头，半天不说话，最后从抽屉里拿出13封未曾寄出的信！老师一看，这些信都是写给那个工程师的，内容写得也极其感人，可就是没有寄出去。老师问他为什么不寄，学生说，我就是不想寄。到底为什么，看来只有这位学生自己心里知道。

上面说到了我曾经进行的一次“书信采访”，三位给我回信的同学中有一位袒露了他自己作为贫困生的那份内心世界——

建明先生：

你好！

我一直想，过多地倾诉或被曝光关于自己的“不幸遭遇”，实在是男人的不幸：男人，特别是小农意识浓重的男人，总爱无休止地夸大自己的沧桑。

因为以上原因，因为各大媒体接踵而至而我不得不配合，我感到极度厌倦的同时自我地封闭。事实上如果经济这玩意儿赏脸，我实在更愿意拿一包烟、持一瓶酒独自消化这些贫困和尴尬——随着官方的关注和媒体的长驱直入，我日渐被洗劫一空。而从前，尽管我穷得叮当响，我依然穷其心力来守护和经营自己的心灵家园。在家园里生活的我有好高骛远的愿望，有张扬坦荡的个性，有锐利锋芒的思想——最主要的，我有正常的随意的生活作风或生存方式。“无限江山，别时容易见时难”，我心灵的家园破败不堪：言行举止，都得像个特困——自强——优秀的“人”所必备的气息。

我不是那样的人；我也不适合那种模式；我为此活得很痛苦，我为此直至今日方给你提笔。

我家庭贫困的原因主要是家道中落：读小学四年级的时候，家中顶梁柱的哥哥因车祸去世，接下来大姐、大哥的女儿和一生勤苦的老母相继因急性传染病或车祸罹难，从此家中赤贫。贫困程度简直难以言表。柴米油盐中的油是奢侈品，主菜长期是腌咸菜、腌西瓜皮之类。记得五年级的时候没钱买内裤，而我某一天穿的是哥哥留下的外裤，这条外裤的拉链又是坏的。尽管我极力掩饰但还是被一个调皮的同学发现了。他在班上指着我的裤裆当着全班男女同学的面说我没穿内裤，肯定是昨晚尿了床，引来一片嘲笑……我上了初中，在南国的海南，在炎热的夏季，仍有长达一个学期没有内裤穿。建明先生，“内裤事件”是迄今为止我的心灵家园唯一没让中央电视台、《中国教育报》、《中国青年报》、《海南新闻报》及我校校报摘走的最后一个果实。我双手敬奉给你的笔端，若兴之所至随你笔走龙蛇——我将不想用“死猪不怕开水烫”来解脱。

打工回来后我自学考上了大学。这部分的情况请参阅《中国教育报》×年×月×日三版和《中国青年报》×年×月×日二版。有劳。

上大学后，由于贫困所带来的生活窘事时有发生。但在媒体及官方“入侵”之前，这种贫困造成的“心灵与心理上的痛苦”我尚能勉力应付，因为我有强大的心灵家园做后盾，所以这些痛苦就变得远不及“内裤事件”来得深刻而尖锐。

我现在唯一想的是考研，其原因是我迫切想尽早离开目前的环境而再不愿去适应它。本来就眼高手低的我眼下最想做的事是重建自己的心灵家园。难有勇气去想象没有心灵家园的我怎样活在这个世界上……建明先生，我现在真的非常非常痛苦，虽然我内心没有理由怀疑你们这些记者、作家探望贫困大学生的动机有任何不好，然而作为贫困生的我们中间有许多人依然是保持那种“虽然我们一无所有，但我们的心灵拥有整个世界”的近乎阿Q式的“精神富有”的乞丐。

但愿这迟到的汇报能对你有所帮助。谢谢你的看重。祝你工作愉快。

此致

×××

1998年元月8日

我所以没有把这位现在就读于海南某校的同学的真名署上，因为这封属于我们俩人之间的私人信件是未经他本人同意在这里发表的。我很遗憾至今仍没有机会见到他。这位同学不仅是个非常坚强的青年，而且很有才华，他随信寄给我的一篇他写的散文《流浪如逝》，读后令人回肠荡气。后来我查阅《中国青年报》上有关介绍他靠打工、流浪上大学的事迹，令我一夜未眠。

那是一个真正的苦孩子。

谁还能记得十来岁时的事？幸福的孩儿是记不得的，只有从苦水中泡大的孩子才能记住那些刻骨铭心的往事。那年这位同学的家里一连几个重要成员惨遭不幸，十来岁的他，从此像大人似的开始与有病的父亲一起支撑那个支离破碎的家。他跟在成年人身后，同他们一样地犁田耕作、一样地插秧播种、到十几里外的地方砍柴担水。在这种情况下念书似乎已不可能，然而小小年纪的他一次次坚信：再苦、再累，书一定要读下去。初中毕业后，他考上了离家几十里外的县重点中学。可刚上一个学期，家庭的贫苦又使他面临辍学的危险。正在心急如焚中的他听人说学校旁边有个猪场想找个晚上能守夜的人值班，于是他赶忙找去接下了这活儿，什么条件他都没提，只对人家说能给个地方睡就行。而仅这一句话的应诺，他就在猪场的草堆上整整睡了三年——这正是他上大学之前的三年高中学习时期。后来他考上了大学，在接到入学通知书的那一刻，父子俩好一阵欢欣。可紧接着便是更多的苦恼，父亲为了给儿子凑学费，一次又一次地出外借钱，但总是一次又一次地空手而归。开学已经半个多月了，这位同学的学费却仍无着落。无奈的他不得不痛苦地放弃好不容易争得的上大学机会，含着抹不干的眼泪，揣着从朋友那儿借来的一点钱，告别父亲，开始了长达两年的打工生涯。他先是到了广州，在那儿呆了一个多月，可以说一无所获。他又到了武汉，在码头、火车站干起了最苦最累的搬运工。之后又浪迹至郑州、成都。在“天府之国”的首府，他身上只有 5 元钱时，像一个彻彻底底的乞丐似的谋得了西南交大附近一录像店的一份差事，尽管店主苛刻得比资本家还厉害——令其一个人要干三人的活，每月只给 100 元，且不包吃住，但这位流浪的青年还是毫不犹豫地留了下来。打工的日子里，那上大学的念头一直困扰着他：在这需要知识的年代，难道自已就甘心这样了却一生？不，决不！求知的愿望使他顽强地重新拿起书本，在幽暗不堪的工棚内重新点亮了青春的希望之光。这期间，他为了能适应边打工边复习的环境，屡屡换地方。也正是此时，有位姑娘爱上了他，可是为了高考，他又不得不与恋人挥泪告别。三个月后，他以第一志愿考上了海南某大学。然而就在开学的前几天，父亲突然病重被送进医院。父亲的病不仅花光了他打工苦苦积攒下准备上大学交学费的1000多元钱，又欠下了一笔不小的债务。两年前的命运又一次痛苦地摆在了这位苦孩子的面前，所幸的是这回他咬着牙下定了上大学的决心……对身无分文的穷人家孩子来说，能上大学是件近似登天的事，但踏进大学门后的日子仍然不轻松。他在老师、同学的帮助下，终于度过了一个又一个难关，他成了班上的团支部书记、学校《女大学生报》主编等。然而就是这样一位在无数磨难面前从不绕弯的同学，却依然不愿向外人吐露自己贫困的真实一面，可见他们的心理负担是何等的沉重!

几乎每一个贫困生身上都有一篇催人泪下的苦难史。我不得不承认这样一个事实：在进行这部作品的初期采访时，我还对贫困生们一个个令人难以置信的经历，充满了新鲜感和好奇心。但越到采访的后期，我越感到自己的心情沉重。毫不夸张地讲，之后的每一次与那些因缺钱而挣扎在生活最底层的学子们面对面地坐下来，听他们讲述自己的不幸时，我都感觉自己就像一个残忍的刽子手，因为我总是在无情地剥露这些同学深埋在心底世界的那部分最不愿意让人知道的，或者就根本不想再重提的隐痛，并一次又一次残忍地让其向公众抖搂。这种采访谁说不是一种犯罪？可我依然必须那样做，且做得认认真真。

有一次在华北工学院，学校把一位壮族女学生介绍给我采访。在采访之前我知道这位学生的家境极其困难，她在学校的学业也处在无法想象的那种境地。但这位学生坐在我面前一直不愿先讲，直到其他同学都走后，她才开了口。可她一开口就让我感到意外。

“老师，我能不能不说？因为我……”她刚说这几个字就已声泪俱下，那双惊恐和企盼连在一起的目光一直盯着我。

不知怎的，我的眼泪跟着夺眶而出。我说 ：“行，你……可以走了。”她真的如释重负地走了，而我同样感到心头如卸泰山。这样的情况，在我对几十所大学的采访中时有发生。有时极想得到“非同一般”的素材，而常常又庆幸被某个同学拒绝采访，这种矛盾几乎一直交织着我完成这部作品的整个过程。

贫困生们不爱向外人袒露自己的物质贫困真情，是个普遍现象。这里面既有他们自尊的一面，也有社会和别人用另一种眼光看待他们的因素。中国人历来好面子，它既有积极的一面，同样也有消极的一面。正是这种沉重的心理负担，使得一些学校和团组织想伸手帮助这些贫困生，可反而工作特别难做。如政府和社会每年给予学校一定的贫困补助，但有些贫困生你怎么追他（她），他们就是不写申请，弄得学校和团组织无可奈何。这种结果常常使一些本来十分需要帮助的特困生反而不能得到应有的资助。可是这些贫困生又怎样说呢？

有位女同学对我说，她宁愿少吃少穿，就是不愿意让人知道她是贫困生或者特困生，那样就等于当众把她的衣服给扒光了，她无法忍受，无法再抬起头走路。

我问这是为什么。

她摇摇头，说这种心理感受旁人是无法体味的，说也说不清。

我想可能。

一天，我在某省采访一位师范学院的贫困生，这位同学在讲述自己的往事时，坐在一旁的那位陪我出来采访的省学联主席某小姐突然失声哭泣起来，当时我不知所然，直到房间里剩下我们俩人时，这位女同学才对我说，她其实也是个贫困生，而且其程度应该列入“特困”行列。在我一再恳切要求下，她简单地给我讲了自己的经历 ：她也生活在一个贫困地区，父亲是当地乡干部，因为父亲懂得让孩子读书的道理比其他农家人多些，所以父亲一直支持她和一个哥哥、一个妹妹上学。可就是因为要供三个儿女上学，他们家后来变得比别人家更贫困了。她说她当乡干部几十年的老父亲没有穿过一件毛衣，现在身上的那件是做女儿的她得了第一笔奖学金后给买的。家里没有一件家电，是她毕业后到了团省委当驻会学联主席每月有 300 元补助后刚给买了一台小彩电。她说她家开始一直认为她的哥哥能考上大学，可是哥哥考了三年就是没考上。她女儿家一个，开始家里并没有把她和妹妹读书放在心上。她说她上学时一直很自卑，上高中时要到离家七八十里外的地方，每次从家出来，先得走四五里路，再搭别人的煤车，跟司机横说竖说还要帮助人家干活才能上得了煤车，颠颠簸簸好几个小时才能到学校。当时她心里十分清楚，上高中就是为了改变自己的命运，什么苦都不在乎。上大学时因为家穷，她便报了农大。起初到大学时就很自卑，后来看看周围的同学跟自己一样穷，于是慢慢自己有了些信心，也当上了班干部、入了党。可苦日子还得过，在大三时，妹妹和一个表妹也到了农大上预科班，她们没有补助，于是姐妹仨就吃她那张饭卡上学校发的每月 90 块钱，所以只能天天吃些馒头，菜根本买不起。她们就自己隔一两天上学校门外的小摊上买回一棵圆白菜，放入小铝锅内煮，没有一滴油，就这么着三人过了一年，直到她毕业……这期间她也打过工，但平时因为她是学生会主席，社会活动很多，只能在假期里出去做工，只要有钱赚的活什么都去干，沿途做小买卖什么的她都做过，只是这些事她从来没有对人说过，就连每天一起工作的省团委机关的同事都不知道她的这些经历。她说我是唯一知道她“阴暗面”的人……

这是一个我没有想到的事例。这位省学联主席小姐仪表娇美，穿着整洁，给人感觉丝毫没有半点贫困之气，但她不仅曾经是个标准的贫困生，就是在团省委当驻会学联主席一个月拿 300 元补助的今天，仍然可以说是一个“贫困族”。她说她现在是在省直机关工作，又几乎天天出头露面，一天忙到晚，穿着总要像个样吧，再打工去是不可能了，而出头露面总不能穿破破烂烂吧，还有，家里、妹妹那儿得支持点吧，你说我这 300 元够干什么用？

她苦涩地朝我笑笑。

那几天虽然我天天忙着不分日夜地采访，但这位学联主席小姐的事一直十分“典型”地在我脑海浮现，并期望进入我未来作品中。可就在我结束采访离开省城时，这位小姐很不好意思地走到车窗前轻轻对我说：“你可不要把我写进作品中……要写也不能说我的真名呀！”

我点点头，答应了她。

事后我一直在想，为什么连一个具有相当素质的学生干部也对别人将她的贫困袒露出来而感到难为情呢？这恐怕说明，所有贫困的大学生都有一个共同点，那就是他们更多地比常人看重人性中最起码的自尊。其实在今天我们这个社会里，“贫困”这两个字已经司空见惯了。成千上万的下岗人员从社会的最底层向这个世界浩浩荡荡地走来，他们擦着泪水，毫不隐瞒地真诚地向社会亮出自己是贫困的一族，同时去接受生活的挑战，去端回自己的饭碗；8000 万中国边远地区和少数民族地区的贫困农民们，不仅自己早已把干枯而颤抖的手，伸向政府，甚至伸向联合国，而且许多地方在吃了几十年“救济”后再不愿摘掉“贫困县”的帽子，因为“贫困县”这顶帽子实际上已成了某些人手中赖以向政府索取更多资助与挥舞某种权力的金字招牌。那些牙牙学语，连裤子都穿不起的山里娃娃背起书包，走进“希望小学”时的喜悦，更没有半点因自己贫困而感到不光彩。然而，作为知识分子群体的大学生们则截然不同，一旦“贫困”两字压在他们头上，那种精神枷锁就变得异乎寻常的沉重。许多貌似在贫困面前不屑一顾的学生，其内心深处隐积着的那种恨不得重新分割这个世界甚至毁灭人类的如火山岩浆般的强烈意识与潜能比别的人高出几倍，只是他们为了求得最终能改变命运而暂且放弃或者自我克制罢了。

在校园内有句十分流行的话，叫做“精神贫困比物质贫困更可怕”。现实的情况有过之而无不及。

南方某市一所著名大学的学生会主席王小姐，现在已经毕业分配到省直机关当一名干部。王小姐长得漂亮高雅，有着白嫩清纯的肤色，以及省委各级领导都跟她很相熟的社会地位，你不可能想象她曾经因为在同学过生日时掏不出5元“凑份子”钱而差点一气之下退了学。

“你知道现在大学生中过生日风是很流行的，几乎每月都有一两桩这样的事。”王小姐说，“我在读大三时，被学校选为学生会主席，后来又因为我们学校是市里名牌大学，我又被推举为市学生会主席。由于经常要参加一些大型社会活动，平时我不得不注意些自己的穿着仪表，所以在那些不了解底细的同学眼里，我算得上是个比较体面的大学生吧。可是我自己知道，大学几年里，我自己没有买过一次化妆品，每次上台主持会议或参加社会活动时，有时脸上也抹一下妆，可用的都是一个要好的同学扔下不用了的东西。不怕你寒碜我，有一次我出席省团代会上台做报告前，知道电视台要摄像，当时我刚洗完澡不久，头发乱蓬蓬的，可口袋里又没钱去做头发一下，临上台前我一直不敢出厕所。你知道这是为什么？说出来可能笑掉你大牙。因为我的头发正用水浸着呢，时间一长就会干，一干就不好看了。为了怕影响形象，我只能算好时间，等快要轮到我做报告时就提前两分钟从厕所里出来。因为时间短了不行，可能会误了做报告，而太长了也不行，水一干头发就变回原形了，所以只能是提前两分钟左右走到主席台上。这个时间里，头发上有水定着型，等我往话筒前一坐，开始做报告，那些电视台、报社的记者们噼里啪啦一通闪灯，等他们照完，我头上的发型也就不再那么重要了……”

王小姐的话就差没把我眼泪笑出来。

“你先别笑，哭的还在后面呢。”她说，“我家也在农村，而且是个十年九不收的大山区。我在学校的全部生活费就是学校的那点补贴。说起来我这个学生会主席在同学中间也算是个人物，平时同学们一起出面的集体活动如春游啊秋游啊什么的我不能去扫大家的兴，可出去一次没一二十块钱是不成的。同学们每次出去玩后高高兴兴，有说有笑，从心底里冒出那欢乐的笑。我也要笑啊，也要乐呀，可我是皮笑肉不笑，因为出去这样玩一次，我就得饿上几天。你又问为什么。不为什么，因为我花的钱都是从饭卡上省下来的，把饭钱玩完了，我就只能几天少吃不吃呗。而且我还不能当着同学们的面儿无故不去食堂，我就在开饭时推说自己要到什么什么地方先去开个会办个事。只有我的肚子知道是在自己骗自己。有一回，同班的女同学又要过生日了，像以往一样，大家都得凑份子。这回我实在是再也拿不出钱了，便推说有事不能参加。谁知那个过生日的女同学偷偷派人跟着看我到底干什么去了，后来她发现我根本没去办什么事，而是一个人躲到了校园内的一个小树林里。这同学不干了，第二天当着众人的面，说我这个学生会主席避开同学自个钻进小树林里去干见不得人的事。当时我气得浑身打颤，一句话也说不出来。我好冤呀，她哪知道我一个人饿着咕咕叫的肚子，像贼似的蹲在黑乎乎的小树林里几个小时是啥滋味？而就在这几个小时里，我差点被一群小流氓……”

王小姐再也说不下去，而这回我感到自己的眼里有一股苦涩的液体咽进了肚里。

第五章　学生工作部里的“灰色档案”

天很蓝，江很绿。走出大山的于吉磊一下省城的火车站，深深地吸了一口气，觉得有一种透心的舒服：现代的大都市到底比千年不变的山窝窝不知强多少倍！也许正是这一口透心的新鲜气儿，于吉磊更加觉得自己过去的寒窗十年太可贵与重要了。

这是入学通知书。还有钱，6000元钱。于吉磊出火车站做的第一件事就是重新验证一下这两样东西是否还在。他知道有这两样东西才能真正走进梦寐以求的大学门，而这两样东西相比之下钱更重要，入学通知书嘛即使是丢失了学校也会有存根可查，然而这天文数字般的6000元钱对于吉磊来说简直重如生命。他太清楚为了筹集到入学通知书附件上所写的让每一个新生准备的这6000元学杂费，父亲几乎跑断了腿，即便是这样，最后还是由一位好心的落榜同学的家长借给了于吉磊4000多元才算了事。祖祖辈辈靠种地为生的农家人，哪有人见过这么多钱！为了这6000元钱怎么带到几百里外的省城，全家人几乎商量了不下十几个方案，最后还是采用了母亲的办法：在内裤腰带上缝一个口袋，然后再在小口袋上系三个纽扣，钱就装在那里头。于吉磊摸了摸皮带下面的腰部，满意而又放心地登上了驶向学校的公共汽车……

“你就是于吉磊同学？请先交入学通知书。”负责新生注册的老师机械地在为新报到的学生办入学手续。

于吉磊毕恭毕敬地递上入学通知书。

“再交5830元钱。”

于吉磊迅速地解开裤腰带……

“哎哎，你要干什么？”那个负责注册的年轻女老师突然冲着于吉磊大声嚷嚷起来。

“我、我不干啥呀！”于吉磊不知老师为何突然对他如此厉害。

“不干什么，你、你解什么裤腰带？”

于吉磊明白了，他的脸也跟着红到了耳根：“我是取钱……”

“真是的。”女老师顿时没有好气地说，“快点快点，别让后面的同学等着。”

“多少元？”于吉磊战战兢兢地问。

“不是刚才说了 5830 元嘛！”

于吉磊赶忙从那个小口袋里取出钱来，一五一十地数着。这时他似乎才意识到交完 5830 元学杂费后自己只剩 170 元钱了。170 元在家里可以过上一年半载的，但现在不行。于吉磊后来又七交八交地花掉了 100 多元，到晚上再一数钱，仅剩几十元啦！这可怎么办？得吃饭呀！大学的第一夜，于吉磊是在为第二天有没有饭吃而整一宿没合眼。

“走吧。你不是也有昨天老师发的那张卡嘛。”第二天一早，同宿舍的同学见于吉磊还愣在那儿发愁，便乐开了。

对呀，我怎么把这事给忘了！于吉磊顿时不好意思起来。

从此，那张金灿灿的饭卡便成了他上大学后除了课本以外最重要的东西。为防意外，还是用母亲的老办法：把金卡藏在裤腰带里面的那个小兜兜内……

从此，于吉磊每天冲着这张小小的卡在算账：早餐两个包子、一碗稀饭花一块钱；午餐 4 两饭加一盘炒土豆或青菜粉丝——这里最便宜的炒菜花二块至三块左右；晚饭与早餐基本一样，花一块。

然而，仅仅不到一两个月，于吉磊紧张地发现这样的日子还是太“奢侈”——每三十天下来没有一百二三十元过不下去哟！

学校各种物价补贴打进饭卡的也就是七八十元，如此下来每月还得至少亏空四五十元！再向家里要根本是不可能的事，于吉磊知道只种几亩薄地、身上已经背了6000元债的父母能维持那个风雨飘摇的家就很困难了。可这么多钱，我上哪儿弄来呀？初入大学门，于吉磊想不出更好的办法，于是他选择了唯一能行得通的办法：那一元早餐就免了，中午原来二至三元的饭菜变成半菜半饭花一至一元五，最多不能超过两元！晚餐一个馒头一碗稀饭花一元。每天必须控制在三元左右，对，不能超，只能省！

之后的一个月里，于吉磊除了上课，就是一门心思跟着这笔账在天天算计、打仗。饭卡通过电脑可以随时显示你所在卡上存有的钱数，突然有一天于吉磊看到自己的卡上一下少了80元。这这、这怎么办？还有二十多天我怎么过呀！那一顿两元钱的午餐他都没买，只简简单单喝了几碗不用花钱的汤水便急步来到了学校计财处。

老师抱歉地告诉他，是电脑出了毛病。

于吉磊长嘘了一口气，他一摸后背，冰凉凉地浸了一大块。

终于有一天他病倒了。医生说，是营养不良造成的……

山东姑娘李某临来大学时就对母亲说：“妈，你什么都不用给我备，我只要一缸你腌的咸菜，就像我到县城上高中那几年你备的那样……”

母亲无奈地摇摇头，泪水噙在眼眶里，说：“大学不比中学，你又是在太原上学，离俺山东好远好远，哪天你断了咸菜咋给你送去呀？”

“对了妈，你该把腌咸菜的技术教给我，到时我吃完了这包你腌的菜后就在学校自己腌一缸呗。”女儿聪明地向母亲提出要求。

母亲苦笑地拢了拢满是银丝的头，问：“大学里咋能像家？亏你想得出来！”

“哎哟你就别管了，先教我嘛。”穷人家的女儿在父母面前拥有的就是也能像富人家的孩子那样撒撒娇。

母亲没法，说：“得先把菜挑一下，最好要长成半截的菜，根多叶多的菜不能腌，腌出来的也不会好吃；盐要放得匀，时间最好长些……”

李某就是这样左手提着母亲备的一大塑料包咸菜，右手带着母亲刚刚教的腌菜技术踏进了太原某高校大门。

进校的第一件事是她交完了所有该交的钱。交完后身上还有多少钱她从来没对人说过，好像她心里很有底似的。可不是，像这样的日子她在上小学、上初中、上高中的那十几年里几乎年年都是这样过来的。然而李某感到有些不同的是，大学里她同班的同学中有人天天换新衣穿，吃饭时也有人竟连八九元一个小炒还嫌不对味，非要上外面的馆子花上几十元甚至一二百元才算过得去。可她只能还像上中学时那样，到食堂买一个馒头，然后回到宿舍，夹上几根咸菜算吃一顿。开始几天她并没有感觉什么，后来发现老有同学跟在后面看她打饭、看她打开那只气味异常的咸菜袋，这个时候她的脸才有些热起来……她猛然发现自己长大了，猛然发现远方的大学与家乡那个大都是穷孩子的中学不同了。而这一发现使李某陷入了难以自拔的痛苦之中。

同学们从此再也看不到她什么时候吃饭，偶尔看到她上食堂打个馒头后也是行踪匆匆，从不多待一秒钟。不吃是不行的，要上课，要跑步，要坚持至少四年的大学学业。但李某自从见同学们用异样的目光看自己打开咸菜袋的那一瞬间的神情，她发誓再不让大家看自己吃东西的情景。她开始躲，躲到宿舍，躲到门角，宿舍里不行了，她就躲到校园内的小树林，甚至没有人时的厕所里……但这都算不了什么。

李某感到最痛苦的是她的咸菜越来越少了，终于有一天一点儿也没有了。她想起了母亲教给的腌咸菜的技术。可菜从哪儿来呀？在家时可以上屋后的菜地里拔几棵就是了，大学校园内可没处去拔呀！到街上去买？好几毛好几元一斤，有那钱还腌什么菜嘛！她真的着急了：大学的日子咋这么难过啊！

突然有一天她兴奋不已，因为她发现了学校食堂后面有不少被丢弃的烂菜叶、菜根子。这个发现使李某连续好几天夜半时分带着从家背来的那只已经空了的塑料咸菜袋，悄悄溜出宿舍……就这样，她每天捡几把回来，在水龙头上冲洗干净后将其腌泡起来。

李某依旧这样行踪匆匆地每天上食堂买回一个馒头后，便回到别人很难发现的地方完成她的一日三“餐”。

终于有这么一天，同学们发现她昏倒在厕所里……

医生诊断结果与于吉磊同学一样：没有什么其他病，是营养不良造成的。

广西壮族小伙子马义词怀揣某大学入学通知书，来到首都北京的校园时，激动得竟然当众跳起他拿手的壮族舞，引起同学、老师们的一阵阵喝彩。尤其当他看到自己的校园那么美丽，在学校的北边是每时每刻都有一群群如天仙般的女生进出的舞蹈学院，再往南则是那雄伟无比的亚洲第一图书馆——国家图书馆。学校就在商潮如火、满地是金的中关村南大街上……

“哼，你们躲吧，我不信在北京这么好的地方自己挣钱养活不了自己！”上学的第一夜，马义词躺在床上忍不住想起在家时父亲为了给他筹借学费的那一幕幕令人心寒的情景：父亲到一亲戚家，那一家亲戚就不知躲到哪儿去了。原来亲戚们都怕他来家借钱，说是上大学要好多钱，而且一上就是四年，那还不知要借多少钱呢！就是借了也不知啥时候还得起！亲戚们正是因为这无期的借款而远躲马义词一家的。

躲吧，看我怎么走出这十万大山！马义词在离开那个边远的山村时心都凉透了，而他到了北京后的心几乎又过于热。他带来的 3000 元债款由于沾了少数民族的“光”，在交完各种学杂费后还剩了 1000 多元。马义词是个有头脑的孩子，他想：这钱在老家可能全家七八口过上一两年不成啥问题，可在北京光供我一个人也过不了一学年呀。他为此算了又算，甚至把每个大月小月的天数都算了个彻彻底底，他知道如果不好好算准，就有可能出现“饥荒日”。这所大学的伙食费与其他学校没有什么不同，农村来的孩子都唠念学校的伙食费。一个菜要花几块钱，这在他们过去的读书岁月里是从没有过的。然而他们哪里知道在大城市里，现在几乎找不到一家食堂、餐馆卖 5 元钱以下的一个炒菜。马义词一掐指头，便把每天的生活标准定在了五块钱，三五一十五，这一个月就得 150 元呀！马义词算过后心头吹起一阵寒风：照此水平，1000 元钱也用不到一学年！再说吧，习惯吃早餐的他不像有的家贫的同学不吃早餐，但 5 元钱一天，在北京你无论如何想一日三餐都进食堂是不太可能的。于是马义词就决定中、晚合餐：中午打两个馒头或四两米饭加一个菜合计四元来钱，早餐一个馒头加一碗稀饭花一元。

就这样度过了“兴奋的九月”，度过了“新鲜的十月”。到了进大学门的第三个月，马义词发现自己在上课时老想睡觉。这怎么成？你不想对得起老父亲老母亲了！马义词狠狠地敲打着脑门，他警告自己不要糊涂。可第二天他还是不能自控地犯困，甚至有一天被老师当场叫醒，引得全班同学哄笑。他感到自己很丢人，也很沮丧。他弄不明白怎么回事，自己并不是故意放肆呀，可为什么一到中午前和晚自习时就想睡觉？

“你要注意饮食，否则克服不了这个毛病。”一天，有位大二的同学在他耳边轻轻说了一句。他转过身去想问问清楚犯困与饮食到底有什么关系，可那个大二的同学走了。马义词后来知道，这也是一个家里很穷很穷的学生。

明白怎么回事后，马义词决定改变一下“生活水平”，但首先得有份活干。他早听说首都北京遍地是黄金，外地来京淘金的人就有三四百万。马义词想找份工打打，但几次碰壁证明他根本不可能找到一份工作：论做生意，无本钱无经验。搞家教，北京的家长们一听是农村来的新生尤其是连普通话都说不利索的肯定不要。听说学校有个勤工助学中心，结果他报名了很长时间一直“待业”(直到现在)。

自信的马义词渐渐感觉自己与这个丰富多彩的大都市和诱人的校园有道深深的鸿沟。他开始孤独、苦恼，甚至害怕，害怕自己如此长期下去会完不成学业。马义词觉得自己应该自我兴奋起来，像电视里有些歌手说的临场前得学会“自我调节、自我兴奋”起来。拿什么调节、什么兴奋呀？走，跑步去！一圈、两圈……几圈下来，气喘喘的他再回到教室上课——马义词发现自己这一节课真的“兴奋”，真的没有睡意。有办法啦！马义词为自己能找到这个克服“犯困病”的办法欢呼。

从此，在谁也没有注意的某大学校园内，每天可以见到一个瘦小的同学在操场上、走道上一圈又一圈地来回跑着。同学们奇怪的是这位瘦小的同学竟然不仅在白天的课余时间跑，在熄灯后的晚上他也跑。

“晚上的时间饿得最难受，所以我跑。跑累了往床上一躺就着了，不然我会饿疯的……”

马义词有一天公开了自己的秘密。因为他知道自己在大学里还有好几年，他必须想办法改变这种状况。

山西农大，学生处老师原文华，年纪轻轻的一条汉子，但在与我们见面不到五分钟时间，他就开始泣不成声地诉说自己的工作没有做好，害得农大那么多同学生活、学习极其艰难。

“……我们有个同学是山西原平的，上大学时母亲已经72岁了，父亲则在他很小的时候就去世了。在上大学前，这个同学一边读书一边种地，养活他和老母亲。进了大学后，家里的地没人种了，老母亲只能每天出去卖些瓜子度日。咱农大学生每月学校发给一人72元专业补贴和副食补贴，这个同学就是从这72元中每月要给老母亲寄回二三十元，他自己仅剩三四十元。那么一点钱够什么用呀！他每顿吃饭总是去得最晚，因为这个时候食堂里的稀饭因为太稀了就不要钱了，他就靠这不要钱的一勺稀饭和两个馒头过日子……”原文华一边哽咽着，一边又把一个瘦得近似皮包骨的学生介绍给我。

“他叫高武军，现在是研究生了。可你看他瘦成这个样……高武军，你给何老师走走看。”原文华让这个学生在我面前走动了几下。

“你的腿怎么啦？”我发现这同学走路时一拐一跛的，便问。

“他是长期营养不良造成的肌肉萎缩症。多可怜呀。”原文华老师替这位同学挽起裤腿，说道，“你看看，他这条腿都快萎缩成干干了。他惨啊，本来家里就贫，偏偏1995年家里又发生了一场大灾，他父亲和几家本族亲戚同乘一辆拖拉机到一远房亲戚家参加婚礼，结果途中出车祸，他父亲和其他三个亲戚当场死亡，另外七个重伤。这一大家族，死死伤伤十一人，还能有谁救谁呢？高武军同学从此断了家里的一切经济支持。去年我看他可怜，给他介绍了一个勤工俭学机会，说好听是勤工俭学，说不好听就是给人家送终。有个老人得了瘫病，拉屎拉尿都在床上，老人的孩子谁都不愿再管了。这样的活，连亲生儿女都不愿干，可我们小高这样的一位快读研究生的大学生则为了能挣一二百块生活费，天天去老人的病榻前忙里忙外的一个多月，直到把老人送终……”原文华老师又泣不成声。

“你、你说同学们这么可怜，我这个学生处的老师心里有多难受！我们想帮助小高，可学校像他这样甚至比他更需要帮助的同学不是一个两个。小高现在是研究生了，一月有180元钱，我们的本科生、大专生只靠学校发的那几十元补贴，困难不是更大么！”原文华擦一把眼泪后，将小高同学拉到身边，说，“小高，老师没把工作做好，你可不要怪谁，好好读书，有什么困难找我就行，啊，我一定尽力帮你……”

那个同学本来一直笑眯眯的，经原老师这么一说，不禁两眼泪汪汪。他一把拉着我的手，说：“老师，你要写就写写原老师，他自己一个月只有400来块钱工资，可这几年里光我知道的他资助贫困生就不下4000多元……”

“你、你别说这些。”原文华老师急忙抢过小高同学的话，急促促地告诉我，“我们这儿曾经还出现同学卖血、晚上乘人不备时偷偷溜进食堂捡剩馒头和菜叶吃……”

这是怎么啦？

这回轮到我的心在大声疾呼：我们是社会主义的人民共和国，是正在迈向21世纪的现代化强国，怎么、怎么可能在我们的大学里会出现这等的事？

为什么？到底又有多少这样的事？

带着我的疑虑，带着我的痛苦，也带着我的一份责任，我走进了中国大学的一个又一个学生工作部——

这是一个春天的季节，我来到北京清华园东邻的北京林业大学。这是所具有悠久历史的国家重点高校，它的前身可以追溯到清末的京师大学堂（即北京大学的前身）林科。校园很美，既有北大、清华校园内的那种中国传统的建筑，又有更多的园林群体，耸立在林与花中央的现代化教学大楼更显几分娇美与壮观。漫步在这样的校园内，仿佛置身于诗画之中，这对居住、生活在闹市而整天淹没在污浊空气里的我来说，大有人间仙境之感。

然而在透过几口清新的空气之后，我又不得不把一个与此地的环境十分不协调的词汇在心头掂量。这个词汇依旧叫“贫困”。

美丽如画的校园本不该与“贫困”连在一起，可是在当今中国这个特定的历史转型时期，它们却无情地结缘了，而且这种苦涩的结缘还那样“剪不断、理还乱”。

北京林业大学隶属教育部和原国家林业部，现有在校学生3500多人。从人数讲，是所中型大学，可它却是被团中央、国家教育部列入重点“扶贫”的几所贫困生居多的高校之一。走进学生工作部，接待我的是位很干练也很热情的于翠霞老师。

“你想了解贫困生？算找对了，这摊归我管。不过以前我在校党办工作，学生工作部这摊接的时间不长，但一接后我就觉得再也难放手了。尤其是贫困生这方面的工作。”于老师长长地叹了一声后说，“你先看看材料后我们再谈。”

她从另外一间办公室柜子里取出几摞厚厚的卷宗，放在我的面前。

“这都是些什么？”我问。

“贫困生自己写的救济申请材料。你先看看。”于老师直起身时顺口说道，“我当时看完这些材料后，几天都吃不好饭。唉，这些学生真可怜……”

于翠霞老师说完出了门，屋里只留下我一个人。于是我开始一份一份往下看……我知道自己的此次高校贫困生采访是次万里长征式的巨大工程，每一程都得争分夺秒。我必须加快速度往下看，但从翻第一篇开始，我就发现自己过去那种一目十行的“职业编辑”看稿速度这回一点也用不上了——我几乎只能一字一字地看，一字一字地读，因为我所看到的不是普通的稿件，也不是常见的公文，而是一份份用血水和泪水写成的乞求信、呼救书。它让我感到灵魂在经受山呼海啸般的震撼，心胸在承受那种很难用词语表达的一种近似绝望的窒息与压抑——

学生求助书之一

尊敬的校领导：

我是财96（1）班的学生，来自安徽东至县。在我10岁（1985）那年，我父母因车祸皆丧生，留下我与哥哥相依为命。这以后，在亲戚及街坊邻居的帮助下我哥哥念了两年高中，我也读到了初二。但别人的帮助总是有限的，两年之后，我兄弟俩同时上学已无可能。在这种情况下，我哥为了不让我辍学，借口自己学习不好进厂当工人。其实哥那时的成绩一直在班里是尖子，如果我们有个温暖的家，如果有父母的疼爱与培养，如果不是为了我，哥他现在肯定是个大学毕业生了。然而他不能。

在哥微薄工资的支持下，我勉强进了县重点高中就读。这期间，为了减轻哥的负担，我背着他帮助学校附近的餐馆卖早点、夜宵等，以求得店主老板一餐半粥。在这种情形下，我艰难地完成了高中三年的学业，可不幸的是我在高考时以7分之差名落孙山。哥哥对我的落榜没出半句怨言，相反鼓励我重新复习。18岁的我在几年的苦难经历中除已深深懂得哥哥的那份爱心外，心中也有了自己的打算。1993年暑假一到，我便背起几本发黄的课本和几件缝缝补补的衣服，走上了打工的路，而这年的下半年我哥参军入了伍，现在仍在广西北海舰队服役。

打工的路并不平坦，由于没文凭，没一技之长，更因人生地不熟的原因，我在福建石狮一带流浪了近半个月也没找到一份可以糊口的工作。为了生存，我不得不到海边去挑黄沙……经过两个多月的周折之后，在同乡的介绍下，我进了晋江一家皮鞋厂打工，在那里我度过了两年半工半读的打工生涯，其中所吃的苦头非常人所能体味和想象得到。付出的汗水终于有了回报，1996年，我以全县文科总分第一的成绩被北京林业大学录取。

一年的大学生活一晃而过，当初我打工挣得的4000多元钱已所剩无几。如今新学年已开始，对于无任何经济来源的我来说，我知道这将意味着什么。为了准备第二年的学费，我没有与哥哥商量，便决定卖掉父母留下的两间破房子（估计能卖个两三千元）。但由于诸多原因没人买。在走投无路之下，我只好与在家务农的一位高中同学结伴利用这个暑假，到上海一家日本人开的餐馆刷盘子。那餐馆实行两班制，每人每月工资300元。为了多挣点钱保证能上得起新学年的课，我向餐馆老板提出要求一天干两个班。老板听了我的陈述，同意了，并且晚上只让我加班到9点钟。即使如此，由于假期时间有限，我才挣得600元钱便匆匆赶回学校。

要上新学年的课，就得先交学费。可我身上仅有自己挣的600元加上那位同学给的600元共1200元，这也远不够全年学费和生活费。怎么办？怎么办？我问自己，也问苍天，可谁也没有回答我。无奈之中，我只好厚着脸皮在这儿向学校领导发出恳求：请拉一把我这个穷苦的学生……

此致

敬礼！

学生：董鹏志

1997年9月4日

学生求助书之二

尊敬的 × 老师：

您对这个称呼可能已非常熟悉，可您认识我这个学生却是第一次，我想通过书面上的交流，作为我们互相认识的起点。

老师，暑假期间，我徘徊于宿舍内，思绪万千。想起中学时求学之艰难，考入北林大之不易，更是焦虑目前……

作为学生的我，中学毕业于陕西西安市户县光明中学，家在西羊村，本为农民家庭，全家以清淡度日，安贫乐勤以足。可无奈在我高一时，父亲因多年积劳成疾离我而去。打此后唯母亲操劳供我上高二，读高三，考大学。在中学毕业时我心中因念母亲体弱多病，想立即找份工作，以代母亲之劳和尽儿女孝心。故后虽以706分成绩考取北林大，但我内心却无喜悦之言，因为我根本不想进大学——其实是无奈。母亲得知后说什么也不答应我的做法，她特意给我讲了一件在我还幼小时的事：母亲说，当时因家贫，曾想把我送给村附近的一个部队机场的一位军官做儿子，可当人家真来领时，我父亲说什么也不同意了。父亲对母亲说，贫不懒志，家再穷，儿还是他的儿。母亲那天流着泪对我说，现在儿你考上了大学却因一点难处要退却，她说就是等她百年之后也无法向我父亲交待。于是我在去年8月28日（这个日子我记得非常清楚）到本村一个人那里借了3000块钱，走上了大学之路。当时借这钱是讲好的在我毕业后加倍归还人家，所以我在迈向大学门的第一步时就比别人多了一份沉重。

大学一年来，是我终生难忘的一年。我忘不了初入学的新奇，更忘不了交完学费后生活的困顿艰难，母亲又多病缠身，无援的我在多少个不眠之夜里摸着口袋中唯一的一个硬币时，也曾想给家里发一封求助之信，可一想到母亲那苍白的脸时，我的心一下揪了起来，我恨不得抬起手抽自己的耳光。所幸的是在我极端困难的时候，学校帮助我取得了一个勤工俭学的机会，让我能安下心读书，并有可能在春节时用自己省下的钱回家一趟给母亲买一点小礼物。那次是我上大学后第一次回家，而且是我一生中第一次像人一样地出现在众乡亲面前，其情其景，自然也非能言表。然而命运却总是对我这个苦孩子那么不公，在我到家的第三天，我母亲怀着恋恋不舍的表情，永远地离我而去……在我欲哭无泪之后，我常想着这样一个问题：我这当儿子的大学生，到底这个春节是回来得对还是回来得错了？我反反复复问自己，但始终没有结论。

新春的爆竹仍旧那样脆响。可极度孤独和悲伤的我，一点也觉不到。多少个黑夜里，我有意不开灯，有意不让哪怕是萤火般的光在眼前出现。我想用黑暗来沉积心头的孤苦与忧伤，我更是在让黑暗之剑磨钝太多流血的心胸……我扪心自问：像我这样一个既无独立生存能力，又日后无法向父母尽孝的人活着还有什么意义？在那一次又一次与黑暗对话时，我甚至觉得自己的生命是那样轻薄无为，我想借着黑暗去见我的父母，去用儿子的整个心灵抚慰从未获得过多少幸福与快乐的父母的心……但就在我伸出双臂向死神拥抱的那一瞬间，我想起了学校，想起了老师您和同学们，于是脆弱的我又觉得无地自容。特别是想到在过去的一年里，学校、老师和同学们对自己的帮助，我更觉自己那一闪念的荒唐。像我这样一个贫苦之家出生的人，在既未向父母尽孝偿还一份养育之恩，又未能为国为民做半点贡献之时就想逃避生命，简直就是一种可怜与无耻！

想通之后，虽然那个失母的春节使我无限痛楚，但回校后我尚能像过河小卒，有进无退。所幸在后半学期学习成绩较上半学年大有提高，心中总算稍许安慰。

老师，学生现在所虑的是目前入学学费太贵，学、杂、书费达2000多元。虽说我在暑假留在北京拼命打工40余天，也仅赚得700余块钱，加平时积攒共1000来元。眼下学校新学年注册日期将至，学生心中怎不焦虑？为解燃眉之急，日前我与一家书店经理谈定以后每天下午到她书店干活，兴许能挣回一点钱来，可这得一段时间，所以在此我请求学校和老师能否宽延一些时间再让我交钱，如果能成，学生将视为生命重现！

恳请又恳请。

学生：张升

1997年9月6日

学生求助信之三

尊敬的校领导、老师：

我是园林学院森林旅游96班的学生，因家境贫寒加上连年天灾，实在无力交纳学费，特向学校申请减免，敬请审查。

我家住抚顺县安家乡大堡村，家中五口人，奶奶已近八旬，弟弟正读初三，爸爸体弱多病，家中全靠妈妈维持。全家主要经济来源就是那几亩承包田。如遇风调雨顺，生活还算过得去。可是1995年“七·二九”一场百年不遇的特大洪水把我家的几亩承包田里的庄稼全部冲走；1996年“七·二三”一场更大的洪水又使我家颗粒无收。今年满希望有个好收成，但天公不作美，春旱到秋日，致使全乡全部绝产。连续三年的天灾，让我的家人怎能承受？更有何力量担起一年几千元费用的我这个大学生的生活与学业呀？

我是1996年从辽宁林业学校毕业后被保送到北京林业大学深造的。当时心情真是悲喜交加，谁不渴望上大学的机会！然而一贫如洗的家庭又能拿什么来供我上学呢？带着这个不知是好还是坏的消息我回家了。爸妈听后不作声，而年仅十六岁的弟弟却第一个表态：姐，你去吧，我供你！弟弟的话让我好一阵激动，可我知道他还是个孩子。我只朝他苦笑了一下。爸妈经过反复考虑，最后同意我读大学。从此家里节衣缩食，生活更加艰难。我深知家中情况，于是利用假期四处奔走自筹第一学年的学费。我听说有个叫“寒窗基金”专为学生贷款的，便跑到教育部门，但人家不理我，说我是中专保送生，不能享受。无奈，我只好东家求西家磨，从远近亲朋那儿借了3000元钱，苦苦读完了第一个学年。

暑假了，同学们高高兴兴地回家，而我却因新一学年的学费不知从何来而忧心忡忡起来。年近五十的爸爸骨瘦如柴，出去给人做小工出苦力，一天干下来，从手到脚，浑身每一个骨节都吱吱作响，这病痛已经数年了，可爸就是不肯去医院瞧一次，只是每天大把大把地吞止痛片。这一切做女儿的我看在眼里，疼在心头……然而更让我难以忍受的是我不仅不能给他减轻病痛，还要再一次向他伸手索要新一学年的学费！我、我不知如何办为好。

新学年已经来临，我怎能忍心向这样一个父亲伸手呢？可不向他伸手我又有什么其他办法？难道忍心让我正处初三学习、年仅十几岁的弟弟供我读大学？不不，我不能。可、可我又能干什么呢？尊敬的领导、老师，请救救一个苦命女学生吧！

96级学生：吴春艳

1997年9月1日

看完这一份份求助书，我说不出自己当时的那种心情。透过这些饱含泪水的求助书，我似乎看到一颗颗焦虑不安的心和一张张因营养不良而造成贫血发黄的充满着企盼的脸。它们让我感觉呼吸急促，心跳加剧，情感难以抑制……没有比这更叫人揪心的，因为它发生在我们大多数人感到阳光明媚的今天。

这时，于老师从另一个屋子进来。“这些材料都是去年9月新学年开始几天内收到的，这几年一到新学年交费时，我们学生部和学校领导、老师那儿都会收到一封封这样的减免学费申请和求助申请书信。”她说。

“你们学校的贫困生能占到学生总数的多少比例？”这是我很关心的一个具体的数据。

于老师顿了顿，说：“从我们官方向外公布的比例是15%，其中特困生5%左右……”

“实际呢？我需要准确一点的。”

“这个……不太好说。”于老师略陷沉思。稍许，她说，“我总觉得现在定的标准不太确切。比如教育部门原来把家庭平均收入在150元以下的划为贫困生，把100元以下的定为特困生。现在高校大部分按此确定贫困生的标准。我认为这只能是个大概标准而已，因为像现在农村的家庭人均收入能达到150元左右的几乎占大多数，这还要看这一年的老天给不给面子，如果遇上天旱水灾什么的，就不是这种情况了。另一方面，这两年城市下岗职工增多，许多城镇来的在校学生家庭由于父母都下岗了，他们的生活水平即使是200元至300元一个月，你能说他们不是处于贫困状态？所以大学贫困生的人数比例向外公布的数字不完全准确。像我们林业大学，是属于特殊行业院校，学生中60%以上来自农村，有30%左右是县级以下的小城镇。这些学生之所以报考像我们这样享受国家特殊行业补贴的院校——如农业、水利、军工、师范等等院校，就是一方面认为录取分数低一点，另一个重要原因就是学生和他们的家长看到我们这些院校收费低一些。这些因素都是经济差的家庭的学生所考虑的。从这个意义上推断，你能估计出像我们学校的贫困生比例占多少呢？”

我笑笑，说不敢猜。

“再说大学与大学之间也不同。”于老师接着说，“我所知道的北京大学对外公布的贫困生比例是25%，应该说从他们学校的学生实际情况所确定的这一比例基本差不多。但到我们学校恐怕就不能这样一刀切了。如果用北大划定贫困的标准拿到我校就不得了了，那我们的学生可能大多数处在线内。其实贫困与不贫困还有一个所处环境与范围的问题。你比如说像我们学校因为大多数学生来自农村，相对家庭经济收入都不高，而这些学生如果把他们放在那些外贸、经济、艺术类院校去，可能都得算贫困生了，但在我们学校就不行。只有那些连最基本的生存都难以维持的学生，才能进入我们学生处的'特殊档案'里来……"

林业大学的于老师使我较早粗略地了解到了什么叫"贫困生"，以及强烈感受到那些贫困生所发出的阵阵求助声……

林业大学所处的京城西郊，几乎云集了中国最著名的十几所大学，在那连成一片的绿林中组成了真正意义上的"中国大学城"。如果不是深入每所学校的学生工作部或者是各学校团委下的勤工助学中心，你所见所闻的只能是琅琅读书声和那如潮如云的"天之骄子"们。你因此会认为，凡在这儿的学生都是世界上最幸福的人。然而有些事你却想象不到，那便是在这些几乎是集中了中国当代最优秀人才的学子中，有数以万计的人在面对最繁重的学习、接受最先进的知识与攀登最尖端的科学同时，却过着这个城市最低生活水平线以下的贫困日子！有人常年靠馒头充饥、盐水润口度日；有人捡废纸做练习本、写论文稿；有人从垃圾筒内捡出一条旧长裤剪去两条裤腿后，改成自己在一个暑期闯荡京城的装束……也许正是这种无法想象的反差，更使我急切地想了解清楚在这和风与绿地的大学城内，到底有多少难以维系大学学业的贫困生。

与林业大学仅一街之隔的中国农业大学，是中国千所高校综合研究与发展前十三名的国家重点大学。他们那儿的贫困生情况会是怎样呢？

该校分东、西两个校区，在东区的学生勤工助学指导中心，丁运选老师正忙着给那些在今年暑假期间准备留在北京打工的学生们联系单位。“哎哟，人实在一年比一年多，可岗位呢却越来越少。”丁老师长吁短叹地说，“前几年我们这儿是全市几十所高校中假期学生打工最多也是最好的，今年看来不太妙，一方面社会下岗人员跟我们抢活，另一方面学校留校不回家的学生越来越多了。”

“贫困生们都想利用假期把新学年的学费挣出来吧？”

“可不是！平时学校功课紧张，大多数贫困生就指望这放假的一个多月挣一把。但市场是有限的，蛋糕就那么多，一部分人抢去了，另一部分人就得挨饿。”

“那今年挨饿的会不会轮到你们学校这帮贫困生呢？”我问。

“保不准。”丁拿起三本假期勤工俭学求职登记簿，说，“去年到我这儿登记要求帮助联系打工的是 60 多个，今年这才 5 月份就已经有近 200 人了。压力大呀！”

“为什么想打工的人越来越多？是同学们自立的意识强了，还是有其他什么原因？”

“有前者的原因，但更主要的是贫困比例这几年直线上升。”丁老师介绍道，“我们农大东区学校最近对特困生有个统计：1995 年按每月一个特困生所有收入 90 元为标准，低于 90 元的为特困生，统计结果为 350 人，占全校学生总数 9.5%；1996 年按 120 元以下的收入标准统计的特困生为 570 人，为学生总数的 15.4%；1997 年按 150 元以下的收入标准统计特困生为 835 人，是学生总数的 22.6%。今年 98 届新生到校时会不会达到 30%的比例呢？我说不准。不过有一点可以肯定，这几年的贫困生比例上升幅度都在 6%至 8%以上递增，而今年则可能是第一个高峰年。注意哟，上面我说的是我校的特困生人数和比例，他们都是那些根本没有任何家庭经济来源甚至还要反过来支持家庭的学生，至于一般要靠自己独立解决上学生活费的学生数目就更大了。”

“两者加起来多少？”

“在60%～70%左右。”

一个惊人的数目！

“现在大学校长们都在承诺‘不让一个因经济贫困而辍学的学生出现’，能做到吗？”我极想得到实事求是的答案。

丁老师沉默片刻，说：“每个学校都在为之努力，并大多能履行承诺。但有些贫困生无论你如何帮助，他仍要辍学，学校也无能为力……”

“为什么？”

“因为学校可以帮助一个学生，却无法拯救和负担一个家庭。”

“你们学校有这样的？”

“有。97届的一个江西籍女学生就休学快一年了。她在学校得了病，我们发动学校和社会都捐助过她，但她仍感到无法上学，因为她是个孤儿，家里只有一个近八十岁的爷爷还需要她赡养……”

“能告诉她的名字和联系地址吗？我想请她谈谈辍学的情况。”

丁老师给我抄下这个叫张兰金同学的地址。不久，我按这个地址给辍学的张兰金写过一封信，但没有收到回信。我想或许这女孩不想向外人诉说她内心的那份辛酸与痛楚，这是后话。

下班的铃声早已响过多时，夜色也已笼罩“大学城”，然而在勤工俭学指导中心的办公室里电话声此起彼伏，那间始终敞着大门的办公室，则有越来越多的同学在此时不停地进进出出。

“几乎每天都是这样。”疲惫的丁老师朝我苦苦一笑，从抽屉里拿出他的一张工资单，“看看，我的每月工资316.60元，外加学校200元补贴，全月收入516.60元，去掉水电、房改等实际不到450元。看到天天有那么多贫困生来求助，我个人实在无法拿出钱来资助他们，所以就只能尽量帮他们找些岗位做做，这你就得认认真真、一桩桩去落实、盯死才行。我每天不到晚上 11 点是回不了家的，有些事你想歇口气真还不行。给你看看一封刚刚收到的学生来信，像这样生死攸关的‘求救书’，几乎隔三差五地我就会收到一封。听听学生们发自内心的一声声呼救，你再忙、再心肠硬，也会停下一切其他事，去助他们一把……”

我接过一看，满满四大张纸。在这密密麻麻的字里行间，这个写“求救信”的女学生自述了过去求学路上三次差点告别生命的辛酸经历，以及面对社会的不公和家庭的不幸，她弄不明白怎么会有那么多的“为什么”。她不明白别人家的父母四十来岁跟青春少男少女似的，而她的父母也是四十刚出头却已白发苍苍；她不明白她中学的同班女生十六七岁就出嫁去做人家的媳妇是那样天经地义，而她走出山村上大学反而被人戳着后背骂为“败家子”；她不明白别人点个上百元的菜没动两筷子就扔了，而她手中不足 80 元的生活费却要分着过三十天外加为学习添支笔和本？

“为什么？为什么？为什么？——”

“老师，求求你，求求你助我一臂之力吧！……”

丁老师发现我的手在颤抖，说：“走，今天我提前下班。”

我搭上出租车，从西郊的“大学城”驶向市中的家。那已是很晚的时间，但马路上依然车来人往，繁华而喧闹，似乎什么都没有发生。只有我自己感觉我的眼里老有热流涌出……

“怎么，生意亏了？还是失恋？”出租车司机一路唠叨，而我一句话也没说。

走进清华园的那一瞬，我真的有种去“打扰”的愧意。不用看校志，不用读校史，光听这名字我就有种神圣的感觉。

这是一所中国真正意义上的最高学府，因而在我看来它的每一寸土地都该是圣殿上的天然大理石，都在闪闪发光……

这里的每一位学子几乎都是“状元”。

“状元”们该是怎么样的雍容华贵、青史流芳？呵，几百年来，中国百姓无人不知那一旦为“状元”后的“他”是多么令人敬慕，是贵人家则更加锦上添花，是寒窗庶民则一夜间可改换门庭，那美人会向你姗姗走来，那皇帝会给你加官封爵，再不用老母灯下缝衣织布，穿不完的绫罗绸缎可以披山被海；再不用“锄禾日当午，汗滴禾下土”，挥不尽的金银财宝可以铺路垒塔……

“状元”——中国父辈人心目中望子成龙的最高境界。

这，虽然是昨天的“最高境界”，但今天，它依旧在国人的心目中如日月昭昭。

可是——

可是今天清华园里的“状元”们是怎么啦？

那入学前拎着的两只塑料袋竟伴随着你度过了四个春秋？

那进校时穿着的老乡长的那套旧西装为什么在你身上日复一日、一年四季也不换？

那长如京沪铁路线的哥德巴赫猜想运算纸为什么是你从垃圾专业户手中苦苦乞求而得的“回收废品”呢？

还有，你完全有能力去超越比尔·盖茨的软件，可却为了下一顿饭卡上能保证买得上一盘菜而奔跑一整天去分发那几十斤重的小广告。

还有……

学生工作部专管贫困生事务的吴雅茹老师，拿出很多很多这方面的材料与例子。

“我们清华现在的注册本科生达 12000 多人，这在国际上的一流大学中也是大学校了，可我们也有另一个大数字，那就是 1200 多人的贫困生！”这位性情如同个好大姐的老师，一脸倦意地打开柜子，“你看看，这么多贫困生材料，就我一个人具体管，光翻一遍他们的东西就得几个钟头。可贫困生情况不是一成不变的，它是动态的，也许今天某同学还是好好的，明天他家里可能就大难临头。我们学生工作部就得随时要掌握情况，及时收集必要的材料，那样才能有效地替困难的学生解决问题。”

“这么庞大的一个群体，编制起来就是一支不小的军队呀！”这样的一个事实竟然存在于堂堂清华园里，可能不仅是我所没料想到。

“可惜的是这支不小的‘贫困大军’散落在我们清华园的浩浩万人之中，所以我们不得不甚至动用最先进的计算机技术来进行追踪和管理。”吴老师介绍说，他们清华在每年新生录取时都要向每个新生家庭随入学通知书一起发出一张《家庭经济情况调查表》。在新生到校后又有各院、系根据学生自报与组织调查的结果，再统一汇总到学生工作部，然后进入清华贫困生数据库。在进行这一程序后工作并没有完，为了保证那些真正有困难的学生得到救助，学生工作部与学校伙食单位紧密合作，因为在学生的饭卡上出现的“晴雨表”最能说明其在校的经济与生活状况。一个学生连续一段时间的低水平生活消费，正常情况下可以说明他是个贫困生。一个学生的生活消费超低水平，他就很有可能是个特困生或家庭出现了什么问题。而这些仅仅是电脑里的显示，真正的情况就必须逐个地去探访调查。也许有人很直率地向你讲明，也许有人确实很有问题可他也不承认自己是贫困生，也许他的饭卡上是很低消费但却在平时讲究穿着、大手大脚……

“我们学生部的工作就是使自己所掌握的情况与实际相符，不让该帮助的每一个贫困生从我们的视野里漏掉，也不让不该济困的人溜进贫困生的行列。而这仅仅是学校开展解决贫困生工作的序幕，真正有难度的工作还在后头。”吴雅茹老师期望我明白这样一个事实，那就是能在学生工作部里看得到的有关贫困生的那些“特殊档案”，仅是表象，真正的贫困生问题还在学生们的心灵深处、还在校园的每个角落、还在复杂的大千世界里……她的话，我似乎领会，又似乎领会不了。

说实话，我从清华大学出来，就不敢再去叩开毗邻的北京大学校门。我怕沉睡在这里的一大批如雷贯耳的英魂惊醒，因为他们是梁启超、严复、蔡元培、鲁迅、李大钊、毛泽东……北大的历史从来都是用金子铸成的，泱泱中华大国的最高学府史册里，不该有灰色的档案。不是吗？

我没有权利隐瞒事实，无论它是哪等样的高校。

今天的北大是全国规模最大、实力最强的一所综合高校。今天的北大还是全国2000多所高校中贫困生人数最多的一所大学。

你不相信？但它是事实。

——北大的在校贫困生每年多达3000多人。

全国2000多所高校中，其实学生不足3000人的占1/3。北大一校的贫困生总数就超过了这几百所大学每所学校的学生总数，难道还有谁怀疑北大不是最大的“贫困户”？

北大学生工作部有一份“内部材料”，详细解释了这3000多名贫困生的准确性：以1997年物价水平和生活费用标准，一名北大学生平均每月最低生活消费是250元，加上2500元的学费和住宿费，全年经济支出至少在4500元。仍以97级为例，该年级的学生中家庭人均月收入在200元以下的占18%。而另一份调查统计显示，96级学生中家庭人均月收入在170元以下的为20%，95级学生中家庭人均月收入在150元以下的为22.5%，94级学生中家庭人均月收入在120元以下的为25%。综上所述，北大的贫困生绝对人数始终在3000人以上。

你和我一样不了解北大吧！你因此更不了解啥是贫困大

学生！

他们就是这样一个庞大的群体——一个中国高校教育史上未曾出现过的特殊群体。

有人这样描述：他们的心犹如天马在浩瀚宇宙奔驰，犹如牛仔在旷野上冒险拓疆，尽情地享受着知识给予他们的丰富与充实；他们可以同别人一样在图书馆、课堂上体味苏格拉底的庄严，毕达哥拉斯的神秘，尼采的酒神迷狂和老子的玄妙，庄子的洒脱，陆机“笼天地于形内”的壮观，但他们的精神世界则因物质的困顿而如同一个痛苦的朝圣者在沙漠里徘徊，如同一个迷航的船员丢失了木舢而无所适从，更如一个失血的病体在等待无望的救援……他们的精神与情绪组合起来，就是一股非凡的暗流、一股躁动的岩火，可以摧枯拉朽，可以排山倒海，可以……可以成为很多、很多。

因此，当我走进中国高校的学生工作部时，都能感到有种忧闷，有种紧迫。

其实，贫困生自己何尝不是这样。他们不愿别人总在翻阅他们的那些“灰色档案”，他们正努力书写一种新的人生……

第二部　生存自救歌

第六章　校园上岗：留下我们的羞涩与光彩

越过那道无形的门槛

“你怎么啦？”

“没什么……”寒假归来的同学们都在宿舍里又说又笑地嚷嚷着，可高德水的心境怎么也好不起来。刚过去的一个学期是他进大学的头半年，这大学门进来时，他就深深感受到了“圣殿”真是太难入了，不说作为一个贫困地区的农家子弟考大学有多难，单说在接到入学通知书后为了凑那几千元的学杂费便可“一夜白了少年头”。高德水明白自己如果不是幸运地当时得到家乡洛阳的一家公司义助就有可能无法迈进“圣殿”这一步。那时高德水确实得意过一阵，因为整个洛阳的上万名考上大学的学子中，有许多也是贫穷家庭，但全县被资助的只有两名学生，他高德水是其中的一名。能不得意吗？第一个学期每月有保障的150元这笔资助的奖学金，虽然有时使高德水也感到手头有些紧，但丝毫没有那种“有了上顿没下顿”的危机感。这学期可就不同了，一切都得靠自己。高德水早已从几位最低生活水平的“穷仔”学友那儿了解到：在像北京这样的大城市里上大学，每月一般生活费在200～300元左右。哪来这么多钱呀？高德水十分清楚自己那个只种几亩薄地的家是无法供得起这巨额费用的，但在放寒假时他还是期望在新学年开学时能从家里带一笔至少可以维持最基本的学业费用。

可是老天爷就是不长眼。大旱造成地里的庄稼几乎颗粒无收且不说，因为姥姥过世母亲悲伤过度而一时疏忽造成仅有能变钱财的几头牲畜死亡殆尽。高德水记不得他上大学后回家过的这头一个春节是怎么过的，他眼前一直浮现的是临离家时母亲颤颤抖抖地给他钱时的情景："儿啊，妈知道你上学要吃饭花钱，可家里实在拿不出，这50元还是你爸借来给我治病的……"高德水哪敢接这样的钱，他是孝子，说什么也要让母亲留着这笔钱去看病。但等到他上了火车后才发现，母亲还是在他书包里装进了30元钱。

高德水就是带着这30元回到了北京的校园。

30元，加上学校发的每人每月的几十元副食补贴，高德水掐来掐去也觉得不可能维持最基本的大学生活。有件事他从来没跟人说过，那就是他在新学年开始的第一天开饭时，别人都上了饭堂，而他却躲到了厕所——他不是去拉屎拉尿，而是去看看……唉，他真不想启口，因为这事太有点那个了。还是说吧，穷人的事本来就已经没啥面子可掩的了。他说当时突然想起了上高中时的情形，那时他也没钱，一天的伙食费压缩到一元以下。有几次因为没了钱他就跑到厕所，因为那些粗心的同学们总常常不小心在蹲坑时把口袋里的菜票掉在旁边，甚至掉在坑内。他穷急了就乘没人时从坑边坑内捡起菜票冲一冲就去用。现在是大学，同学们不用饭票使饭卡，但在上厕所时掉钱扔钢镚儿的还是大有人在。高德水没路可走，却想通过"重温"中学时的"厕所之道"来解燃眉之急。然而那天偏偏同学都很"精明"，他高德水从厕所出来时一无所获，不过后来他说亏得这一无所获，因为否则以后总感这是自己大学生涯里的一件难以洗刷的屈辱之事。

日子还得过，学业总得完成。高德水在走投无路时走进了学校团委，他听人说那儿正在筹建一个勤工俭学指导中心，是专门帮助有经济困难学生的。

“我们的工作刚起步。如果安排你上学校的北楼打扫卫生你愿意吗？那儿原先雇的临时工走了，正好需要人。”老师用商量的口气跟他说，“每天早晚扫两次，一个月 100 元你看行不行？”

“行！”高德水一听每月有 100 元的收入，他连半点犹豫都没有。事后他说当时就是老师说给 50 块一月让去淘粪挖沟都不会打个磕，“有饭钱了我就可以把学上下去，这是最根本的。”

第二天什么时候起的床，高德水现在还说不出个准点。“反正把老师分配的楼道卫生打扫干净后，我又回去眯盹了好一会儿才听起床号响……”他说他起这么早一方面是第一天上岗心里特别激动想把事情做得让人满意些，另一方面也免得同学们看到面子上不太好看。但后来高德水打扫楼道的事还是让同学们都知道了，于是有人用羡慕的眼光看他，更多的人则向他投来惊奇的目光。不管是羡慕还是惊奇，高德水从此就成了学校的一名校内勤工俭学正式上岗人员，并由开始的承包扫一层楼道到承包三层楼道，月收入固定在 300 元左右……1998 年 7 月，高德水顺利完成了四年大学学业，以优异成绩被家乡的著名国有大企业——洛阳拖拉机厂接收。

在大学生勤工俭学的庞大队伍里，在高等教育悠久的历史中，高德水既不是最突出的一位，也不是第一位“吃螃蟹者”。“勤工俭学”这四个字也许自人类有大学起便同步诞生了。不说远的，从第一代中国高等教育的开拓者严复、蔡元培留洋求学时当码头工，到毛泽东在北大图书馆当管理员，再到周恩来、邓小平在法国打工求学，在这些流传的故事中，“勤工俭学”早已成为大学生的一种可贵的精神而被载入史册。至于在外国，总统的儿子到饭店刷碗，大富豪的千金去游乐场当招待员更比比皆是，不足为奇。美国总统克林顿在上大学时就当过几年的勤杂工。共和国成立后的新一代中国大学生在刘少奇同志的那次著名谈话后，也掀起过轰轰烈烈的勤工俭学热。然而过去的这些“勤工俭学”的更多意义，是出于对大学生自我素质的培养。特别是人民翻身做主后的新中国大学生上学，一直延续了“上学靠国家”的制度，他们不用为入学后的生活而担心操劳。那三四十年里，我们的大学生是真正的“天之骄子”，入学吃用国家包，毕业出来由国家分配，所要费心的就是好好听课用功。然而“并轨”后的情况就不再是这样了，先不说一年几千元的学杂费令多少经济贫困的学子和家长们措手不及，单单上学后的吃饭问题就让学生们愁死了。学校有限的“奖、学、贷、补、免”常常仅是给那些本来就不愁吃穿而成绩又好的学生锦上添花，至于学习基础本来就差、又要顾这愁那的贫困生们就只是雪上加霜，苦苦挣扎。

高德水是94级大学生，虽然他根本不可能算得上勤工俭学大军中的前驱，但作为一名当时“并轨试点”学校的贫困生，作为由学校出面安排和特设的“贫困生勤工俭学岗”上岗人员，他属于今天千千万万上岗者中的“先行者”。

既然是“先行”，便包含着先于别人的勇敢行动，又有打破先前传统的精神。大学生为了自己的生存而在校“勤工俭学”上岗，学校拿不出更多的资金补、免而设岗让贫困生做工——这事一经师生相传和新闻媒体披露，一时间校内外沸沸扬扬，众说不一。

先是一些教授们难以理解——

“耻也，你考试出了三只‘红灯’，把这楼道扫得如此干净有何用？”一位老教授暴跳如雷地指着正在扫楼道的学生鼻尖，从三楼骂到一楼，后来又在课堂上公开说，“再见××在晚自习时扫楼道，就让他永远别上我的课！”

其次是一些家长的不理解——

江西南昌刘某是个下岗工人，每月他都要将起早贪黑、走千家万户收破烂换来的二三百元钱寄给在武汉读大学的儿子。上个月儿子来信说："爸你别再寄钱来了，我在学校已经有了一份每月能得200多元的活做……"刘某一看信，连夜乘火车到了武汉。跑进学生宿舍，同学们告诉他说你儿子在食堂帮厨。刘某闯进食堂一看，果不其然，儿子正系着围裙，满头大汗地与食堂师傅们一起刷锅洗碗。刘某心头顿起三丈怒火，抄起一根木棍就朝儿子劈去："你个小兔崽子，谁让你到大学来当火头军的呀！跪下，今天你不立保证从明儿个起不再来此打工，就别再认我这个爸！"后来儿子真的跪了下来，哭着向自己的老爸保证今后再不打工。"那好，你不是怕没钱用吗？这800元是我上星期卖血得来的，你先拿着，以后我每两个月寄800元来！"刘某从口袋里抽出一把钱，扔给了儿子，头也不回地出了校门。

再次是社会上的一些人不理解——

上海某高校校长曾经一连接到好几封这样的来信：你枉为一个著名大学校长，听说你们那儿把我们地区的几名"状元"都从课堂上赶到了学校的厕所、食堂，还有去老师的家庭去当"小差"。请问你校长先生，你知道我们的那些学生他们是怎样上的大学吗？他们是我们全乡父老乡亲们每人一块钱一块钱凑着送上大学的呀！我们为啥这样做？那是因为我们这儿从来没人考上过名牌大学，那是因为我们在明天还等着他们学有所成回来建设和改变穷乡僻壤……你说你不叫他们好好上课却让去干苦活，对得起谁？

呜呼！学生冤也。老师冤也。校长更冤也。

教授有传统观念，家长和社会上的一些人不了解学校校长、老师包括学生在内的苦衷可以理解。然而令许多人不可理解的，是那为数不少的贫困生他们面对"上岗"所表现的种种行为也让人惋叹。

《中国青年报》三名记者曾经报道了在武汉几所大学的几则见闻——

四号楼的尴尬

爬完最后一级楼梯，还没来得及喘口气，一股难闻的气味扑面而来，只见楼道里面条、橘子皮、废纸屑、易拉罐扔得到处都是，几个学生正大声嚷嚷着在楼道里玩足球。

一个多月前，武汉某高校四号楼作为该校勤工助学的第一个试点曾引起大家的关注。

“你是来采访四号楼的？搞不下去，没搞了。”学生公寓科科长神情沮丧地说。

听说五楼有个姓李的贫困生参加了这次勤工助学，干了几天就不干了，便想找他聊聊。

小李不在宿舍，他的一位同学正在复习功课，我们便和他聊了起来。

“小李为啥不干了？”

“不好说呀……”他挠了挠头。

“他是贫困生吗？”

“是，不但是贫困生还是特困生。”他说。

据这位同学说，小李来自广西农村，进校三年多来，因为没钱，仅回去过一次。家里平时很少给他寄钱，没钱吃饭，常常一天只吃两顿，有时只吃一顿。班主任知道了，借钱给他，他已经在班主任那里借了四五百元了。这次学校在四号楼搞勤工助学试点，将每层楼的卫生包给特困生干，班主任推荐了他。

这位同学说：“开始那个星期他干得还挺好的，每天早上5点多钟就起床开始扫地，可是第二个星期就不想干了，早上睡到快上课才起床。”

“他饿着肚子，为什么轻易放弃这个挣钱的机会？”

记者问。

“是呀，我们也不理解。”他说。

科长告诉我们，四号楼的试点只进行了两个星期，就有两名学生提出不干，剩下的四名特困生也是三天打鱼两天晒网，楼道里脏乱不堪，学生反应强烈，学校只好将他们全辞退了。

“他们不干，是不是待遇低了？”

科长摇了摇头说：“原来请临时工，一人扫两层楼面，月工资180元，现在学生一人只扫一层楼面，一个月160元。我们将工资标准定高些，一是对学生带有补助性质，二是怕标准定低了学生不干。”

谈起试点失败的原因，科长说，客观上是清扫时间与上课时间有点冲突，但那是可以调整的，个人主观原因是主要的。一是觉得在同学面前太丢面子，二是觉得付出得多，得到得少，不划算。科长心情沉重地说：“当初我们搞这个试点时，曾设想，如果成功了，便将所有的学生宿舍、教室和校园卫生都包给贫困生，没想到干成这样……”

他们怎么也不会想到，推动勤工助学的阻力竟来自被援助的贫困生。

这样的尴尬，在上海一所高校也发生过。1996年该校有本科生6307人，每月生活费低于上海地区最低基本生活费185元标准的贫困生占24.2%。为了给贫困生广辟勤工助学渠道，该校专门成立了勤工助学服务中心，义务为贫困生寻找勤工助学的机会。一次，机会来了，上海一家百货公司要举行开业典礼，主动与该服务中心联系，想请几位大学生去帮他们做宣传，一天给每人发

40元劳务费。

"中心"将招聘海报贴出去后，几天竟无一人来报名，就连那些贫困生也一个没来。"中心"的老师很纳闷儿，便去问他们，回答说："让我们穿卡通服在门口蹦蹦跳跳太没面子，而且出这么点钱，谁愿去？"

这样的尴尬，记者在校园里也碰到过。记者采访一个贫困生时，听说他家里很困难，父母都有病，为了他和弟弟上学，家里已借了4000多元债，便问他："如果现在有份扫地的工作，你愿不愿去干？"

他睁大眼睛说："扫地？我不能因为穷，就忽略自己的人格和尊严呀！"

在武汉一所高校采访时，我们听说这样一件事。一位来自湘西的女生，由于家庭贫困，每月的生活费不到70元，学校为了帮助她，给她安排了一个勤工助学岗位，负责清扫学生宿舍楼周围的卫生。按规定，她的清扫时间应该是早上6点半到7点，下午4点半到5点。可是，只有到晚上，当夜色笼罩、校园里少有行人时，她才开始清扫……

两张工资单

在某高校，我们看到了两张工资单，一张是临时工的，一张是勤工助学学生的。

翻阅这两张工资单我们发现，同样的岗位，学生的工资比临时工要高出一倍，同样的岗位，学生工时少于临时工，工资却比临时工拿的多得多。

该校负责勤工助学的同志告诉我们，造两张工资单是怕临时工闹意见。

该校女生宿舍楼原有一名临时工值班，为了照顾贫困生勤工助学，暑假期间又在每栋楼安排一名贫困生协助值班。临时工值一个昼夜班，工资 5 至 6 元，学生只协助值白班，工资却拿 8 元。

这样的不公平，我们在大学校园采访时并不少见。

某高校原有校园清扫工十余人，为了帮助贫困生，他们又设立了 100 多个“协扫”岗位，清扫工每天工作 8 个小时，承担着主要的清扫任务，月工资不到 200 元，而学生每天只在早、中、晚各协助扫半小时，每月就能拿到 80–100 元，仅这 100 多个“协扫”岗位，学校一年就要支付 10 多万元劳务费。

我们在采访中还发现一个奇怪的现象，所有设立清扫助学岗的学校，无一例外地将厕所排除在外，扫厕所的，都是从外面请来的临时工。

那天一大早，记者来到某高校学生楼，正碰上早起的几位学生在扫地，一问，是搞勤工助学的。

“你们扫厕所吗？”

“不扫，我们只承包楼道，不管厕所。”

“厕所谁扫？”

“临时工。”

后来我们问该校一位负责人：“厕所为什么不包给学生干？”

“我们担心将厕所划到卫生区里学生嫌脏不愿干，所以承包时先明确规定厕所不在承包范围，另外请临时工干。”

在各大专院校采访，我们处处能感觉到学校对贫困生的这种特殊的爱：一高校在学生食堂安排 10 名贫困生做伙食管理员，每人月工资120元，中午还享受一顿免费午餐。一高校实在无岗位可设，便成立了一个国旗班，安排了19名贫困生当升旗手，每周升旗一次，每人每月发勤工助学费50元。一高校有10个阅报栏，便安排10名贫困生当报栏管理员。

劳动的象征意义，在这里已远远高于劳动的价值。而特殊的照顾和优惠却未必能使他们顺利地走向社会。

前不久，在武汉市发生了这样一件事。南方一家公司在武昌开辟了一个儿童乐园，公司主动与一所高校联系，招聘10名贫困生到乐园搞安全护理。没想到工作了几天后，大部分学生放弃了这份工作，只有一名学生暂时留下来。为此，公司、校方、学生各有说辞，争论的焦点是：贫困大学生是不是一个特殊的打工族?

学生认为该公司提供的工作耗时较多，而且风吹日晒，比较辛苦，报酬却偏低，把他们当成廉价劳动力。公司方面则认为，公司提供的工作只是耗费了学生的体力，而并非脑力。而且因为劳动强度不大，耗时多一些也是合理的。至于说到辛苦，他们说，很多贫困生都是从农村来的，这种工作难道比种地还辛苦吗?

学校认为，大学生的主要任务是学习，勤工是为了助学，用工单位应考虑这些因素，给这些大学生以特殊照顾。公司方面则认为，学生既然受聘于公司，就是公司的员工，在管理和工资待遇上应同其他员工一视同仁，如果允许一个特殊群体的存在，公司的许多管理条例在执行时就会成为一纸空文。他们认为，优先为高校贫困生提供工作机会已经是对他们的照顾了，一旦上岗，大学生就应该放弃自己身份的优越感，同企业其他员工一样遵守企业的规章制度，接受企业的管理。

特殊风险金

96级新生进校不久，校团委将《关于进一步拓宽勤工助学渠道、增设勤工助学岗位的报告》送到校党委书记的案头。

要在校内增设勤工助学岗位，必然会挤掉临时工的饭碗，学校后勤管理一直搞得比较好，如果在各个岗位换上学生会不会使后勤工作受到影响？这种种考虑，使书记不敢轻易拍板。

书记将这个问题带到全校中层干部会上。他说："学校今年实行并轨招生，学生贫困面大了，贫困生已占学生总数17%，冬天来了，有的学生连棉衣棉被都没有，有的学生一日三餐只能吃馒头咸菜。最近，团委打了个报告，要在校内增设勤工助学岗位，大家看怎么样，同意的请鼓掌。"会场一下安静下来，过了好一会儿，响起了一阵掌声。

书记笑了，说："既然大家同意了，就这么办，以后校内凡是能让学生干的活就不要请临时工了，优先贫困生。"

虽然学校领导和各部门都支持勤工助学，但是学生愿不愿干？能不能干好？起草这份报告的团委书记心里没底，与本校一墙之隔的某大学也曾将学校的卫生包给贫困生干，结果失败了，如果这次也搞失败了，怎么向学校后勤部门交代？人家后勤部门本来搞得好好的，是硬从人家那里挖一块地盘出来给学生。为了稳妥起见，他决定在某系学生宿舍5号楼先搞试点。

接受试点任务的系党总支压力很大，如果试点失败了，责任非同小可，会直接影响学校勤工助学的发展。分管试点工作的系党总支副书记，主动向学校交了1000元个人风险抵押金，将学生干得好不好的风险扛在了自己肩上。也就是说，如果学生干得好，学生拿钱，如果干得不好，他来承担风险。

贫困生正式上岗的那天，他亲自带着系党总支干部、辅导员、学生干部、党员学生共60多人，拿着扫帚陪同贫困生一起上岗，并规定，以后每隔10天，党员干部必须轮流到这里陪同勤工助学的贫困生搞一次大扫除。

虽然有人开玩笑说这是“大家出力、学生拿钱”，但是每到规定时间大家仍自觉地前来“陪扫”。系党总支副书记对记者说，之所以这样做，是为了从道义上支持他们，减轻他们的心理压力，让他们的心理得到平衡。

为了从道义上支持他们，系里发现有学生站在窗口向楼下吐瓜子壳，罚他陪扫一周，发现寝室有人将茶叶水泼在楼道里，罚这个寝室的学生轮流陪扫一周。

为了试点成功，他们确实使出了浑身的劲，可是仍有人不好好干。承包三楼楼道卫生的两名贫困生，常常不清扫，各个寝室扫出的垃圾堆积在门口。几次警告无效后，他们只好辞退了这两名贫困生。

……

之后，《中国青年报》针对上面所述的现象，开展了题为《面对贫困》的大讨论。这场讨论的参与者有社会学者，有普通工人农民，更多的是大学生特别是贫困生自己。

“我真不敢相信那些事情怎么会是与我一样的贫困生们做出来

的。一想起他们的行为，我忍不住感到脸红。”已经毕业分配在张家口工作的一位同学指出，“这些宁肯借钱也不愿上岗的同学，他们一进校门便心中总有那种抹不去的高人一等思想。而有些同学本身便来自从小靠吃救济粮长大的边远贫困地区，上了大学后他们的内心深处仍残留着那种穷到头了就会有救济的懒习。当他们的这种伸手等靠一旦稍稍得不到满足，他们往往会异常消极与走向极端。君不知，社会发展已经到了20世纪末，昔日‘天之骄子’的大学生现在早已不再是‘稀罕之物’，你走一趟人才市场就会发现你仅仅是一名普通的求职人员而已。面对现实，每一个大学生都应当清醒地给自己正确的定位。有了正确的定位，当你再面对困难时就可能不再犹豫，不再逃避，也不再被闲言碎语所压垮。”

另一位学生则提出了相反的观点：“出现这些现象实在不能把责任推到学生身上，我们应当从社会、学校、老师、家长等方面思考，因为有些如‘你不好好学习，将来就去扫大街’等观点都是在我们很小的时候别人就一直在灌输。所以我觉得大学生中出现宁可饿肚子也要‘维护尊严’是很正常的。要问这是为什么？回答极其简单：还不是当初你们教的！因此要改变这种现象，需要全社会一起努力。很明显，贫困生羞于扫地擦窗，与周围的异样目光有关。另一方面，学校抱着好心给那些生活贫困的学生提供取得报酬机会，太多的‘象征性’可能造成勤工俭学的质变。相反，如果过多的让学生们依靠打工谋生，又怎能不影响他的学业？”

争论没有结果，但争论使大学生们在有一点上达成了基本共识，那就是：需要正视贫困，需要自我的准确定位，更需要自立自强。也正在这个时候，山东大学企业管理系94级学生陈万思以自己的亲身体会给报社编辑部写了一封长信，使得这场争论有了一个正面的例证：

编辑同志：

你好！

今天已是1月10日，正是考试前的复习冲刺阶段，但在看了贵报《面对贫困》一文后，如芒在背，坐卧不安。我是1994年9月入学的，从家里带出3000元后，就再也没有向父母伸过手。两年多来除了干家教、推销些小商品外，我就是靠学校提供的勤工俭学岗位过活的。

入学两个月后通过自荐，我就在校图书馆当兼职干事，并在居住的4号楼觅得一清洁工职位。两年多来，我整过书，清过书架，扫过楼梯，拖过楼道，打扫过厕所，节假日在图书馆阅览室值班，每月还为27位同学到财务处领工资。刚开始的时候，确实有些不好意思，爱面子的心理也作怪过。但后来同学朋友、老乡熟人，非但没有看不起我，反倒对我越加关心爱护。一些同龄人私下里还把我当作"坚强的化身"。而我呢，通过劳动，拿着自己亲手挣得的钱，觉得真的长大了。

我虽然住在城市，但出身农家。大哥已单过，家里有时还要贴补他。二姐仅能自保。老父年届六十，平日靠帮人打零工度日。母亲一身病，有时摆点儿地摊。你说，我怎能再向年迈的双亲伸手？母亲开始还问我："钱够不够花？"后来我一再说"够"，她长叹一声后也就罢了。我只能靠自己。虽说亲戚们有钱，好朋友伸出手要借钱资助我上大学，但我开不了这个口。因为我要这个面子！

作为四号楼、图书馆以及班里的勤工助学组长，我对情况是很了解的。首先在四号楼并未发现哪位同学故意不清扫楼道，虽然每月拿70元（我任组长每月拿80

元）的工资很微薄，但大家都是按规定每日扫两遍拖两遍，每人负责两层楼梯或一层楼道。每到学期末或学期初，还常有同学到我宿舍来登记要干活的。但只是机会太少，因为在职的同学都挺认真。再说图书馆，其实月工资不到50元，而且要求干满25小时才发全工资，但大家都珍惜这来之不易的岗位。如果不出意外的话，这两个岗位我一直会干到毕业。

因为物价上涨，我必须增加工作量。费了好大的劲儿才得到了打扫教室的岗位，月工资60元。一间百余座位的教室，每周一至四清扫。我现在已是大三，花销很大，吃饭、买书，再加上我这个人不愿欠人情，有时回请别人，加上又资助了一个山区的小学生，所以我又兼了一份钟点工，帮学校会计培训班查听课证，每周四次，一月100元。所有这些工作我都很尽力地做。雇主们对我评价是："有责任心，尽心尽职。"下学期要准备考研了，大四还要偿还学校的无息贷款，所以我这学期必须攒点钱，剩下的一年半费钱着呢。学校的贷学金，我早就不想贷了，既然我有能力挣钱，为何不把机会让给别人呢？至于减免学杂费的事，我提都未提。我想的是，奖学金已挣来了，至于其他就不能太过分了。

我想谈谈面子问题。曾经有一位男生无意中说过一句话："拖楼道多丢人，我才不干呢！"他的话着实让我伤心了好一阵。后来我想通了：拖楼道丢人，那么到处哭穷、整天蹭饭，丢不丢人呢？他不是整天从同学那儿借钱过活吗？何苦来！而我靠劳动所得吃饭，靠双手挣钱自立。我很少缺钱花，因为我节约，又因为我上了几个岗，而每上一个岗都有我自己心头一笔账——为我大学学业而建立的一笔账。不失人格和尊严的活我都试过。自然有人图省事干“三陪”。“风光”是她们的，可良心安宁属于我。

一位大音乐家说过，贫困是能够激发人类智慧的伟大因素。是啊，贫穷教会了我生活。在家时，纵然家境贫寒，但终有父母庇护，不用为一日三餐奔波。上大学后才识生活滋味，半是甘甜半是苦。刚进大一时，常为吃了上顿没下顿焦急，更不愿让几个家境较好的室友知晓我的窘迫。多少个日夜，盘算又盘算，为五斗米消得人憔悴。但我走过来了。《面对贫困》当中的同学，我想还远未走到绝路，当兜里真的没有一分钱，家里也再不会有钱寄来，你难道还能要面子吗?

最后我想说说勤工俭学的时间安排问题。下面是我每日作息时间表：

早 6：10 起床；6：15 上操；6：25 早饭；6：35 打扫楼道；7：00 早读；7：30 上课；11：20 午饭；11：40 打扫楼道；12：00 打扫教室；12：30 午休；下午 1：30 上课；3：30 图书馆值班 2 次（每周）；4：30 打水、晚饭；5：30 会计培训班查听课证 2—3 次（每周）；7：00—10：00 晚自习。另外每周六晚 7：00—9：00 家教；每周日上午 8：00—11：00 图书馆值班。

大部分时间就是这样度过的。细心看会发现我所以选择这些兼职，是因为它们都占用零碎时间，且基本在校内，不牵扯大量精力。有人说勤工俭学耽误学习，我想这种说法既脱离了贫困生的实际，又不全面。还有人说干这些活不能锻炼人，文盲都能干。我大不以为然。“一屋不扫，何以扫天下？”当我一遍遍地拖着二十来斤重的大拖把在楼道里蹒跚来去时，我想我这辈子绝不会怕“挫折”二字。异样的目光算什么？坦然地看着不坦然看你的人，你赢得的不仅仅是自尊。

另外我可以告诉你的是，我每周花十几个小时工作，并没有耽误学习，相反我的成绩在前四个学期中，排名从第56位到19位到11位又升至第5位。我拿过两次二等奖学金和一次一等奖学金，并参加党课学习。所以养活自己的同时，我并未损失什么。

……

山东大学企业管理系94级学生　陈万思

我一直以为陈万思同学是个男生，因为其信中透露的顽强精神不像一个柔弱的女孩子所言。后来报社的朋友告诉我，陈万思是女生。这封信对正在争论得不可开交的两方面都是一个很好的教育，看看人家一位女孩子是怎么做、怎么想的，你们还有什么可争执的？正如全国学联负责人所说，勤工俭学就像一面镜子，它提出了当代大学生应该如何对待自立，社会（包括家庭）如何鼓励和帮助大学生自立这样一个重要问题。道理很简单，从国家、民族的角度看，中国的现代化、中华民族伟大复兴的实现，是靠勇于承担责任、有能力承担重任的人，而不是领先坐享其成、逃避责任的人。从大学生个人成长看，没有自立自强的意识和能力，就难以适应走上社会的竞争，更谈不上成就事业，实现人生价值了，因此自立自强应该成为大学生的必修课。

同学们，自尊自立、自强不息是时代和社会所赋予你的必修课！

同学们，去报名吧，勤工俭学将回报给你一个自信与独立的自我！

“承包厕所运动”

“美国大学出人才，中国大学出新闻”，这是西方世界曾经在一段时间有过的说法。其实出新闻本身并没有什么不好，只是看人们怎么去理解了。中国的现代历史上的重大事件有几个不是先从大学的校园策源并进而推动时代进程的？

不过，中国大学在1996年里爆出的“新闻”却让许多西方人迷惑不解。因为这一年的中国大学的“校园新闻”竟是一场热热闹闹的“厕所运动”，而这次“厕所运动”的策源地竟然还是培养出200位中国乃至世界顶尖科学家——中国“两院”院士的南京大学！

关于南京大学不用我多言，它的前身是九十六年前两江总督张之洞创办的三江师范学堂，随后是享有盛誉的南京高等师范学堂和国立东南大学，直到后来的国立中央大学时期直至现在的近百年不朽历史，以及我们只需粗略地看一看曾从南京大学这所校门里走出诸如吴有训、严济慈、卢嘉锡、竺可桢、童第周、丁文江、李四光、茅以升、黄汲清、吴阶平、朱光亚、翁文波、吴作人、徐悲鸿、闻一多等等一大批科学与人文大师的雄壮队伍，你就会对这所原“中央大学”肃然起敬。南京大学到底出了多少“新闻”，我说不出，但由于南京大学曾在很长一段历史领衔了“中国第一大学”的荣耀，所以它在20世纪的中国历史进程中起过别的大学不可替代的独特作用。南京大学现在仍是排名在北大、清华之后的中国最著名大学，尤其是它每年的科研成果与论文引用率一直位居千所大学之首。

“不必多说，只求多干”，南大人给我的印象可以用这话来概括。

但新的历史条件下突然冒出的新现象——高校“贫困族”，给这所老牌大学也提出了不大不小的问题。南大的在校学生人数位居全国大学前列，因而它的贫困生人数也相对很多。学生处焦文铭老师介绍说，南大是“并轨”后的首批试点学校，所以他们的贫困生问题也更早暴露出来。1994年开始，学校就有计划、有系统地开展了大学生济困活动。学校利用自己的名校优势，曾向社会各界募捐，吸取各种资金来源。在这基础上他们率先在大学里设立了针对贫困生的“校长特别奖”，最高的达3000元。但由于“粥少僧多”，这一奖励只有少数品学兼优的学生才可能得到，大部分寒门子弟困境依旧每况愈下。后来是学校通过政策性的补、免，对那些确实无任何经济来源的特困生进行学杂费半减或全免，同时每月补贴50元生活费。这一减免措施解决了不少贫困生的燃眉之急，可是学校却为此背上了沉重的负担。仅一年用于贫困生的减、免、补、贷总费用就高达500多万元!

南大的校长们被一项前所未有的“突然冒出来”的巨大资金所困扰，更让他们不安的是这500多万“扔”进去的巨额资金尚不能解决近2000来名贫困生中一半人的生活困难问题。怎么办?校长们想到了勤工俭学，想到了在校设立勤工俭学岗，具体是把原来的图书馆、实验室的那些外雇临时工岗让出来给贫困生们。第一批51位同学上岗后效果很好。于是又把学校机关的200多个聘用岗也让了出来给贫困生，效果和反响仍然都不错。问同学们为什么愿意到这些地方上岗，同学们回答得很直率：这样的勤工俭学岗既能赚钱又不失身份，是“白领岗”，有什么不好？其实学校在开设那些岗时早已料到可能会出现的效果，故而他们能做到“具有中国特色的”校园勤工俭学从一开始就有一种让学生们能承受的心理压力。

然而“白领岗”只能使少数人受益，仍有很多贫困生没有机会上岗。1996年新学年开学，南大决定把设岗的步子迈得大一点，于是便有了后来闻名一时并流行到所有高校的“中国大学1996‘厕所运动’”。

“厕所运动”是大学生们对自己的伙伴承包厕所卫生工作的俗称。其发源地南京大学对此的正规叫法为“学生保洁员”岗。说白了，就是由大学生自己清扫厕所。南大有两大校址，其中之一是长江北边的浦口新校区，全校新旧校址加起来有近百所厕所，过去一直由外雇临时工来完成清扫工作，每年学校光这笔钱就要付出十多万元。自己的学生受困，却让外面的人把钱赚去，南大人多少感觉有些亏。但是身处富庶之地的南京大学真的要让学生去当刷厕所工，可也不能不说是件“开天辟地”的新闻，弄好了是支持学生勤工俭学，弄不好一片好心反而会招来举国上下的斥骂。这一点南大校长们和专司学生勤工俭学的校团组织与学生处是有思想准备的，故而他们在实际操作时采取了循序渐进的做法。第一次招聘启事贴出时其上岗的内容写得含糊，叫做“招收保洁工”。

保洁？保洁是干啥的？不就是干那些又脏又累的打扫教室、楼道的活计吗？

人家当又体面又舒服的“白领工”，我们就去干“蓝领工”？我不去！

得了，社会分工不同么！“蓝领工”至少也能让我们有顿饱饭吃。我准备去。

哈哈哈，我们都上当了，啥“学生保洁工”，其实是让我们打扫厕所呀！

啊——？！不去不去！再穷我们也是大学生么！

学生们众说纷纭，虽然有人对上面的说法不完全赞成，也觉得打扫厕所并非不可以，但仍然没有一人公开前去揭榜报名的。

南大的第一榜“招聘保洁工”以失败而告终。

南大的“厕所运动”成功之处是他们坚持做了下去。根据浦口校区的新生中贫困生多的情况，学校就“是让贫困影响我们的学业，还是选择通过劳动自强自立”问题，在学生中展开了大讨论，讨论收到预期的良好效果。第二榜“招聘保洁员”一出，有100多名贫困生（其中也有家庭不错的）报名竞岗。用老师的话说，那是“一次观念的革命运动”。

然而，报名到厕所上岗，并不说明问题就已解决。不少学生第一次上岗时怕同学看到，竟然半夜起床。至于挑着箩筐倒垃圾就更费劲了，本来几百米远的路程，他绕来绕去要跑上一二千米。为啥？为的是绕过熟人的眼睛。是男生的怕女生瞅见，是女生的怕男生看到。一位瘦小的女同学本来为照顾她给安排了宿舍楼的一个厕所，可她坚决不去，最后宁可挑了个很远、很偏僻的厕所。事后人家问她为什么，她说在那个厕所上岗不会碰到同班同学……哈，真是一群稚气未脱的孩子！一群已经懂得羞涩的青春儿女！

上面的事都发生在两年多前。1998年4月我到南大时借看望我的外甥女而特意到了南大的浦口校区。我问去年以江苏文科“状元”考入南大的外甥女：班上有几个同学当“保洁员”？她说有三四个吧。我问，那你们这些家庭经济条件好的同学对他们当“保洁员”有什么看法？她摇摇头，说没什么看法，很正常，我们有空还帮他们一起干哩。我怀疑地看着在家极少做家务活的外甥女，表示不信。她急了，冲着我这“老舅”嚷嚷：小看人，上了大学不是可以变化和进步么！嘀嘀，这可是料想不到的“奇迹”。不过后来听南大浦口校区的领导介绍也证实了这一点。他说，推行学生保洁员制度，已经远远超出了当初勤工俭学的意义。学生本身的心理承受能力在上岗的过程中得到了加强，其集体观念和社会责任感也得到增强。通过学生自己打扫环境卫生特别是打扫厕所卫生后，同学之间便有了自觉维护卫生的意识。过去临时工打扫卫生，学生们总觉得乱扔乱涂无所谓，而且有一种扔了也有理的味道。如今不一样了，环境卫生是同学们自己打扫的，从浅层次讲，你再乱扔乱丢就不好意思了。从深层次讲，久而久之就养成了良好的卫生习惯和尊重别人劳动的风尚。当然，由于上岗，那些本来经济困难的同学就可以获得一份能基本保证生活的收入。

“厕所运动”，利校、利风尚，更利贫困生。在今天的南大，师生们再谈论起此事时，从校长到普通学生，都会自豪地这样告诉你。

没有一种时尚和流行色可以与大学校园的传播速度相比较。南京大学推出的让贫困生当保洁员的“厕所运动”之风，不多时便刮遍了中国所有大学校园，许多大学仿效南大的做法，在自己的校园内推出了让学生承包厕所清洁的勤工俭学岗位。一时间，中国大学的“厕所运动”被当做不同寻常的新闻，着实在西方世界广为传播。而有一位中国大学生还因为扫厕所成了一些西方人心目中的“英雄”，他就是大连理工大学的9506班学生李祥华。

李祥华所在的学校同样是为了解决贫困生生活上的后顾之忧而把水房和厕所等杂活进行重新分配，专门让学生们来做。学校遇到了与南大最初一样的问题，即没有人愿接清扫厕所的岗位。就在这个时候，该校化工学院的李祥华同学毫无顾虑地第一个报了名。

“恭喜你，李‘所长’。”有人过来半开玩笑地问他，“怎么样，当回官儿过瘾吧？多少钱一个月？”

李祥华白净净的脸，1米78的个头，面对别人的几丝讥讽，他坦然一笑：“不多不少，干了就知道。”

为了更加说明自己的自强自立之心，李祥华每次在厕所上岗时有意穿上校服，有意别上校徽，也从不避人，该到什么时候去刷厕所就什么时候去。

在许多学校里，从学生到勤工俭学部门，不少人仅把校园上岗当做一种纯粹的象征性劳动。但李祥华则不然，老师和同学们都说他这个“所长”是个完完全全合格的。

别以为刷厕所真那么简单，真要干好不费点劲是不成的。李祥华开始干时由于报名的人数少，原定的两个人包一个厕所的活只有他一人承担。他还真当一回事，一天早、中、晚三次，把厕所扫得又干净又亮堂。同学中有一部分人习惯把杂乱废物往厕所扔，甚至当着李祥华的面也敢这么干。换了别人也许闹出一场“厕所风波”，可李祥华不，他照常笑嘻嘻地干他手中的活，只是等人走后，他在墙上贴出一张“请做文明人”的告示。谁都不可能长久不要脸面，那些平时不自觉的人见告示后也就慢慢改了自己的坏习惯。李祥华呢，觉得当这个特殊的“所长”还真有特殊的用场：比如原先那些跟自己关系不怎么融洽的同学现在与他亲近了；原先班上不敢报厕所岗的几位贫困生现在愿意跟着他当“徒弟”；原先校内的“厕所文化”叫人看了恶心，自打他当“所长”后就再也不见了，取代的是清洁、干净的环境……

“妈、爸：这个月我又拿到工资了！上个月是160元，现在我承包了两个厕所，工资可以领到200多元了……完全够生活了！”又一个领工资日的夜晚，李祥华忍不住给家里打去电话。

电话那头，母亲和父亲高兴得连声“哎哎”。“小华，我和爸都支持你，好好干下去，只是别耽误了学习。”母亲叮咛他。

“不会的，妈。”李祥华充满信心地回答父母，因为他觉得这段时间不仅生活有了保障，更重要的是自己坚强和自信了许多。现在他有个心愿：要把自己在厕所上岗的感受和体会向同在校园的那些贫困同学讲讲……

复旦“诺贝尔奖”

复旦复旦旦复旦，
日月光华同灿烂……

旭日刚刚透出地平线的那一瞬，东方明珠怀抱里传来一曲雄浑的乐章。人们告诉我，那就是复旦大学的校歌。也就是从这个时候开始，我知道了这座素有“江南第一学府”的校名出处——“复旦”二字，取自《尚书大传·虞夏传》中的名句“日月光华，旦复旦兮”。1905 年，近代著名教育家、复旦大学的创始人马相伯，从他倾家捐资创办这所学校一开始就给“复旦人”嘱咐了复兴中华的百年重任。

伴着“复旦复旦旦复旦”的强劲节奏，当我走入复旦校园内那片宽阔而著名的绿地广场时，举目所见的是手捧书本、朗朗有声的莘莘学子，故而顿感“学在复旦”的阵阵浓烈的书香之风。到复旦之前，上海团市委的同志特意向我介绍了该校有个专门为鼓励那些自强自立的贫困生而设立的一项奖项，这奖在复旦学生中，被誉称是“复旦诺贝尔奖”。

神圣的诺贝尔，神圣的殿堂——我因此而直奔主题，来到了创立这项奖的“本部”、复旦大学勤工助学办公室。

复旦到底是复旦，在学生工作部的那幢小楼里，我的第一感觉就像走进了电影《列宁在 1918》中那个攻打冬宫的“革命指挥部”：忙忙碌碌的人，电脑嘀嘀嗒嗒的响声和接连不断的电话铃声……

“喂，你是家教部吗？明天将有上海的两家单位来谈合作事宜，你们做一下准备。好的，第三批受聘人员的批复报告马上给你送去。”

"活动中心吗？星期四的晚会还有什么问题？要调几个帮手？没问题，我会通知人事部的。那先这样，彩排时我让学校领导一起去观摩。好，预祝你们成功！"

"你找谁？我就是王万春呀，有什么事？噢，我知道，你们书亭的人手目前还够是吧？这个好办，关键是你们得在原来的基础上要根据同学们的需求进书、进好书，资金方面我们会考虑的。好，下午下班之前你带着副经理一起来我这儿一趟……"

勤工助学办公室主任王万春终于放下电话给我让座。"你是北京来的？学工部翁老师和应老师两位部长可能要等一会儿才到，你先坐一下。"他给我端过一杯茶水，并递上一张名片。

"硕士，复旦大学勤工助学办公室主任，光华公司总经理……看来你是这儿的老板哪！"我笑着对年轻的王主任说。

"操心加苦心的老板。"小王又去接他的电话。

"你这儿真忙啊。"

"可不是，而且是别人闲的时候我们便更忙了。"他重新坐到我这个客人旁边，顺便端起他的水杯，"咕咚"几下便把半瓶开水消灭了。

"这个光华是你们复旦大学办的实体？"

"是我们学校专为学生特别是贫困学生提供勤工俭学服务的经济实体。"

"走了那么多大学，看来你们复旦是全国第一家。"

"而且应该说是最早的一家。"小王详细介绍了我所感兴趣的问题，"要说我们光华可真有一段历史了。十三年前，我的学长——学校哲学系81级几个同学自筹资金，在学校领导、团委和学生会支持下，在当时的一座简易临时平房内办起了一个名为'OURSALON——大家沙龙'，这也是在全国高校中最早的大学生沙龙。那时的'OURSALON'除了向学生顾客提供一些咖啡蛋糕饮料点心外，更主要的是精心组织文化、信息交流活动。起初，我们这个‘大家沙龙’是以‘文化为主、经营为辅’为原则，如举办‘文理对话’、‘现代派画展’、‘哲学专题’等各种文化活动，学校的众多诗社、剧社、文学社等都来参与，成为上海高校有名的文化圣地。随后几年，在市场经济的影响下，学校根据政策规定，对原来的‘大家沙龙’进行了重组，并且与我校一个也是由几位校友办起的光华科技服务公司联合，组成了具有经济实体性质的现在这个样的‘复旦沙龙’。”

“那么它现在到底是以文化为主还是以经营为主呢？”我问。

“应该说是以经营为主，而其经营的内容仍是以服务于学生的文化为主。”

“怎么讲？”

王万春的解释使我的采访进入了主题。他说，复旦的这个光华公司现在纯粹是专门为了帮助那些需要勤工助学的同学而独创的一个完全由学生自己管理、并直接受学校学工部和勤工助学办公室指导的经营性实体。除了他这个“总经理”和三名财务人员为学工部的正式职工外，其余员工全为勤工俭学的学生。现下设办公室、人事部、家教部、社会服务部、勤工助学部和学生信用社、活动中心、大家沙龙、自助商店、学生书亭、文印中心、南区娱乐厅等十多个业务部门与经营实体。

“目前有多少学生在这些部门上岗？”

“常设岗位有 800 多个。”

“上岗的人员大多是些什么学生？”

“在教育改革并轨之前，我们面对全校学生，择优录取，公平竞岗。这几年复旦也出现了每年平均 16%左右的贫困生，因此在同等条件下贫困生和特困生将优先得到上岗机会，现在的 800 多个岗上多数是那些家庭有经济困难的同学。”

“他们自主经营、自主管理得怎样？”

“很好。不管是过去的‘大家沙龙’，还是现在的‘光华公司’，我们一直非常健康地经营和发展着。可以说，现在我们的复旦沙龙——光华公司，既是校园学生文化的一道迷人的风景线，同时又是学校帮困助学不可缺少的坚实基地。每年至少有近1000人次的贫困生在我们的沙龙上岗，他们一方面得到了素质的提高，另一方面有了一定的经济收入，去年一年仅我们这一块就发放了35.2万元勤工助学费。值得一提的是，学校勤工助学办公室与光华公司以学生勤工助学活动获得的利润，特设了‘复旦自立奖’，旨在奖励本校那些在学习、研究、社会实践和勤工俭学中表现突出的优秀贫困大学生。这项奖目前已经评选了十一届，是复旦校园内影响最大的奖项之一……”

“就是被誉为‘复旦诺贝尔’的奖项？”

“正是。”王万春说到这里显得激动起来，“在我们复旦，大大小小的奖励近百项，但唯一这一项是学生们用自己的劳动所得而设立的特别奖，而获得此项奖的同学都是那些有着特殊经历与磨难、且是品学兼优的人。虽然这项奖的奖金也不比其他奖励多，但学校对此奖的每次颁奖仪式都给予最高待遇，学校领导只要在家的都得参加。像我们刚刚举办完的11届‘自立奖’颁奖仪式，就放在接待美国总统里根和杨振宁、李政道、丁肇中、李远哲这样的诺贝尔奖获得者的‘美研中心’大厅内隆重举行。当时的场面太让人难忘，会议刚开始我们就接到了来自海内外的许多传真和越洋电话，上海多家电视台进行了现场报道。然而最值得一提的是，我们的评奖过程就是一个让那些自强自立者感受自身价值的难忘历程。每届评奖开始，我们首先得用一个来月时间进行广泛宣传。组织者要在学校专家学者的指导下制定出详细、科学的评选章程及申请表格，随即在校园中央海报栏学生宿舍区张贴大型宣传海报，将申报须知发送至各院系，并在校广播台推出人物专访。此项奖与众不同的是每位期望得到此奖殊荣者必须自己提出申请，这申请的过程中重要的是要毛遂自荐地把自己的学习、勤工助学收获和参与有关研究的成果展示给广大同学。第二步是初评阶段。组织者将每一位上报者的申请材料逐一进行筛选，然后根据差额选出入围者若干名。这一阶段的后期工作是将入围者再进行复评，凡在复评中再度入围者，其名字和主要事迹通过海报的形式公之于众，接受全校师生的监督，确保评选的公正与透明度。紧接着是第三也是最后一个阶段，这是所有评奖的高潮，也是最激动人心的时刻：每位进入复评的入选者必须接受专家、校领导、同学和老师组成的评委的现场答辩。我们举办的每一次这样的现场答辩会，总是引来全校上上下下的热烈关注与积极参与，那现场会的教室里、走廊内人山人海，台上的角逐者神采飞扬，雄心勃勃；台下的参观者倾听思索，深受教益。当一位又一位自强自立者在摘取'复旦诺贝尔'的桂冠时，仿佛获得荣光的是我们每一个复旦人，那震耳欲聋的掌声一次次经久不息……我当了几回组织者，每一次颁奖完后，总有那些或获奖或没获奖的贫困生们跑来对我和学工部的老师说这样的话："原以为家庭贫困难圆自己的大学梦，可学校不仅给我们提供了生路，而且还给予如此厚爱与荣誉，真是此生不枉做一回复旦人！"复旦人，多么响亮而豪迈的名字！

复旦人，又使很多人想探究它的真实内涵。

"博学而笃志，切问而近思"。我细品着这一凝结了一代学子灵魂的复旦校训，耳边响起了著名科学家、诺贝尔物理学奖获得者李政道在这个大学的那次精彩讲演——

……下面我要讲一个问题，复旦校训中第一句的最后一字和第二句的最后一字。第二句最后的字是"思"，思考的思；第一句最后的字是志，志气的志。志，是志气、志向、志愿，尤其是家长对孩子说，老师对学生说或者学生对自己说，一个年轻人要有志气，你的志愿是什么？这就是说，每个孩子，每个年轻人都要有志气。这句话说是很容易，我去查了辞海，这个志的表述是新的方向在哪儿。这很有道理。“志”有两个意思，一个是志气、志愿、志向，是向外的；一个是对内的，即你自己的心向哪儿走。所以很重要的是你一定要问自己，你怎么样才能有志气，你自己的心往哪个方向走，就是你对什么有兴趣，你的才能在哪方面？要对自己了解是很重要的。另外很重要的一部分是要了解外面的世界。这两方面都是互相关联的，这与问问题与求答案一样是互相关联的。我想对年轻人来说，重要一点是必须自己要相信自己，要觉得你自己的生命是有特别意义的，不光是对自己有意义，对整个外在世界也是有意义的，而你整个的一生有特别的任务。要相信自己，要对“志”作深刻的考虑：你自己的志向是什么？心之所向在哪里？你的志愿在哪儿？而你有了这个志，你就能在什么困境、什么情景中都可以勇敢地站起来，勇敢地去面对现实，面对世界！

笃志者而近思也，也许这正是复旦人出类拔萃的灵魂所在。

当我正被“复旦诺贝尔奖”的运作者激起心灵的千层巨澜时，学工部负责人翁铁慧和应岳林两位老师带着几个学生进来了。

“他们都是我们‘复旦诺贝尔奖’的光荣获得者与勇敢角逐者。请他们谈谈在我们的复旦沙龙里的勤工助学的亲身感受，或许对你的采访更有用。”老师的善解人意，这正是我求之不得的。

这是一群从形象到心灵都看不出一丝一缕贫困的学生，相反，他们用自己珍爱生活、珍爱校园的那般激情，把我带入一个个丰富多彩的世界。

与“大家沙龙”为友的徐晓民同学：

遥想当年，在室友——一个现在应该称做“老沙龙人”的鼓励下，我加入了“大家沙龙”。还清楚记得第一次走向沙龙，是在一个阳光明媚的中午，由于地处偏僻，问了几个人才找到。而现在通向沙龙的那条小路，我的鞋子也已经熟得不用脚带着就能走上几个来回了。无论是白天、傍晚，雨中还是阳光下，那条小路对我而言永远是快乐的。初次领略沙龙真正的风姿是在我上岗的第一个晚上。虽然当时心里有些紧张，但看到已为“侍者”的同学们那股认真劲，我也就慢慢放松了下来。夜晚的沙龙，笼罩在一片朦胧的晕黄中，苹果形的红色蜡烛漂浮在玻璃小碗中，散发一团温柔的光芒，国产音响中冒出的音乐却是闻所未闻的动听，一对对情侣在蜡烛下低声细语，旁边也有五大三粗的几个男孩围着一张大桌豪气无比地喝下一罐啤酒。与我同身份的“服务员”端着精致得宛如艺术品的冰激凌、鸡尾酒，给客人介绍这是“飞天”、那是“廊桥遗梦”……这一切都是那么纯洁美好，连空气中也仿佛溶进了青春的笑容。总之，一次上班下来，我觉得自己已经喜欢上了这“大家沙龙”的岗了。沙龙真是奇妙，是一种什么样的魅力竟使它如此地吸引人呢？答案仿佛就在心中，但要说出来却又有些难。关于我们的沙龙，我有那么多话想说，可又不知从何说起。不过有一点是肯定的，在复旦，最快的时光是在沙龙。在那里，我会忘记自己已有的痛苦与自卑，感觉的是集体的温暖和快乐。有人说，劳动便是创造财富和快乐。我要说，在我们复旦“大家沙龙”的劳动，才真正体现了这种财富与快乐。

在家教部度过苦乐悲欢的董卉：成为复旦“光华人”是一次偶然。一个无聊的日子，我百无聊赖，无意中看到光华招新员工的海报，就莫名其妙地报了“家教部”，又随即斗志昂扬地闯过了怎么也没有想到的激烈的初试与复试，就这样心满意足而又踌躇满志地闯进了那个不大的半间小屋。一张桌子，一把椅子，简陋不堪，没有我期望中的高薪报酬，但也没有可怕的功利之争，只有琐碎单调的工作、少得可怜的薪金和让我困倦不已的忙碌的夜班，然而那却是一个期待已久的温馨的大家。这是一个以理科为主的“家”。作为文科的独苗，我让诸位同仁为我惨不忍睹的理科科目操碎了心，临近期末，当一向“大智若愚”的我为了计算机课保C争B而焦头烂额时，计算机专业的同仁腾出整个晚上给我紧急救助，使我获得了在他乡从未有过的一份亲情。从此以后，不管多累，也不管薪金多少，我总把家教部的这份工作认认真真地做好。当我看到那么多与我一样甚至生活更窘迫的同学从家教部得到一份自立的报酬时，我既为他们欣慰，也为自己高兴。而今，望望窗外，校园内又多了许多新面孔，又有许多同学带着急切和企盼的目光走进家教部时，我更加感到了肩上的那份责任，那份无怨无悔而充满价值的责任！

和文印中心一起成长的计琳：当初进大学时那股尝试一切的热情渐渐消退，取而代之以成熟的头脑、稳健的步履时，大学生活已走近尾声。从不谙世事的黄毛丫头，成长为一名即将踏入社会的大学毕业生，我的历程已深深地烙上了“文印中心”的印记。记得初来时，它还只是光华公司下属实体中最小的一个部门——誊印社，望着眼前昏暗的灯光，破旧的铅字打印机，还有那仿佛曾印过《挺进报》的油印机，我感到了一阵失望。在电脑不断更新扩充的现代社会，在全国一流的著名学府，使用的还是几十年前的老古董，难道这里就是发挥才能、体现自我价值的地方吗？誊印社经理的一席话语消除了我的顾虑：只有在艰苦的环境下才更能磨炼人的意志。而且更重要的是，吸引人才的源泉绝对不是舒适的工作环境，而是一个团结互助、奋发向上的集体。带着对未来的憧憬，我们开始了艰苦的创业。因为经费的缺乏，许多事情都由每个成员自己动手。我们便利用业余时间粉刷墙壁，并想方设法开发业务品种，多作宣传……后来我们终于成功和进步了，现在我们的文印中心已经有了两台自己的电脑，一台复印机和一台胶印一体机，一跃成为公司下面拥有最多固定资产的部门了。我们的业务也由过去的零碎小活到现在的可接成批大宗业务，从业人数达16人，月净收入在2万余元！这可是个不小的数目呀！如今我快要毕业离开文印社了，然而我会把自己的一份情感永远留在这儿……

与书亭有缘的陈艳梅：3月，书亭招收新员工，我赶紧去报名并最终入选。按书亭规定，新员工的第一天工作都要有一个老员工陪带着。我的“师傅”是个极其温柔的女孩，她细声细气地指导，令我的紧张缓解不少。我报书亭的原意是为了既能解决一些生活窘迫，又能有时间看看书。但实际上当班时间里是不好自己沉醉书中的，而且人来客往根本静不下来。尽管第一天的工作就让我感到事与愿违，我最终还是放弃了退出的念头，因为我发现书亭还是有许多东西值得我为它留下。我一向很传统，适应不了那种只讲效益和上下级关系的工作环境，因而书亭浓浓的家庭氛围首先吸引了我，另外书亭里工作的人大多是高年级同学。没有经验总是难免犯错误，而他们总是善意地帮助我，使我连同过去的自卑也一并消失了。原本我最讨厌班务会什么的，但书亭的每星期三的例会却使我感到了相互间的交流是那样亲情和必要，尤其说到幽默话题时开怀大笑的欢乐真叫人惬意无比。以前在外购物遇上营业员白眼时我就心里狠狠发誓：要是我当了营业员绝不这样。书亭的上岗给了我实践誓言的机会，而同时也感到每一项工作要干好它绝非是件轻松的事，全社会和人们之间都需要相互的理解与沟通，因为那是我们这个世界取得和谐与进步的最重要因素。

……

天色已晚，还有许多同学争着要抒发他们心中那缕剪不断的“OURSALON”情思。我只好说：“对不起同学们，你们使我到复旦的采访主题改变了，因为在这儿、在你们身上我见不到痛苦与贫困，所以我只好与诸位BYEBYE……”

……

这实在是一次少有的愉快道别。转身时，学工部副部长应老师交给我一样东西，说是一位名叫杨海茵的94级毕业生在离开学校时留给“光华”的一封信，兴许可以使我对复旦勤工助学的采访有些补充。在回程的出租车上，我展开信件看了起来：

……一个月后我就要离开复旦了。回想大学生活的点点滴滴，在光华两年多的经历是十分重要的一笔。四年级毕业求职时，填了许多张就职申请表，“光华公司”是工作经历栏我必不可少的填写内容。

我是1994年进入光华的，那时公司经理层多是90级的学长。我从一个办公室的工作人员开始，在许多朋友的帮助和支持下，学到了许多课堂上学不到的东西，最后成为公司经理层的一员。记得刚进公司时，办公室主办活动，请美容师讲座。我们一群人晚上在办公室画海报，赶到东区关门前回寝室，第二天早起去张贴。讲座那天晚上，3106大厅挤满了人，我们开心极了。在这种团队协作的气氛中，光华人之间结下了深厚的友谊，这种友谊也成为公司工作的动力。

公司人员变动很频繁，尤其是办公室。有时甚至还没有搞清楚名字，人就已经换了。每一个能够在光华工作一段时间的人其实都不容易。光华的工作大多是一些十分琐碎的事，部门招新成员时，我总是对招聘的同学说，不要期望太高，你们要做的只是一些普通工作，比如贴贴海报，发发工资。但来到这儿的同学却都能以他们对公司、对广大同学的责任心勤勤恳恳、踏踏实实地做好分内的事。而公司给予他们的可能只是几十元的工资，然而更重要的是给了他们一笔永远值得记忆的精神财富。光华给每一个人均等机会去表现自己的才能，同时也告诉每一个人，任何成功都是由最不起眼的工作开始的。……

> 在我们光华有句被同学们广为传诵的名言："铁打的军营，流水的兵"。不多久，我就要离开复旦，走上社会，我们的光华也将迎来新一批员工与经理，复旦的校园内又将呈现一派醉人的景象……
>
> 呵，复旦"光华"，我将永远记住在你这儿曾经获取的那尊永生荣誉的"诺贝尔奖"，因为我视它为自己的一座不朽的人生里程碑！

我为这位同学和所有在复旦学习的那些寒窗学子而欣慰，他们不仅在这里获得了最好的掌握知识的条件，也获得了人生最珍贵的精神财富。

"修鞋网络中心"诞生记

1996年，中国大学的校园内不断有新闻冒出。南京大学的"厕所运动"正在全国高校如火如荼地推广时，河南冒出了两件更具新闻性的消息：一件是已经在郑州一家著名国有企业当上了生产部长的兰州大学毕业生李培栋放弃官位当了个修鞋匠。一件是河南农业大学的在校生程云飞同学在校园内开了个修鞋网络中心。这两位河南籍大学生的做法一经传出，全国高校乃至社会上都引起了好一阵反响。人们感兴趣的是，这两位大学生不仅同是河南人，而且干的是一个行当——修鞋，还有一个重要的相同之处是他们曾经都是大学里的贫困生，所不同点是前者已经毕业有了一份工作并且成了工厂领导后当的修鞋匠，后者是堂堂正正在校园内开设了以修鞋为主业的"网络中心"。真可谓五彩的青春，勇敢的创新。

苦孩子出身的李培栋当年为了跳出"农门"，摆脱贫困的阴影而刻苦学习，终于在1986年考入了西北名校兰州大学。那时大学没有并轨，不要交多少学杂费，但对家境一贫如洗的李培栋来说，平时不注意点勤俭就可能连买支笔、买个本都成问题。有一天他与同学一起上街闲逛，看到钉鞋的一个五分钱鞋掌，一经鞋匠之手就是两毛钱。李培栋从此做起“鞋匠梦”，他从牙缝里省出几个钱，购置了钉鞋的必要工具，便在校园内干起了修鞋行当，以小本薄利完成了四年学业而没有向家里伸过一回要钱的手。1990年李培栋毕业后分配到了郑州肉联加工厂所属生化制药厂，凭着名牌大学毕业生学历和他工作的努力，先后担任了车间主任、生产部长等职，正当厂领导准备让他晋升更高职位时，李培栋竟然辞去所有官职，当起了一名普通工人。这还不算完事，李培栋竟在郑州南阳路的闹市区租了一间小房，打出了“大学生李培栋修鞋店”的招牌，当然他是领了执照的合法经营。问题是他打出的那块在修鞋店前的“大学生李培栋”的大招牌，太引人注目，从而在社会各界包括大学生中引起巨大反响。那时还不像现在社会上到处都是什么下岗人员，所以李培栋堂堂一名大学生放着官儿不当，竟摆摊做个修鞋匠，而且你悄悄当鞋匠也罢，可偏偏还要让人们知道你是个大学生！这能不让人看热闹吗？

今年22岁的程云飞是河南农业大学的95级学生，他当“校园修鞋匠”的最初愿望完全是为了自己独立地承担家庭难以支付的各种上大学的费用。小程出生在豫南镇平县的一个山村，他父亲是位当地有名的“能人”，凭着自己灵巧的双手在80年代就是个“万元户”。但父亲也有“失算”的时候，而且是致命的——1989年，他倾尽全家资产办的砖窑厂做了几笔大赔本生意。这一年正好儿子小学毕业上初中，正处绝境的父亲根本不理会儿子“全班第一”的成绩，说啥也没同意儿子继续上学的事。为此，12岁的小云飞一气之下逃离了家乡，跑到20多里外的姑姑家。那儿有所“只要成绩在班上前五名”就可减免学费的中学，小云飞就这样进了初中。学费免了，但生活费仍然是个问题。倔强的小云飞对姑姑说，只要给点玉米面糊糊吃就行。姑姑苦笑地摇摇头，说你真想吃好的姑也拿不出来。那三年里，小云飞的肚里除了面糊糊几乎没有进过别的啥食物。可是三年后，小云飞却昂首“飞”进了县重点高中——镇平县一中。

报到时，200 元的学费又难住了程云飞。这一次他碰上了好运，学校破例给他免了，理由不算充分，但却很有力：程云飞家境贫困，本人成绩特别优秀。说学校的做法理由不算充分是因为像程云飞一样家境不好的还有很多，可要说像程云飞一样刻苦学习、成绩非常冒尖的却并不多。程云飞是个从不让人特殊照顾的孩子，他一进高中，马上想到自己不能依赖学校，而应当自立。靠什么呢？课余之时，小云飞边在校园内边背书边思忖着。“哒哒哒……”校园工地上那震耳的电钻声突然把小云飞从苦思中惊醒了：对呀，工地上肯定要些干杂活的帮手，比如运送砖瓦和其他材料什么的。我家里有辆闲置的旧拖拉机，如果能为工地运送点建材不是可以赚些钱么！

大胆的想法给了小云飞大胆的行动。一日夜晚，他悄悄回到家，凭着胆大心细，没学过开车技术的他硬是把那台旧拖拉机给开到了学校，只是一路程云飞出了好几身冷汗。第二天上完课，他找到工地上管事的人一说，人家还真同意了他的要求。从此，上完课后的程云飞就干起了工地的临时运输，那辆破旧的拖拉机伴他度过了三年高中……1995 年，程云飞以 620 分的优异成绩考入了河南农业大学。

上大学不像中学时代那样离家近，也不可能把拖拉机开进省城名校，可上学的学杂费却高出了好几倍！一年几千元的费用，对家贫的学生们来说都是一个沉重的负担。程云飞觉得命里注定自己要自立自强才能获得生存可能，好在他不像有些同学磨不开面子，只是一个全新的环境使他一下不知从何做起。一日，程云飞的旧皮鞋破了，上街一修，竟使我们的大学生十分恼怒：不大的一点破损处，来回跑了四次，还整整花去了 20 元钱！

什么事嘛！那一夜程云飞睡不着，他想着一个不大不小的问题：全校 6000 多学生，如果每人每年修一次鞋，按一次 10 块钱计算，一年不就是 6 万元么！要是加上学校的教职员工，一年还不白白流失十来万元钱！ 10 万元钱如果让同学们自己赚回来，再济助给那些贫困生或者让贫困生通过劳动赚回这笔劳务费，那该多么有意义！中，这是件值得试一试的事。

程云飞从小养成了想干什么事就要让它干成的习惯。这修鞋的事当然也很快在他的努力下搞成了。他通过从同学处借来 200 元本钱，趁一个星期天时间赶回老家，从邻居那儿购得一台旧修鞋机并带回了学校。第一个星期天到来时，程云飞在校园的宿舍门口挂出一块牌子，上面写着“义务为同学们修鞋”。这可是打灯笼都难找的好事、新鲜事。好事就好在不用花钱便可以把破了的鞋拿出来修好，新鲜事就新在大学校园里出现了由学生自己担当的“鞋匠”。

“他行吗？”

“行。还真像模像样，修的鞋也挺棒。”

同学和老师都对程云飞的行动和手艺给予充分肯定，于是一时间他的修鞋小摊前常排着长队。纯粹的义务修鞋并不是程云飞的本意，过了一段时间他开始收费，当然比外面同样修补一双鞋要便宜一半，这一点同学和老师们都接受，所以生意还是忙不过来。这使程云飞大为不安起来，一方面自己要学习，不能老蹲在宿舍门前接活呀；再一方面自己有赚不完的钱而又有干不完的活，可许多贫困生却还在整天为学费和生活费发愁但仍终日有不少时间闲着……对啊，是应该想想法子了。

又一个新学年开学了。同学们都在向学校交学杂费时，程云飞却比别人多向学校交了份东西，那便是他著名的“校园修鞋王宣言”——洋洋40页的《关于成立河南农大修鞋网络中心的可行性报告》。

这可是河南农大乃至中国大学史上从未有过的一份独特“报告”。程云飞所在农大领导一向对学生的勤工俭学极为重视，特别是实行并轨后作为农业大省的农大学校，贫困生的问题一直是校领导头痛的事。“我们坚决支持程云飞同学的这种积极想法，而且他的报告是在自己实践的基础上写出来的，值得一试！”校务会上，校领导们面对那份庄严的“修鞋王宣言”，露出了赞同的微笑。

没有比学校的这种支持更能激励程云飞的了。他根据已有的业务情况，立即着手购置了几台修鞋机，并先在本班带了三名徒弟，之后又扩大到系里。这年10月，修鞋网络中心在河南农大正式成立，当由程云飞带领的第一支大学生修鞋队伍在校园光荣亮相时，整个农大都热闹了起来，师生们从四面八方来到修鞋现场，那一双双目光中既有好奇，也有困惑，但更多的是理解与赞许。

修鞋网络中心的第一炮打响后，程云飞并不满足，他根据农大附近高校多的情况，又把网络辐射到其他大学……

经过两年的实践与发展，如今程云飞的修鞋网络中心已经有了数百名成员，他们清一色都是经济困难的大学生。有人开始担心大学生当了修鞋匠，会不会影响学习。事实上程云飞在建立网络中心时就注意到这个问题，因而他要求每一位参与修鞋网络中心的学生，必须提交一份课程表，以检查他是否合理安排了勤工俭学和学习的时间，而且凡是学习成绩往下降者就得从修鞋匠位置上下岗。这一招反而使那些有了固定收入的修鞋匠们更加注意珍惜时间、刻苦学习了。

程云飞是个思维极为活跃的青年，他现在一直在致力建立一个全国性高校修鞋网络中心，并称这是个“具有跨世纪意义的工程”，他算过一笔账：全国1000多所普通高校加1000多所成人高校，2000多所高校共计在校生近四五百万人，如果一人一年因修鞋而消费10元钱，那么如果全国大学生修鞋网络中心能承担起此项业务，至少一年可获纯利二三千万元，再用这笔钱建立一个济困基金，那将每年至少可以解决万名以上的贫困生经济困难问题。他认为这是件功德无量的事，所以尽管他说他在大学的时间不太长了，然而为了这件事，将来即使毕业了他仍要当个修鞋匠，一直到修鞋网络中心在所有高校里生根、开花和结果为止。

真是一个平凡而伟大的理想。其实程云飞同学之所以要这样做，他的出发点是想通过自己的行动和实践，告诉那些仍在为经济困难而头疼的大学生们，只要自己有自立自强之心，就是凭着最普通、最廉价的劳动也能创造一个崭新的天地。同时他还想告诉同学们的母校，如果能转变观念，积极动脑，把学生和学校内的那些可以让同学们自己服务自己的事都做了，那么大学贫困生现象可能就不成其为问题了。

“修鞋匠”的思维多么远大而浪漫，不仅他的想法值得我们肯定，而且程云飞在河南农大的实践证明了它有成功的可能。

我这里有一份程云飞的“女徒弟”、河南农大学生杨瑞梅的《自述》：

……我家境贫困，考大学也几次运气不佳落榜过。后来好不容易上了大学，但面对几千元一年的高额费用感到时常苦闷，特别是第一学期，总感觉周围的人看不起自己，加上成绩不理想，甚至曾有过想退学的念头。

到了第二学期，我就一心想多挣点钱，再把学习突上去。我开始推销过产品，但没赚到什么钱。去年3月，新学年开学不久，一次我去学校小卖部，见有同学在路边修鞋，觉得这活不错。后来便知道了学校勤工俭学部的修鞋网络中心——就是名噪一时的校友程云飞同学一手创办的。当时没想当个修鞋女大学生会不会让人说三道四，一心考虑的是如何摆脱经济困境。经过两周的技术培训，起初是由修鞋网络中心组织我们这些新学员一起摆摊，目的是为帮助我们克服心理障碍。后来有人问我你一个女生难为情吗？说一点不难为情是假话，但如果像过去，我可以毫不犹豫地说没啥难不难为情的，因为过去为了读书什么事没做过么。现在有点不一样，毕竟是大学生了，尤其是女生。不过我这个人性格就是自己认定的事便能坚决干下去。

我过去在家时动手能力比较强，所以未感到修鞋有多难学。当时程云飞摆摊时我就在一边看，看过几次后就基本会了。开始我修鞋时总问他：这样行不行？其实我当时已经掌握技术了，问他仅仅是为得到他的认可罢了。只有整鞋换底子难度较大，必须认真细致，否则就很容易扭坏。当然学艺还得准备吃苦，有一次钉钉子，一锤子砸在手指上，疼痛钻心，紫血泡马上起来了，但我没离开修鞋摊，继续修。几个手指一度被绳子勒得个个都有血口子，白天倒不觉得疼，一到早晨起床时，穿毛衣的手都握不拢。后来手上白花花起了一层皮。当然不疼了，手上起了老茧——凡事都有个从敏感到麻木的过程。

“五一”前那段，来修鞋的人特别多，只要往摊前一坐，几个小时就甭想起来，只有回到寝室才什么都不顾地往床上一躺，疲惫得啥都不想了。你问我一天能修多少鞋，没算过，六七十双会有吧！因为一天能收四五十元钱，大点的毛病我们收一两块，像球鞋补个洞才收一两角钱，更小的毛病常常不收钱，有时一天十来双是免费的，特别对女生——她们爱找我，可她们又比男生更斤斤计较。反正都是本校同学嘛。有一次，一位男生拿着一双拖鞋来问能不能修，旁边的一位男生说：只要给钱咋不能修？不知怎么的，我听着这话特别刺耳。其实是一点小毛病，很快就修好了。他问我多少钱？我说不收钱，可他执意要给。我说你给多少？5元？10元？那位男生当时很诚恳也很受感动地说了一句：还是学生好！

不久前，学校一位爱写报道的同学给我拍了几张修鞋时的照片，钉钉子的、摇机子的情景都有。正好我要回家，就将照片带了回去。姐姐接过照片只看了一眼，泪就流了出来。嫂子说：以后除了学习啥都别干了。最难受的算是我妈了，她说你在家读中学时，家里有苦一点的活都不让你干，现在你上了大学却当个“修鞋女”……她们要把照片撕了，我没让，说：这没啥，学校有好多家庭贫困的同学都加入了我们的修鞋队伍，我们河南农大的修鞋网络中心在全国都有名气呢！我妈她们将信将疑。

我是我们修鞋网络中心最早一批的成员，也是唯一的女生，开始有人冷眼看待，时间长了我也就不注意这些了。我现在感到心里踏实，因为我修鞋不仅解决了我上大学的生活费和学杂费，而且也没有影响学业。现在我正准备考研，说不定考上研究生后我还当一名校园修鞋女……

看，程云飞的修鞋网络中心多么有魅力！

其实，每所大学都是一个大有潜力的市场，而这个市场在我们中国的高校里几乎没有多少是由大学本身去开发的。据上海一高校的学生社会调查组调查结果表明，在大学，每位大学生除了伙食费之外，平均每年约有800元至1000元的个人市场消费价值，而这部分的消费被学生或学校通过自己的服务消化掉的不足200元，其余的则大量流失在社会市场上。如果通过科学的、能动的系统工程，学生们能在校内就把这部分的市场“截”在自己手里，那无疑将是一笔巨大的经济资源。要是它被勤工俭学的学生们利用起来，贫困生的经济出路必然大为改观。

程云飞同学是这方面的“第一个吃螃蟹者”，而我在另一个大学里则听说了一件“六个女大学生缝一条被子无从下手”的事，这更说明高校的大学生自我服务的市场还大着呢！

下面是另一个贫困生的另一种“校内上岗”，看后，兴许能获得另一种启示——

“经理”很潇洒

6月6日，北京。《中国作家》杂志社。

我刚从西安采访回京，见有几个大学生的来信，来信者大多数是我采访过的同学，他们一封封信中或是热情洋溢或是一吐为快地诉说自己在与经济贫困做抗争的经历，总是令我感动。今天的一叠信中使我特别印象深的是农业大学的叫何联初同学的信，因为这个同学是我所采访的200多位大学生中非常特殊的一位。小伙子特聪明，我到农大采访的第一眼感觉他不应该是贫困生，后来交谈中证实了我的判断。不过用他自己的话说，他属于“致富了的特困生”。很有趣，贫困大学生中竟然还有“致富者”！

那天到农大（东区）采访何联初同学的情景我还记得，在他之前有几位贫困生不是半天不肯说几句实情，就是最后总说得泣不成声。轮到何联初同学时，我发现小伙子一张口，就充满激情，举足抬手，很使人联想起五四运动时的那一类热血青年。这位同学说他的家在湖南株洲，父母都是农民，他第一年上大学交完学杂费后口袋里就没有几个子了。怎么办？得生活、得学习下去呀！机灵的何联初打上小学到现在的十几年里，还是头一回被钱所困扰。过去乡下上小学、中学，再怎么着也能对付。可现在是上大学，且是在首都北京上大学，出门、张嘴啥不用钱？小伙子说头几个月因为没钱，他甚至上学校食堂偷偷捡过别人扔下的半个馒头，为这他还差点被食堂的师傅当小偷给揍一顿。“苦啊，有钱的人是不知那些被逼当小偷人的苦处。说句心里话，在最苦的时候，吃不上一顿饱饭时，我真的有心去上街当回扒手。那当你既想像模像样做个人可口袋里没一个子的时候，你心头的那种想改变自己困境的期望，你说有多强烈就有多强烈！”何联初说，他后来觉得自己应该想点办法出来，否则就可能无法摆脱心理上的某种扭曲和变态。他说他后来得到了一个启示，那是第一学期临近元旦时，新上大学的同学们对自己在大学度过的第一个新年特别的重视，许多同学争相购买新年贺卡。有一次，何联初从一位在北京某出版部门工作的亲戚那儿带回了几张式样独特的贺卡，班上的同学从他手里一抢而光，而且有的同学甚至愿意出双倍钱购得一张自己喜欢的贺年卡。这事给脑子灵敏的何联初打开了一扇智慧之窗：对呀，假如我从出版商那儿按批发价购得贺年卡，然后再以低于市场价的价格转给那些想要的同学，自己不就可以落个差价赚头嘛！试试看。当何联初第一次用自己的“饭本钱”从出版商那儿批回 30 张贺年卡后，回到学校不出一天便全部卖完，他回到宿舍背着人偷偷一数，嘿，不多不少，20 块净利！这可是小半个月的饭钱呀！何联初像是得了一座金山那样欣喜若狂。有了第一次，就有第二次。后来何联初就不仅仅做贺年卡生意了。他发现学校有一个很大的市场，那就是同学们日常的学习和生活消费品用量极为巨大。由于学校是个特殊的地方，许多学习和生活消费用品走进校门时，实际上已使同学们多花出了几成的价钱。这对手中有钱的同学们来说并没有什么，但对那些本来就家庭贫困的学生来说可就大不一样了。一本书，一本复习资料，如果从不同渠道买到，可能就是饱一顿肚子和饿一顿肚子的问题。特困生出身的何联初太有体会那饱一顿与饿一顿的不同滋味了。他决意从这一天起，为了学校的诸多贫困同学，也为了自己，他要做一名“校园业余生意人”。

“生意”是从同学们日常所需的最流行的书、考试时最需要的复习资料和最廉价的衣食用品开始的。“从那起，我就十分注意同学们平时想要和最追求的物品，特别是学习的用品，而且慢慢掌握了一些规律。如每年新学年开始或结束时，同学们总要更换一些包啊鞋的，我就跑到一些生产包啊鞋的厂子里去低价批来，然后又以比市场价低出几成的价卖给同学们；每次复习考试时，同学总有大量资料什么的要找地方复印，可不知底细的同学们总要多花好几块钱才能复印好，当大家从我手中获得的是物美价廉的同样东西，自然十分的高兴。像复印资料这一类活，每个学期有好几个高潮，如大考小考，还有考研，同学们不知要复印多少资料，这些活我把它接过来后，可节省了同学们不少钱！至于我嘛，当然也要赚点小钱，合理的劳动所得嘛。不过真正得益最多的是同学们。你问我利用什么时间和啥形式做‘生意’的？一般是用下课的那段时间。因为这段时间既是我的休息时间，又是同学们比较集中的时候。至于我怎么做的……嘿嘿，要我表演一下吗？”何联初同学见我笑着向他点头，于是便从椅子上站起身，稍稍调整了一下情绪后说，“我先示范个卖书的吧。”

“行，就做个卖书的。”我和另外几位准备接受采访的同学让到了一边，饶有兴致地看何联初表演。

“丁零零……这是下课铃响了。”何联初自言自语道，“于是我抢先几步来到某个班级的教室。这时的教室内一片喧嚷，于是我站到门口，把双手高高地举起。同学们一看到我的动作，就知道有事，便静下了。这时我便抓住时机，开始‘广告’宣传。如果是卖书，那我就先说一声：同学们，你们不是正在寻找一本某某的书吗？是的，这本书目前正是我们学习和考试最需要的参考资料。可是从哪儿能得到呢？也许有的同学已经有了，而有些同学想要却一直不知从何而得。那么我告诉你们，我现在就可以满足大家的需要，你们谁想要就请马上登记，我会在现在或者下课时送到你们手中，价格嘛绝对优于市场。我这段话一落，同学们就会蜂拥而上地前来向我咨询或登记。当十来分钟的课间快要结束时，我的一笔‘生意’就基本完成，留下的事是我在中午或晚上时间把书或物品给同学们送到宿舍……”

我被何联初的出色表演所折服。在场的同学说何联初是农大出名的“生意人”。

“那你们满意他的服务吗？”我问。

“满意。因为他一能上门服务，二总比外面卖的要便宜不少。”同学们对何联初给予充分肯定。

“那你们为什么不像他也做几把‘生意’？”我又问。

几位同学不好意思地回答道：“我们哪有他的本事嘛。”

看来这校园里的生意就只有他聪明机灵的何联初做了。“不不，校园内的市场大着呢！我一个人哪来得及做嘛。再说我又不是为了发财，当初干这玩意儿也是被逼出来的。只是越做越有经验了，现在真是有点放不下手了。”何联初又恢复了他作为学生的姿态，可当我了解了这位同学的能耐时，我怎么看就怎么觉得他应该是位出色的经营家，而不是现在的自动化专业大学生。

“可不是。我现在越来越感到自己在营销方面很有些发展前途，比如我在为同学们做点事中感受到校园的市场大得很，加强这方面的市场开发极有前途，所以心头总不能平静，老想在这方面有所作为。同学们开玩笑说我是‘致富的贫困生’，事实上如果我们能在这个领域认认真真地做些事，确实能使一批像我这样的贫困生通过符合学校实情的经营理财而达到最终‘脱贫’。更重要的是我们这些贫困生在这样的劳动实践中还得到了应有的锻炼。我现在就是朝这个方向在做。由于‘生意’做多做大了，一个人忙不过来，我就发展了一批贫困同学跟我一起做。在做的过程中我们互相学习和促进，既得到锻炼又获得收益，其乐无穷。”

“你这样是不是要影响学习？”我由衷敬佩这位小伙子，但心头不免有个疑问。

“不影响。因为我用的全是业余时间。”何联初说，“我只是比别人少睡一个小时的午觉，或不去咖啡厅坐几个小时而已。我还没有告诉你何先生，我一直是班里成绩第一名。尽管我手头有很多‘生意’在做，但我从没有因此学习成绩下降。现在我还有每星期的三份家教和学校勤工俭学办公室给的每月在学校收水电费的打工活哩。”

“收水电费和家教这一类勤工俭学，是不是比起你的其他‘生意’来报酬要少得多？”

“账不能这么算。”何联初对我的这一问题回答得非常肯定，“做任何生意都有风险，而学校安排的勤工俭学岗位是目前最不具风险的，虽然我认为它确实有待改进，但对大多数贫困生来说，这样的无风险岗位也是十分需要的。至于我的情况有些特殊，所以我对自己所选择的勤工俭学也根据不同情况作不同对待。比如因为我有一套自己的学习经验，加上我注重效果，于是像我外出做家教就与别人不一样。同学们一般都采取每小时 15 还是 20 元计算，我不这样。我对受家教的学生家长说，我要按我教的质量来计报酬。如你的小孩是为了保证想参加高考更有把握些，那我就保证使他复习得当，方法更有效；如你的小孩哪门功课差而需要赶上去，那我就保证让他达到预想的效果。衡量的标准自然是小孩和家长嘛，你认为我教得确实达到了目的，那你就给我应得的 那份报酬；你如果觉得没有达到目的，那就减少或者一分不给也行。”

“这样做你会不会亏呢？”

“没亏过。因为差不多经我家教的学生最后都达到了满意效果。既然他们达到了满意效果，故而我在收费时通常按质论价。有时一次家教三四个小时，我就要收三四百元。你一定觉得很高吧？可人家愿意给呀！而我自己也认为既然我出卖的是高效益劳动，那就不能按廉价劳力论价。现在社会上许多用工单位对我们贫困大学生外出打工极为歧视，完全像是向你施恩似的想给多少报酬就给多少，无任何公平可言。我那样做，从一个意义上讲也是想为我们广大贫困大学生争口气，向那些不公的待遇宣战。”

何联初的一番慷慨激昂，使我对打工的贫困生们有了一种新的认识——他们中间并非尽是些忍辱受屈的弱者，他们也有令人折服的强者。

想到这儿，我忍不住展开何联初同学写给我的信——

尊敬的建明先生：

你好！

上次你来校采访，使我有机会向你吐露一个贫困生为了生存而进行的自我奋斗历程。但是那天采访时间太紧，没有向你透露我在学校里所做的和正准备想做的几件事。

去年元旦前夕，国家教委下文不再允许学校里私人开设商店。而当时我们学校内有三家这样的商店，便面临要清盘。我得知这消息后，很想把它们接过来。一则考虑我有这方面的经营能力，另一方面我校贫困生很多，他们不少人仍然没有勤工俭学的岗位可做，如果这三家商店由我们贫困生们把它接过来经营，肯定可以解决一批同学的生活困难问题。为此我找到了学校生活管理科科长，后来又找到校长、党委书记、副书记、副校长等……由于多种努力，我认为学校的领导几乎是认可了我的想法。正当我写完可行性报告并准备从银行贷出50万元之际（贷款是我托在京一位做生意的朋友帮忙负责办的），学校生活管理科科长突然通知我此事已没戏了，原因是这三家商店的经营权另有人要接管。我区区一个在读学生，自然胳膊扭不过大腿而只好放弃，且当时我正值期末考试，但通过这事我学到了许多人生的经验。

就像我上次已同你谈的那样，学校存在着一个很大的有待开发的市场。虽然作为学生的我不能直接起照经营，但作为一种新型的勤工俭学方式，我还是不愿放弃这种有益的尝试。在之后的第二学期也就是今年，我在同学中宣布开一个属于我自己的“公司”，它包括销售、代理、咨询、租赁等许多部门，其业务延伸到凡是同学们所学所用的任何内容。成立“公司”全由我一人策划和制定营销战略。“公司”一诞生，即取得了意想不到的成功。那些过去没事可做的贫困生们纷纷加入了我的“公司”大本营，就连一些原本不困难的同学也都一起参加了进来。“公司”能良好运转，主要在于我们信息灵通，敢于吃苦。比如我们农大附近全是首都著名高校，而各个学校、各个系室复印资料、出卖参考教材的价格各不相同，我们“公司”对这些了如指掌，故而同学们都愿意找我们代理为他们服务，因为我们提供的总是最便宜的服务。还有我们的服务总是主动的。如前两周大一新生上游泳课需购一批泳装，我看准这是个机会，可是进一批这样的货得好几千元资金。怎么办？为了筹到钱，我就连续几次利用下课时间亲自跑到几个教室的讲台，给同学们进行即席宣传动员，并成功地截下了当月一些比较富有的同学们的生活补助费，加起来共3000多元。这些钱正好够“公司”进货，于是我们抓紧时间，在学校开设游泳课时及时将各种款式新颖、价格便宜的泳装送到了同学们手中，我的“公司”则轻轻松松也赚了一笔。除了给参与“公司”此次买卖活动的同学相应报酬外，我特意还给配买泳装的班级每班提留了150元作为奖励。最后“买主”和“卖主”皆大欢喜。

生活的艰苦，给了我许多磨炼机会。可能正如你上次所说的我是在无意的社会实践中发现了自己的兴趣所在。我现在除了上好课外，整天满脑子是各式各样的经营点子。可是由于学校是个特殊的天地，不能让我放开手脚干。暑假快到了，今年肯定又有更多的经济困难的同学不能回家，看到他们欲干无门的情景，我总是很难过，所以今夏假期我想把自己的“公司”来个更大的发展，以吸收更多贫困生能通过自己的辛勤劳动和创造性的智慧，为下个学年挣得更多一份学费和饭钱而奋斗。

……

顺致夏安

农大（东区）何联初

5 月 30 日

这是大半年中我读到的无数大学“打工仔”们给我所看的或所寄的日记及信件中最令人欣慰的一件。我甚至想，如果在中国50多万贫困大学生中有那么一批像何联初那样富有经验与成功的“打工致富者”，那中国的贫困生现象可能就是另一种存在于当今中国大学的现象了。但不管怎么说，我们的那些家庭有困难的学子们只要勇敢地去参与社会实践和靠双手争得生存权利的活动，即便是没有致富甚至有的还可能失败了，但他们的精神都将是中国大学校园里一道诱人的独特风景而被载入中国当代教育史与中国当代青年运动史。

欢乐和流泪，对那些勇敢面对现实的人，永远都是珍贵的。

第七章　校外打工：我们欢乐，我们流泪

不跪的他与下跪的他

1996年10月，郑州大学迎来了一位特殊的新生，他叫孙天帅。

孙天帅确实不同一般，因为他是直接从一名普通“打工仔”一跃成为名牌大学的大学生，而能使他实现这一跨越的是在一年多前的一次打工时发生的一件事。

那天，孙天帅打工的所在单位——珠海瑞进电子有限公司的外商女老板金珍仙，突然让正在生产线上拼命干活的全厂中国员工站队集合，大发雷霆地要求每个中国人双手举起做投降状，然后就地跪下。金珍仙这样做是因为两年来，这位女老板时常要求员工们加班加点，就连春节都不让放假。1995年3月7日早，连续加班几天的一位女工劳累过度，在休息时伏在工作台上打盹。外国女老板为了惩罚这位“违规”女工，于是就有了要让全体员工罚跪的“集体教育”，并声称若有一人不从就罚其余人“永远跪着上班”。许多工人迫于无奈，犹豫中淌着泪水跪下了……孙天帅是这群受辱的中国员工之一，但就在工友们一个接一个跪下时，他却像青松一动不动地挺立在原地。

“跪下！”女老板咆哮地向他吼道。

“请问，我为什么要跪下？”孙天帅压住心头的愤怒问道。

“不跪你就滚蛋！”

“我可以走，但作为一名中国人，我要控告你在我们中国国土

上的所作所为！”孙天帅昂头挺胸，甩下每月1300元的饭碗，大步从那个女老板身边走过，并且永远离开了那块耻辱的地方。

“我是中国人，死也不在洋老板面前跪下！”孙天帅，这位“不跪的中国人”，从此成为千千万万打工族传颂的英雄，被亿万中国同胞们所称道。1996年7月16日，中央电视台“东方时空”再次播出有关报道后，一时间孙天帅又成为热点人物。

有言道：男儿膝下有黄金。在中国的几千年传统文化里，在事关人格、国格面前，跪便是一种理性、道德的沦丧；在真情与亲情面前，跪便是最重的回报、最高的敬孝；然而生活中还有一种跪也是十分崇高而又珍贵的，那就是或为长远的奋斗、或为暂时的生存而跪。

在我们中国人的眼里，一个“跪”字，包含了太多的内容与内涵。“跪”字，在大学生的眼里是一种人格的尊严，因而它更富于特殊性。在新的历史时期，一向是“天之骄子”的大学生们，他们中的许多人为了基本的生存与生活，不得不低下高傲的头颅，去从事他们本不该去做的那些事。

“跪”，对千千万万个生活贫困的大学生们来说，无疑是个痛苦的历程，有人一生也许不会经历一次“跪”的过程，然而对那些为了自我基本生存而去谋生的大学生们来说，他们几乎每时每事都在经历“跪”的锤炼与折磨……

有位大学生告诉我，他最先在学校勤工俭学指导中心安排下当了一阵学校家属楼的水电收费员，这本来就不是什么复杂的活，一个月查收一次，但这位同学说，他负责的那三座楼里总有那么几户人家在他每次前去收费时说些难听话、做些刁难你的事。他说有一次上一户家里收费，那主人硬不愿如数交纳电费，理由是怀疑电表不准。那同学说电表不准与我照章收费无关，我只管自己的职责。那主人就气急败坏地把一张100元的大票扔在这个同学脸上，说你收呀！你是不是穷疯了想在别人的水电费里抠出你的学费来呀！这个同学说他当时真的被气哭了，扔下收费本从此再没在学校上岗。后来他到社会上打工，可是打工的经历使他更加饱尝了屈辱与痛苦。他说，时间一长他就明白了，因为任何一种为别人服务的低级劳动，都不可避免地碰上这样或那样的不痛快的事，也许正是这种特殊的磨难，才使得大学生的勤工俭学更为可贵。

这个同学的话有一定道理。在帮助大学生摆脱生活困难的工作中，这几年各学校和各级共青团组织，通过各种努力为贫困生们创造了大量的勤工俭学机会。然而学校毕竟不是劳务市场，即使老师们把本来用不着设岗的许多地方也利用起来，让同学们去象征性地做些勤工俭学工作，但终究满足不了所在学校大批的贫困生上岗问题。能在校内上岗的人对贫困生来说，就像那些不用愁就有饭碗的“计划内分配毕业生”一样令人羡慕，而这部分上岗的人，不管是“蓝领”还是“白领”，其实只占大学贫困生总数的十分之一左右，绝大多数的贫困生想求得生存，争取自立，很大程度还得靠走出校门到社会上去打工。

外面的世界真精彩，外面的世界也真够黑暗与残酷。几乎每一个在社会上打工的大学生，都有这样的深切体会。

确实，大学生打工首先要面对的是如何接受作为一个知识分子被贬值的问题，不是特别的好运，几乎没有一个老板是把前来做工的大学生当做有知识的人来合理聘用，而是作为廉价的劳动力来使用你。你不是就想得到一份饭钱吗？那你就老老实实放下你大学生的架子，我这儿可以提供一份出力换钱的差事，如果你想干就留下。如果你想获得与身份和知识相称的工作，对不起，请另寻高就。有些修养的老板就是这样对你说。如果碰上一个没有什么文化的大款，那恐怕就是另一种口气了：你以为你是什么鸟东西呀？咱这个城市里啊，硕士、博士的想刷盘子都排着队，像你这样的“笨（本）科”就是给我搓脚端尿最好先自己照照镜子配不配哩！

你气？那就自个儿受吧。你高傲地甩手起身回校，可这个城市不对“贫民”发放救济粮，即使发了也轮不到你这高贵的“天之骄子”。你无奈，于是只好“面对现实”而降下一个大学生的身价，去从事根本不要文化只要能出力流汗的劳工，这种现象在今天的中国社会更为突出。大量的下岗人员，大量的国家机关精简干部，加上大量的企业不景气，全社会的劳力过剩，使得人力资源几乎丧失了最基本的择业优势，大学打工族无一例外地面临同样的挑战。

1998 年 7 月的暑假前，我走进首都几所大学的勤工俭学办公室，负责此项工作的几位老师，面对多于往年几倍的假期留校打工的学生，长吁短叹地直摇头。一个五六千人的学校，竟然有一两千名学生假期不回家，你是管还是不管？管，你就得给他们安排活，可现在社会上的下岗人员多于想打工的学生几十倍！你不管，等 9 月份开学时他们都不给学校交学费，作难的还是学校。唉，真不知如何是好……透过这声声沉重的叹息，我们不难感受到现实的严峻。

走，我们自己找活去！同学们这样说。其实他们早已做好了准备，因为长长的暑假是打工赚钱的最佳时机，除非万不得已完全可以不用回家，既可省下一笔路费，更重要的是新学年的学费、生活费全看这个假期的打工结果。在中国农业大学，我进行了一次“暑假大学生打工实践的调查”，接受调查的 30 名同学中有 28 名非常明确地说，自己留在北京过假期的目的是为了挣出下学年的学费和生活费。

你准备在假期干些什么工作?

最好是在某公司做商务，其次希望是一份固定的家教。

你打算在假期挣多少钱?

越多越好，至少在2000元左右。因为下学年的学费和生活费少不了这个数。

如果好的工作找不到怎么办?

那就只有看着办，到最后凡是有钱赚的，什么活都得争取呗。

——上面是我和一名假期留校学生的对话。7月初，学校的升级考试刚结束，他就加入了滚滚涌出大学门的“打工大军”，几日后，他打电话告诉我——

运气不错，有家经济小报聘我当特约组稿人。

什么待遇?

计件工资制。一个月能拉到2万元广告给30%的提成，不低吧?如果我能组上一两个有偿版面，新学年的学费不就都有了!

接完电话，我真从心眼里希望这个同学能成功，但又不得不暗暗思忖着他干的那活其实纯粹是人家榨他油水的小把戏。京城上千家大大小小的报刊社，玩这一类招数的早就不是啥新鲜事了。说得好听点儿是聘你当什么“特约组稿人”，说白了就是让当拉赞助的业余广告跑腿员。我身在报社、杂志社干了一二十年，这种事见得多了，心想提醒这位同学，可又不忍打碎他的“发财梦”。

果不其然，临近8月中旬，正当此书的写作进入后期时，突然有一天那位同学又打来电话，他一上来的声音就叫我非常担忧——

老师，我上他们当了……

别着急，先说是怎么回事？

他、他们让我跑了整整一个月，一分钱都没给我，我自己反而花掉了200多块交通费。你说他们黑不黑？

是你没有组到稿，还是没拉到赞助？

拉了。我整整拉来了两个版面呢！

那为什么报社不付你报酬？

报社说我的两个版面应该拉回4万元，可只到位了3万元，原因是其中一家企业的经济不太景气，想不给后面的那1万元，我跑了不知多少趟找他们老板，但人家不是不理我，就是躲着不见我。我知道拿不回这1万元，前面辛辛苦苦拉来的3万元也等于白干，所以前些日子我天天去堵那公司老板的车，可人家就是不给钱。老师你说我还有啥办法？那天我整整在那家公司里等了一天，人家不给我坐，连口水都不给喝……实在没办法，最后我拉住那个经理，跪在他面前，求他把欠的钱付给报社……

你，你真的跪了？

真的。我实在没招了，他要是赖着，不就把我这辛辛苦苦的一个月全坑了吗？那样我下学年上学就惨透了。

唉，你呀！他后来同意给钱啦？

老师你先听我说。那家伙一看我跪在他面前，当时就无可奈何地说行吧，看在你堂堂一个大学生给我跪下的面上，他让我过一天去取支票。我当时一听这，简直像是见了救命恩人似的给他连磕了三个头。老师你不信？我真给他磕了呀！我当时想，磕几个头算啥，我要是得不到那几千元的劳务报酬，才是不得了的事，那下学期开学我拿什么交学费？拿什么过日子呀？隔了一天后，我早早地又到了这家公司的门口，可等了好长一段时间，就是不见公司开门。一问，才知道这个公司在前一天已经搬走了。这个时候我才知道自己上大当了，可、可我哪想到这群王八蛋怎么这样坏嘛……

先别急。有一个办法可以治他：到工商局查他们的老底。

我去了，人家说那老板是海口人，你到哪儿追他呀。老师你说，我、我这不是哑巴吃黄连么！

可不，但在这种连基本道德都没有的人面前，当初你不该给他下跪。

我有啥法？他要给我钱，就是让我跪一天也行。……

关于这位同学，每每想起他，我心头就有种说不出的滋味。倒是后来他又给我打电话，说那个雇他的报社念其可怜，补给了他 1000 元报酬。他说，现在离开学还有一段时间，他争取找个家教，那样就有可能解决下个学年的基本费用。

但愿老天睁眼。

写到这里，我不由想起某医大的小符同学。有一家青年刊物上曾经发了他一篇当“洗脚工”的短文，很有些意思。于是一个星期天，我约他到办公室聊聊他的打工经历。

“那是最下贱的活儿，可别给我‘扬名’呀！”小符见面的第一句话就是要我保证不透露他的真实名字。这事不难，我答应了。

“其实咱们大学生出去打工说白了就是为了赚钱，干啥实质都是一回事，能不能赚到钱是关键。我当洗脚工就是冲着这活能比家教或送小广告什么的要赚得多，另一方面我是学医的，当洗脚工自然比别人更合适。”小符其实很健谈。

“北京听说也有洗脚店，你也去过？”

“没有，绝对没有去过。”

“为什么？你放假回郑州可以当洗脚工，可在北京又咋不干了？”

“还是有些区别。毕竟我在这儿上学，真要被同学们知道了多不好。”小符笑笑，看来他还是有些顾虑，“再说，我一年利用两个假期在郑州干洗脚挣的钱够我全年学费和生活费的了，所以用不着再忙碌了。”

“真够？”

“差也差不了多少。不瞒你说，今年一个寒假我就赚了2000来块。”

“听说有的地方开什么‘洗头房’、‘洗脚房’，其实有不少是色情场所，你不知道吗？”

“有的确实是。不过我是男生，所以就不太怕了。”小符开始给我介绍他当“洗脚先生”的那段奇特而又耐人寻味的经历：

……我家其实不在郑州，离郑州还有200多里。我家这几年光景不好，不是地里收成不好，就是爹伤娘病的老有难，摊上这种情况，可想而知我在北京上大学就只能靠自己了。大一头学期最苦，交完学费口袋里剩下不到200元，我硬是被几位好心的河南老乡救济着度过了那半年。第一个寒假回去，我从郑州火车站下来，走出车站一看，妈呀，什么时候郑州一下变成了“洗脚城”

了？你最近几年没去过郑州吧？那可变化大了，其中最火的就是铺天盖地冒出来的各式各样的“洗脚房”和“洗脚城”。有人戏言：广州人爱洗头，郑州人爱洗脚，一南一北，一头一脚，中国人从此不知天高地厚了……这可能是说笑话，不过要说郑州兴起的“洗脚风”还真是一道风景线，据说现在全市大大小小有几百家“洗脚城”。当年的“亚细亚商战”，如今变成了“洗脚大战”。说实在的我也搞不懂是怎么回事，也不想去搞懂它，我关心的是自己眼下怎样挣钱维持学业。我郑州有个亲戚，那次下火车后没赶上回老家的那趟长途汽车，当晚便住在亲戚家。就是那天晚上使我走上了“洗脚工”之路。那天在亲戚家吃晚饭时，电视里正在放某公司利用“洗脚房”搞地下色情被公安人员查抄的新闻，看到这里，我的那位大伯亲戚就说现在社会上有些人简直不像话，什么黑的禁的他总会改头换面给你弄出来，让你防不胜防。这不，现在又冒出啥“洗脚风”，说穿了还是老一套，搞色情呗！大伯的儿子不爱听，说那也不能一概而论，洗洗脚对身体有好处，所以才吸引那么多顾客，这也叫市场经济的产物嘛！大伯听儿子这么说就不高兴了，说你小子说了那么多洗脚的好处，干吗平时不见你在家洗一回臭脚呀？儿子说家里的这个洗与外面的那个洗不一样吗。老子一听火了：说你浑小子别给我来这一套！要是你敢到那些鬼地方洗一次脚，老子就打断你的狗腿！我在一边听得就差没笑得背过气，忙对大伯说：洗脚本身并没有啥不好，只不过是不一定要到外面的“城”里去洗，其实按照中医理论，足底按摩是有科学依据的。这不，表弟我是学医的，他的话有权威性。我那表哥似乎找到了理论根据，冲着老子嚷嚷起来。大伯哪听这一套，说啥理论不理论，外面他们搞的“洗脚”就跟家里的洗脚不一样？我看着爷儿俩吵个没完，便给大伯端来一盆热水，让他洗洗脚消消气。为了表示对他家的谢意，我略显殷勤地为大伯按摩、揉掐了几下。“别住手，再掐掐！”大伯惊奇地冲我看看，突然叫好不止：“嘿嘿，你小子还真有两下，这么揉掐几下蛮舒服的啊！跟我说说，是不是大学校里学的？”他张着嘴，瞪大眼，问道。我笑了，说大学哪学这简单的活？那你咋掐我几把脚窝就这么舒服呀？看来大伯今天非要问个究竟，于是我只好告诉他，这就是足底按摩，人的双脚、小腿上有 74 个穴位，脚穴既是神经的聚集点，又汇集了人体多种神经末梢。由于双脚的反射区直接与全身神经相连，经常按摩可以消除疲劳，另外对老年人更有好处，如泌尿系统病、内分泌失调等都可以通过足底按摩得以缓解、治愈。大伯一听这乐了，说你今儿个寒假也别往家里奔了，留在郑州给我一天按上两回，大伯我给你工钱。我笑了，说大伯只要您老一句话，我想伺候您都怕没个福分哩。一旁的表哥这回可有说的了，说爹你这回信了吧？城里现在流行的“洗脚”就是刚才你享受的足底按摩。大伯将信将疑地问我是不是，我只好说差不多吧。不想我这么一说，他老人家来神了：侄儿，我知你家贫，你在京城念大学也不易。可你是学医的，俗话说，只怕病死，不怕医富。我看就你这手上的功夫，郑州市里哪家“洗脚城”都得开门拱手相请。我表哥更来了情绪，说表弟你只要一句话，明儿我就给你找份活，你又是学医的大学生，一个月少不了二三千元工钱。能赚这么多呀？我一听像是有点天方夜谭。不过第二天表哥跟人家一谈，“洗脚城”的老板就答应了，还说干足一个班给100元，小费可以归自己。这么好的事哪儿去找呀？于是我就答应留了下来。当天下午我就在表哥的带领下去“洗脚城”报到，临走时表哥还专门吩咐让带上学生证。报到时我见那“洗脚城”的老板对我格外热情，说他店就缺像我这样有高学历的“专家”按摩师。这个表哥，他不知跟人家把我吹成什么样。表哥见我向他瞪眼，他就赶忙使眼色。我心想反正足底按摩也不是多难干的活儿，应聘了再说，真能一个月赚上千儿八百的下学年不就不用发愁了吗。我心里打着自己的小算盘。

上班了。这时我才发现自己被安排在“女宾部”，我哪见过那么多娇滴滴的女人们穿着浴衣浴巾在自己的眼前晃动呀！说实话，我走进老板办公室说自己最好到“男宾部”时没有说出内心的真实“活思想”——我是真的害怕自己有没有那种能力在这特殊的环境下抵挡得住“色诱”。老板根本不同意我的换岗，说聘你来就是因为“女宾部”缺“专家”级按摩师。“小伙子，别怕，她们又不是吃人的母老虎。”老板朝我挤挤眼。可我还是感到来“洗脚城”的女人大多是“母老虎”，那些贤惠的良家妇女肯定不到这种地方。怎么办？既来之，则安之吧，管她老虎还是绵羊，只要不少给钱就行。我下定了决心干一个寒假，反正是打工呗。“洗脚城”的程序并不复杂，客人进来后，你把她（他）引至沙发，当她坐定后先有服务小姐或服务先生给端上茶水，然后就是由我这样的“专家”上阵了：第一道是给人端进一盆用中药浸煮的药水，这药里通常用红花、蛇皮、丁香等草药调配，虽然没有特殊功效但起码能有防脚气、除脚气一类保健作用。顾客要在这药水里浸泡20分钟左右。其间我就要开始向客人介绍足底按摩的一些常识，这时一般的客人都会向你提出这样或那样的问题，你必须回答得令对方满意，因为这种对足底保健的“精神信任”，可以起到事半功倍的作用。客人相信了足底按摩的“科学性”，下一步你再在按摩技术上让她感受到了你讲的足底保健的“好处”，这等于你拉住了一个长期客户。如果是老客户，这一项便免了，但你得常常花更多的时间去静听她（他）向你讲述她（他）自己的脚或什么地方的毛病，当然你尽量得避免那种没完没了的家常闲聊，但有时又免不了，因为这种带感情融通的闲聊也是巩固客源的重要方面。老板们特别要求我们注意做好这方面的工作，可对我们干活的人来说就有可能麻烦从此而生。有一天一位50岁模样的女宾来了，一进门就躺在沙发上开始喋喋不休地讲她邻居的那几个穷人家如何如何地每天到菜市场上捡最便宜的菜买，又如何如何地只要她一在家便想方设法到她那儿沾点好处。就因为这，她才来“洗脚城”尽量躲着人家云云。我也是穷人家出身，一听这就从心里反感这些人，所以只管干活，根本没理她茬。嘿，突然这女宾无理地把一只脚搁到我的鼻子底下，怪里怪气地问我她这脚是香的还是臭的，我压住心头之火，没有答话。她又重新把脚触到我鼻尖上，声音更加尖利地问到底是香还是臭。我火了，说臭的。不想我刚出口，那妖婆朝我就是一脚……随即就是撒泼大骂起来。我当时根本没有想到这女人会如此发威，待在一边不知所措。后来老板来了，那女人更肆无忌惮地冲着老板说你今天不“开”

了这小子明天就让你这个“洗脚城”关门。我另一个想不到的是，老板竟在这女人面前唯唯诺诺地连说了一大串“是”。后来我才知道，那个女人是那片市区的工商管理局的“局长夫人”，难怪老板如此怕她。不用问，我第一回当“洗脚工”就被扫地出了门。

表哥本事挺大，没过两天就又给我找了一家“洗脚城”当差。这回我也长了心眼，碰到上面的那种宾客就有心无心地跟着瞎聊呗，反正并不影响手上的赚钱差事。当“洗脚城”的按摩师其实并不是件轻松活，一扎进去就是十几个小时。老板为了多挣钱少花费，尽量少用人手，所以我常常这个没干完就去应付另一个。女宾们本来就比男宾事多，加上进洗脚房的女人不是有权有势，就是有钱有脾气，稍有怠慢，便会出些麻烦。由于老板们都愿意抬出我的京城名牌医大学生的身份，所以有意欺我者后来渐少，倒是另一类宾客又让你左右为难。女宾中不乏一些有钱的“贵夫人”，她们有时也会出些难题让你难办。如有个女宾是某企业的总经理，离婚的单身女人。她几乎每天都进“洗脚城”来享受，有几次我接待，大概服务还算到位，她便塞给我200元小费。之后她每来必要求我专门为她服务，这种情况本来也属于正常。但后来就出了新情况：有一天她突然给我打电话来，说因为单位工作忙，不能到“洗脚城”来，问我能不能到她家去服务。我说老板有规定，不能去。她便说本来是可以来的，就因为脚脖子扭伤了，活动不便，希望我去按摩按摩，后天她要出远门谈生意。既然这样，我一想救人一难算积点德吧，于是同意了。我没有自己去，是她派车来接我的。富人到底不一般，她的小别墅足够住我们一个班的同学，里面的陈设更是我只在电影电视里才见到过的。女主人的脚确实扭伤了，有些肿，但不算太严重。我自然拿出看家本领为其按摩，女主人斜仰在沙发上，看上去极感舒服。在我为她按摩时，她几乎一直是闭着眼的，只是嘴里吩咐我“左一点”“右一点”。她又说话了：“……往上一点。对，再往上一点。”我照着做。“好，挺舒服的，小符，再再往上一点……”她仍然在吩咐，嘴里不停地发出那种我从未听过的“哼哼”声。我的手停住了，并且身不由己地在剧烈颤抖。我知道我不能再待下去了，于是便直起身来。现在可以毫不掩饰地说，当时我确实有些不能自主，但理智终于占了上风，所以非常坚决地对女主人说了声：“对不起，我、我要走了！”这个时候，我看到了一幕想起来仍有些恐怖的场面：那女主人一反往常的温文尔雅，像一头发怒的母狮，抄起沙发上的枕头，向我扔过来，随后又是小桌上的那只咖啡杯也向我飞来……“你这个小毛驴，给我滚！滚出去——！”后面那一幕是我的狼狈，现在我都想不起来是怎样跑出她那个别墅，又怎样回到我打工的那个“洗脚城”的，总之我为此连做了几夜噩梦……

“后来呢？”这回是我问对面的“洗脚工”小符，看得出，有过那段“洗脚城”特殊经历的大学生仍在他那魂不附体的噩梦中沉游。

许久，他恢复了常态，向我露出那学生特有的稚嫩，“后来……我还是在‘洗脚城’干，老老实实地干。”他脸色微红地朝我笑了笑，解释道，“其实当‘洗脚工’通常情况下还是很正常的，尤其是在‘女宾部’。不过有了上面的那一回，我每次干活时只敢蹲着或是跪着为宾客卖力工作，却不敢多抬头往上看……”

有意思。这是个甘心情愿下跪的特殊“打工仔”。

“那个假期在‘洗脚城’真是长了不少见识，但最主要的还是赚到了可以让我下学年踏踏实实上学的钱。”小符的内心充满阳光。他悄声告诉我，“现在郑州还有些我的固定客户，她（他）们平时常跟我通通电话，希望我假期回去再为她（他）们服务，我当然不会轻易放弃这些人，因为那是我的‘财源’。我甚至想过，如果以后毕业分配困难，干脆我也去开一家‘洗脚城’。中国人的脚病太多，足底按摩又确实能保健人嘛。”

真是一个灿烂的“跪”，我由衷为小符欣慰。

“流浪手记”

武汉冶金科技大学的程鹏同学，在迈出校门的几天时间里就饱尝了一个“打工流浪者”的辛酸与甘苦。为此，他写下了一篇“现代流浪手记”——

我一向以为，天下之事，只要其志坚其事必无不可为。于是，暑期已至，我便开始计划：

地点，北京。当此经济发达，城市繁荣年代，不可能像鲁宾孙一样在孤岛上练打鸟学钓鱼。现代所谓生存能力，乃指在人与人的社会中求生之能力。而首都千年名城，早就心所向往，且北京、武汉距离合适，正是理想之地。

时间——1996年7月15日——当然，我很想写下“暑假结束”，但犹豫了一下，留条后路给自己，记为“能坚持到的那一天”。

准备——一包换洗衣服，100元人民币。既是考验生存能力，100元有作弊之嫌。但初去陌生城市，无亲无友，身无分文，要想立刻有活干，想必也难。

1996年7月30日

昨天下午6时乘38次空调特快驰离武昌，北上京城。一个包，100元，一丝迷惘，一丝亢奋，我壮士不回头地踏上了流浪之路。

火车经过20小时运行，下午两点抵达北京西站。走出西站，阳光普照，人流熙攘，只觉全身乏力。一少女走近来，游说我到“西双版纳”旅馆歇脚。“干净的床铺，有热水澡，大彩电，每晚只要15元，包你满意。可以先去看，不愿住你就回来，我们免费让你搭车……”经不住少女的殷勤，看一看未尝不可，我上了拉客的中巴。少女给我一张写有她姓名的卡片，要我交给旅店老板。原来，她的工资是以拉客多少来提成，一卡一人，老板照卡计薪。

中巴七拐八折，到了所谓“西双版纳”，并非热带丛林，而是地下森林，又潮又冷——地下室是也！曲曲折折，深不见底，乃防空洞改建，军转民范围之广，程度之深，由此可见。我暗暗心惊，此地如何住得！却听堂上吵吵嚷嚷，原来有人不愿住店，欲搭车返回。老板并不强留，但要收来回车费20元。那老兄忙道原和车站掮客说好免费搭车，再说就算收费，只几分钟路程，哪有这样贵的道理。老板冷笑一声，少说废话，要么住店，要么给钱。几条大汉一旁摩拳擦掌，更添威慑。无奈，那老兄忍气吞声要求住店。如此一来，我等想走之辈亦乖乖住下，地头蛇可惹不起。却又涨到了25元一人，无人敢表异议。当然，掮客的许诺并未完全落空。热水澡是有的，但好不容易等到空位还要冒全身涂满香皂而突然停水的危险。彩电也摆在堂上，可惜据说昨天刚坏。又脏又潮的被子当然不敢用，和衣而睡。

1996 年 7 月 31 日

找工作自然要仪表清爽。一早起来，洗漱完毕，换上干净衣服。买张《北京晚报》，一面吃油条一面寻找招聘信息。一看之下，都是招聘白领，更有经理、主任之位招贤纳能，我是“流浪者”，显然只能出卖劳力了。且先不管，难得上京，逛逛再说。

在前门下车，远远望见天安门。在宏大的广场中一站，自觉渺如沧海一粟。广场周围有不少身穿白汗衫、头戴草帽的当代祥子。三轮车后座张个凉棚，乘客坐上面逛游广场风物，优哉游哉。当然，价亦不菲。洋人多有乘者，据说有的还要调换位置，过过脚力车夫瘾。

王府井距天安门不远，据闻乃商业界最繁华所在，也许会有活干，先去瞧瞧。行来，也不过一条购货街，不如想象中发达。再去哪里？正茫然无计，忽见一饭馆橱窗上赫然二字“招聘”，摸摸渐薄的口袋，鼓起勇气，推门而入，曰我应征。老板为一浓妆中年女子，问我会干什么，炒菜？我答不会，心想炒鸡蛋倒是拿手好戏。那好，我们缺个拉客的，你干过没有？我说没有。没关系，能应付外国人就行。要把老外拉来挨宰，我自知难以胜任——不是心疼老外钱包，是叹无此能力。暗自懊悔英语学得马虎。老板又递过菜单，要我以英文读之，我瞠目结舌，于是道声打扰，保持姿态出门。后来又试过一家牛肉面馆，结局更惨，只得冷冷四字——不招男工。

晚上在一家小旅店住下，钞票将竭，躺在床上，寻思着明日到哪儿去试试运气。

1996年8月1日

奔波一天，到处碰壁。劳务市场都要求持有北京市劳工证件，我乃盲流，无人敢用。吃毕晚餐，全身八个口袋仅余两毛钱。终于成了名副其实、一贫如洗的流浪汉（为此还喝了瓶啤酒纪念——更是壮胆，置之死地而后生之意）。

天色早暮，得找个地方睡觉。走到了北京车站，广场上黑压压一片，躺倒不少人。顾不了许多，最后两毛钱买张小贩专售露宿者的旧报纸，往地上一铺，头枕包袱倒下。一天跋涉的疲倦袭来，眼皮渐沉。恍惚间忽觉口袋内异动，豁然惊醒，刚好见只黑黑瘦瘦的爪子缩了回去。却是一干瘦青年，平头黑衫，左瞧右瞅，回避我的逼视。不再理他，坦然再睡，活该偷儿倒霉，遇上我这个穷光蛋。

1996年8月2日

早晨在冷风中醒来，但觉腹中空空，不知早餐如何着落，记起在“西双版纳”时，同屋一打工仔说崇文门有个黑劳工市场，黑者，非法也。没法，只有当一回黑劳工了。

果然是非法场所。十字路口这儿一堆，那儿一群，一望而知全是打工仔，神色间躲躲闪闪。偶有雇主来招工也不宜张扬，而是混在人群中，看到合意的就悄悄招走。此地所以禁而不绝，是因为来此打工者都无劳工证件，工资远低于合法劳工，所以虽然人色混杂，常有事故，但雇主图省钱，还是有不少人来招工。站在路旁，我做贼般心虚。路人那冷冷的眼光实在难以消受，已坚持不住，有一人凑近我，悄声问我可愿做杂工。我可谓绝处逢生，也不谈判，跟了就走。心想侥幸，也许是我看起来没有别人那种俗气憨气，所以有此运气。老板乃矮胖汉子，油光光的肥脸上长着两颗闪亮的小眼。一起被雇用的还有个张家港青年，与我年岁相仿，攀谈之下，颇为投机。他姓阮，资格比我老多了，在北京已混几年，以前在小饭馆炒菜。厨师打杂，实在是屈才。他说只因不久前被炒鱿鱼，一直找不到活，为生计只好自降身价，是干不长的。我亦称自己是打短工，并告诉他我的计划。他看着我，瞪大眼，像看一个疯子。“大学生出来流浪打工？可笑。你是还没尝到苦头……”他断定我的结局肯定是悲惨的。回想几天经历，火车站那许许多多打工仔疲惫的身影，落寞的眼神是如此清晰。我叹口气，世界的确并不轻松。一路上，知道老板经营小饭馆并兼做夜市小吃，老板又说，第一个星期试用，没有工钱。

穿过若干胡同，来到老板家。又窄又挤的小院放满大盆小盆，几无插足之处，盆内装满红红白白的东西，一股腥臭扑鼻而来。老板说红的是猪肺，白的是猪肠，都是夜市小吃“卤煮火烧”的原料。

马上开工，首先洗涤内脏。我忍住恶心，开始冲洗。老板娘看了一眼，马上喊停，嫌我太过精细，“后面活还多着呢。”于是给我示范。拿起那内脏在池中荡一下，再在水龙头下一冲，“这就成了，照样来。”联想到在学校时常光顾的小吃摊，多半也是这种货色。一边干活，一边发誓以后再不去吃。然后串羊肉串，老板娘又演示如何串法才能使肉看起来多其实并不实在。我刚一试，两只手给调料咬得麻痒难当。中午1时，开出饭来，清汤寡水，得，对付着吃吧，早就饿得很了。吃过饭，只小歇一会儿，老板带上我和小阮奔赴小饭馆，一下午洗碗、扫地、擦桌、端菜，动作稍慢便挨两句训斥。想我堂堂大学生，竟受如此窝囊气，几次想发作，但终于忍住，并以“天将降大任于斯人也，必先苦其心志，劳其筋骨”来自慰。

人来人往，天色渐黑，终于空无一人。“好了，关门。”老板一声令下，我们如释重负，舒口长气。“晚饭不忙吃，抓紧时间去夜市。”老板又传指令。于是便马不停蹄，回小杂院把各种家当搬上三轮车。小阮在前面蹬，我在后面推，老板骑摩托在一旁押车。到崇文门夜市，立刻卸车、装棚、抬桌、拎桶、支锅，惶惶然，茫茫然。别的摊贩亦相继到来，我们两名新手，手脚明显比别家熟练伙计慢上一拍，又招来老板脸色，被呼来喝去。夜市食客多，吆喝拉客、擦桌洗碗，比之小饭馆更辛苦几分，真如绷紧的发条，不得一刻松懈，又累又饿。11点，食客渐稀。老板招呼我们：“自己装碗火烧，吃了收工。”这就是晚餐！望着那食客们津津乐道的杂碎，想着这是如何洗出来、煮出来的，我早已无一丝食欲。受不了！辞工之意立坚，小阮也有此意，他悄悄嘱咐我：“明天再辞，否则今晚不会让我们过夜，那太冤。来吃吧，别想那么多，其实味儿倒还不错。”硬逼着自己吃下半碗，装车收市。宽阔的大道人车稀少，雪白的路灯把我疲惫的身影拉得老长，耳边只听见沉重的踩车声，我想，是该回头了。

回去又支撑着卸车、洗碗。老板让我和小阮挤一张床，“将就将就，以后再安排。”以后个屁！躺在床上，我们暗骂老板心黑，这样玩命干法，铁人也扛不住。小阮说他初中毕业就拜师傅学炒菜，来北京已三年，当过厨师，干过配菜，打过杂，还在夜总会调过酒。要是能回头，他说会继续念书。他很羡慕我，说大学生是天之骄子，前程似锦。像他这样漂泊打工，只看到现在，看不到未来，很无奈。他唯一的愿望是拥有一家餐馆，自己来掌勺……我们聊着聊着，抵不住一天辛苦，沉沉坠入梦乡。

后记：第二天，我们辞工。老板似乎早有预料，不动声色。小阮说老板占了便宜，他又会去招黑劳工，再辞再招，他可省了不少工钱。

小阮继续去等待更好的雇主，我则想方设法混上火车，靠帮乘务员打扫车厢，得以搭车返校。几天经历，恍如一梦。

日记里的“故事”

大学生们的“打工日记”是我整个采访中，为自己的“日记”而记得最多的内容。这些材料用不着任何文字修饰，都是些听后叫人夜不能眠的动人故事。下面我抽出几篇，向读者奉上——

5 月 13 日　北京　林业大学

今天与任忠诚、芦建表、崔建国、彭作文和另一位不愿透露姓名的贫困生，聊他们在北京打工的经历，听后既为这些同学刻苦学习的精神所感动，也为他们在社会上打工中的遭遇而同情。他们的不屈行为与忍耐精神叫人敬佩。

瘦小的彭作文，来自贵州山区，是位苗族后代。如果不是出自他亲口之言，你很难相信这个瘦小的大学生竟从初一开始便当起了“学生打工仔”。边远贫困的山区没有像城里那样有那么多工作可做，小彭说他“因地制宜”在当地收破烂。中学的岁月里，他除了上课时间，就背起竹箩子，顺着崎岖山路，边吆喝边背着书本到小镇和乡下挨家挨户去收破旧东西，从小到一块狗骨头、一支牙膏壳，大到几吨重的大铁墩，凡是别人不用了的又可以换钱的东西，他都收过，甚至连死人的“金牙”，活人的头发。他说他最倒霉的一次是走了几十里路收了满满一大箩的旧货，在过江时被洪水冲跑了；他说他最高兴的是一次有个倒闭的工厂让他收走了全部的旧铁器，一天挣得了 500 元。小彭说，到北京上了大学，他再不能像在家乡那样背着竹箩去走大街串小巷吆喝了，但他必须比上中学时更卖命地去挣钱，因为现在的一年学费要比过去高出好几倍。他刚到北京时对外面的世界一无所知，听别人说倒车能赚钱，于是他从同学那儿借了 70 元钱，在一个星期日的清晨早早起来，从清华园出发赶到石景山那个京城最大的自行车倒卖黑市场。那儿的人真多，也真杂。黑车车主见小彭过来，便向他推荐了一辆半新不旧的车子。70 元一辆，要就赶紧拿走。车主对小彭说。小彭说你让我看看再说么。车主说你这么慢吞吞的，说不定转眼警察过来我们俩人谁也跑不掉。小彭一听这就赶忙掏钱。回到学校，他便在校园内把车往旁边一搁，靠着树边贴出一张“广告”，那上面写出一行字：“本车转让。100 元。”这招是高年级的老同学教给他的。小彭说他第一次卖这黑车时特紧张，怕有人发现他是新生，而新生刚到校哪儿有车“转让”？车，后来真的卖掉了，100元出手，净赚了30元。小彭好高兴，30元对一些人来说，还不够吃一顿快餐，抽两包烟的，然而它对小彭却是实实在在的好几天饭钱哪！小彭说他一共倒了三辆黑车，后来因为学校有规定不让倒这样的车，他的此项“业务”就此停止。小彭后来就干起大学生最普遍的家教来，他说他是新生，不懂行情，只对钱的数字清楚。一次他见几位家长围着几名外校的学生在讨价还价，那些家长雇主说每小时给15元，学生们则坚持要20元。小彭一听急了，便上前将一位雇主拉到一边，说我只要每小时10元。那人将他上下打量了一番，然后朝他瞪了瞪眼，说你捣什么乱，像你这样的冒牌大学生就是白教我孩子也得反收你“时间浪费赔偿费”。小彭把学生证掏给人家看，人家说，讲你“冒牌”也没多少冤枉，一个刚进大学门的新生跟中学生有什么区别？小彭气得心里直骂那人，可骂归骂，“生意”还是落空了。后来他回到学校天天注意起那块专贴各类“招聘启事”的牌牌。这回是有家影视公司要找几个群众演员，小彭心想这活儿不成问题，“招聘”上说的一天给60元，蛮不错。小彭很有些组织能力，很快找到几位同是经济拮据的同学，在与那个影视公司讨价还价谈定后，第一个星期天一到，他们不到清晨5点便从学校出发，赶到指定的拍摄现场。那是冬天，很冷，可小彭他们还是意气风发地骑着自行车准时到达。但一到那儿，影视公司管事的人改口说只能每人每天给40元劳务费，而且原来说的下午允许回校上课也不行了。几个同学非常生气，拒绝参与拍摄。那公司的人鼻子往上一扬，说你们不就是一群想吃饭又口袋里缺钱的大学生！想走就走，有的是像你们一样想赚几个学费的穷学生么。与小彭同去的几位学生见对方成心欺负人，便昂起头走了，只有小彭和另一个同学留下了。几天干下来，到该拿钱的时候，那个公司的老板却只给小彭他们一天 24 元的劳务费。走，我们不给这些黑心肠的王八蛋干了。同学拉起小彭的手就走。可小彭好不情愿地一路跟同学念叨：24 元就 24 元么，干几天就能几个月不愁么。小彭的同学一听这话，气得好长时间没理他。

我对小彭说，你的同学大概认为你穷也得有个穷志气。小彭说这理我也知道，但光有志气没有钱有什么用？我们这些贫困大学生什么都不缺，就是缺钱，缺钱就有可能失去学业，失去了学业何谈志气、志向？

我说那也不能任人欺负宰割。小彭说，人家欺负宰割我们就是认为我们大学生在所有打工族中是最廉价的劳力。真正的打工仔、打工妹是不会去干这样一类临时性的劳务，只有我们既要上课又想抽空赚一把的穷大学生愿意去做，那些老板们比我们要精几倍，他们不从我们身上刮油水还上哪儿去刮？

小彭的话有一定道理。

现在当林业大学学生会副主席的崔建国是我碰到的所有“大学生打工族”中命运最好的一个——因为今年本科已毕业的他被学校学生处看中留校工作。对一位来自边远地区的农家孩子来说，能上大学就是件不易的事，而上完大学能留在学校且是在北京的大学，可就实在太少了。仅凭这一点，崔建国的脸上该很灿烂了。再过一两个月他真的可以摘掉那顶戴了足足十几年的“贫困生”帽子，而成为中国林业大学的一名正式职员。

也许正是这原因，崔建国显得比其他同学更清楚地看待昨天的自己。“其实我们大学生打工在多数的时候是在出卖自己，不管你承认还是不承认，这是一个很难掩饰的事实：你既然想从打工中获得金钱，那么掌握金钱的雇主就从商业与生意的经济角度来使唤你，这期间很少有你独立的人格与尊严，除非你付出了雇主认为等价的劳动，否则你就老老实实低下头，听任别人的调遣与指挥，干你必须干的事。”

没钱有时就得低头，这是今天这个社会的一面镜子，不管你想不想照它，它都存在。崔建国并不为昨天的自己而悲哀，他认为既然是打工仔，吃苦是情理中的事。打工是为了赚钱，而吃苦的经历常比赚钱更可贵。

家在黑龙江海林林业局的崔建国，在小学三年级时便没了父亲。1985 年，效益不好的林场又让他的母亲下岗。崔建国下有一弟一妹，沉重的担子落在母亲肩上。15 岁那年，崔建国觉得自己不能再让母亲一人扛起全家的负担，便擅自辍学，瞒着家人，跟着一帮成年人们到了牡丹江的一个建筑队打工。当瘦小的崔建国出现在工地时，那些叔叔伯伯们不忍心让他动手干活，他却急出了眼泪：我是出来赚钱的，你们为什么不让我干？没法，崔建国说，大人们最后让他搬搬砖，洗洗菜什么的，总之他留在了工地。月底，该发工资了，小建国跟在别人后面来到会计那儿，领了 150 元工钱。他高兴极了，因为这证明他可以帮妈挣钱，为家里出力了。他觉得自己像个男子汉了，于是拿了钱就直奔邮局……焦急万分之中的母亲见到突如其来的汇款，没敢歇脚，便赶到了牡丹江。母亲在工地上见到儿子后的那一幕，崔建国终身不忘。因为收到钱的母亲不仅没说儿子一句好话，而是边哭边举着砖头追着要打他。“家里就是穷得只剩下一口粥也要供你上学”——崔建国把母亲当时的这句话嚼了不知多少遍，从此他再不敢违背母亲让他读书的誓言。重新返校的崔建国学习特别刻苦，成绩直线上升。考大学了，该报什么志愿呢？那么多熟悉的大学名字可以任其选择，但崔建国说他没有选，原因是报考那些熟悉的大学，可能断送他母亲和全家人对他的全部希望。必须绝对的成功，崔建国知道多少年来母亲和全家人为了支持他上学所付出的一切，就在此举。他甚至不敢设想一下他的不成功对一个贫困的家庭将是怎样的一种毁灭！填志愿的手在发抖……最后他选择了一个不很熟悉的大学——中国林业大学。理由很简单：收费低，录取分数线也低些（几乎占一半的贫困生在选择大学时都将此作为首要考虑）。

崔建国如愿以偿，他的高考分数高出林业大学录取线 80 分，老师和同学们都为他没报更好的大学而惋惜，然而崔建国想的是只要考上，其他的根本不重要——尤其是对一个经济困难的苦孩子来说。

大学的路，从一开始就曲曲折折。入学后的崔建国比谁都心态平静地接受了打工求学的现实。但由于对学习不敢有丝毫的怠慢，所以他把能养活自己的挣钱机会放在假期的打工上。崔建国说他不像别的同学那样见什么活来钱就去干什么，结果常常鸡飞蛋打。他善于挑选那些在有些人看来是来钱不快的工打。这种工，通常是苦力。崔建国坦然对待苦力活，用他自己的话说：那是最稳当的赚钱机会，因而也是大学生们最适合的假期勤工俭学的机会。他这话肯定受到不少人包括同宿舍同学的异议，可崔建国有自己的观点：大学生更多的时间是学习，不可能用很多精力去研究、挑选那些既能多赚钱又少出力气的工打。苦力工是永存的活，随时随地都可找到，具有大学生招牌的人去谋一份苦力，就更加容易得到。与其为虚幻的目标浪费宝贵时间，还不如一箩一筐地去沙里淘金。

崔建国用自己的独特视角去看待问题，去面对打工。寒假时，节日连节日，中国人一轮又一轮的“吃战”再开烽火，崔建国又一次来到他曾经去过的和没有去过的餐馆刷盘洗碗。从晚上 7 点到 10 点，工作非常简单，把前厅服务小姐端来的一叠叠盘碗一只只洗刷干净。看起来是谁都会干、能干的活，但最后留在后厨的并没有几人。崔建国总是其中的一个，然而操作计算机运用自如的他，却并不是刷洗盘碗的常胜将军。从在后厨站稳第一刻开始，你就是一台机器，腰永远是弓着的，双手像正旋动的飞轮……有一次，崔建国直起身时却瘫在了地上；有一次，他需要解手却不能，下班后肚子连疼了几天；有一次，中途老板让他搬过一叠洗好的碗碟，结果发麻的手没托好，老板让他用三天的工钱赔了那些打碎的碗碟。就当这么一个“机器式的工具”，崔建国一直没有放弃。因为他要挣满 500 ~ 600 元的寒假收入——为这目标，他说可以忍受一切。

暑假，那是贫困生最企盼的打工好时光。北京这几年夏日格外炎热，城里人又流行喝矿泉水和纯净水。于是乐煞了那些生产矿泉水和纯净水的厂家，于是定点定时送水成了京城又一种销售行当。大街上，到处可见各种小面的、三轮板车的送水大军正汗流浃背地穿街走巷。崔建国加入了蹬三轮板车的送水队伍，这是只有小公司才会采用的推销手段，也只有小公司才更需要寻求打工的假期大学生。一旦上班，那是全天候的，吃住都在公司——其实通常是在一间又闷又潮又无电视与像样床铺的大库房内。客户既有宾馆，又有普通百姓，24 小时值班，必须随叫随送，耽误一个客户将罚你十天工钱，除非是神经有病你才敢那么干。崔建国说他在午夜两点给人送过货，当他进那个客户的大院时，守夜的门卫非让他拿出身份证明。“大爷我求您放我进去吧，要是回公司我还得来回骑两小时呀！”早已累得上气不接下气的崔建国带着哭腔求人家，可人家就是不让你进：“现在啥事没发生过？我放你进去，哪家丢了东西我找谁？”崔建国真想蹲在地上哭一场，可你敢半夜放声哭？那巡警会随时出现在面前，之后的麻烦事就更多。把眼泪咽下肚子，该干啥还是去干啥，谁叫你找的这份工！一桶矿泉水送出，洒下半桶汗水在大街……临近开学还有五天，该和老板算算总账。“给，1500 元。怎么样，没吃亏吧？一个来月，就拿司局级的工资待遇了！”老板手拿几张钞票在半空摇晃。换了一个人样似的崔建国已经对那工钱早失去兴趣，末后他对老板认认真真地说了一句：“你太黑了！”谁知那位与他年龄相仿的小老板咧着大嘴，乐道：“我知道你是傻大学生才聘的！欢迎明年再来。”

崔建国说，他听那位只有初一文化的小老板一说，自己都苦笑了起来：可不我们是傻大学生嘛！

这天，同学们谈得无拘无束，像是诉说那些遥远的奇遇。只有一个同学始终没有开口，我总觉蹊跷，在离开林业大学时仍不得要领……

5 月 19 日　北京西郊　中国农业大学（东区）校园

今晚是中国农大的一次有关特困大学生问题的工作会议。学校领导白天打电话约我参加，晚饭过后我正要出发时，电话里传来了林业大学 ×× 同学的声音，他说他希望有时间与我单独谈谈他本人的一些情况。“行啊，今晚我正好到你们学校旁边的农大……”这几天我正为那天的蹊跷而思忖呢，好机会来了，我当然求之不得。这一晚，我得到了一个意外收获。

我见到这位同学的第一句话就问他为什么那天不愿讲，他说他作为特困生的情况在林大知道的人太多了，他不想再以“耻”为荣了。“开始我把自己在外打工的不幸遭遇讲给同学和老师听后，他们都流下了同情的泪，后来学校或学生会每开贫困生会议或向新闻单位来人介绍情况时，一次又一次地让我讲，起初我还行，但时间一长我就有种像个‘展览痛苦专业户’似的感觉，这种感觉非常不好，所以后来我一般不太愿意再向外人讲自己的事了。再说，我已经习惯和理解社会对我们在打工过程中的某些并不公平但却是客观存在的事实。”

“我们是外地人嘛，在上大学之前我连小城市都没去过，我老家在陕西汉中的大山里，啥都土，说话方言又重，言行举止更是一副土相。虽然上了大学，但这些骨子里的土气改不掉嘛，你出去在北京这样现代化的大都市里谋生求职难免出些洋相，难免冒土气冒傻气，人家说你几句损你几下你感觉好像很委屈，其实有些人家并没有说错，只是你自尊心强，要脸皮，显然感觉自己是大学生，不该受这种待遇和耻辱。但是换一种角度去理解别人的做法可能就不会那么伤心了，不会那么感觉是受到了难以抚慰的屈辱。”他的开场白令我有些吃惊，说这样话的只能是那些饱受了辛酸、误解和屈辱然后又在这种苦水中不屈不挠的人才能做到。顿悟，是某种意志和人格力量的升华之后方才拥有的精神境界。无疑，这位同学一定有非同寻常的大悲大彻。

“没错。正是有比别人更多的不幸，我才更不愿老把这些事挂在嘴边。对你作家同志也一样，我不希望你的作品里出现我的名字。你能答应吗？”话到嘴边，他仍然不忘自己的准则。在我肯定之后，他终于开始讲述那些听来近似小说化的事。

我是96级学生，学贸易专业。家里贫穷不用多说了，总之你能想象到的我家都存在，你想象不到的我们也有。城市里不会相信现在还有人家几个人合穿一件衣服、全家人合盖一条被子的事，但我们那儿不光是我们一家是这种境况，村子里比我家还穷的也有。山村嘛，一是交通不便，二是分了你地老天不长眼还是两手空空。政府的救济只能解决暂时，却管不了一年365天。这样的地方能考出个大学生自然不易，我应该是幸运者。但因为穷逼的，所以我这个人总认为自己也不怎么高尚，来北京读书多半是为了改变自己的命运。可家里偏偏又没那么多钱供我，于是只好打工谋生。学校一个月发56.5元补贴，只够一个星期的伙食，其他三个星期你不打工吃啥？学校安排的‘白领工’与我一样的贫困生们抢都抢不过来，再说即使给你安排了也最多刚好解决吃饭问题。我人穷心高，想的总与别人不大一样，希望靠自己的力量改变一下命运。我想既然我从一个连裤子衣服都穿不起的地方考到首都北京来念大学，那为什么就不能再努力一把彻底甩掉头上的那顶贫困生帽子呢？路有几条，靠学习也能摘贫困帽，但这条路只对那些天赋特别好的人铺着，一般的贫困生由于家庭和原先学校教育水平等多方面因素，想靠拿奖学金“致富”并不容易。那么剩下的只有去靠打工了——我自然也只有选择这条路。但即使同一条路也有不同情况，一是你勤不勤，二是你有没有忍耐性，我觉得我这两点基本都做到了。正是因为我做到了这两点，所以我在打工中受的苦和难也多于别人。跟你说句实话，同学们现在一提起外出打工就头痛，或者无可奈何的样，可我不一样，现在要有几天没出去就觉得有些坐立不安。为啥？惯了，打工成了我生活中不可缺少的一项重要内容。除学习之外，我的大学生活内容就是打工。打工为了学习，想学习下去不打工就没办法，两者已是密不可分的同一起步点。管勤工俭学的老师可能对你说了吧？我在全校“打工族”中最大的特点是我现在对北京城内的熟悉程度超过了你们北京本地人。信不信？我可以向你保证，老北京人知道的哪条胡同哪个寺，我也知道。老北京人不知道的哪座立交桥哪片新区，我也了如指掌。一点不是吹牛。快两年时间里，我已经骑坏了几辆自行车，可以说走遍了整个北京城。你问我打什么工这么到处跑？送货、发单子呗，不过这是最初的活。后来我一直为某广告公司拉广告，除了上课外，一天到晚在外面跑，碰到快要到手的广告时甚至连课都偷偷逃过。没法子，你可能跑十天没谈成一个广告，好不容易有些眉目了人家约你一上班就去谈，你不能说等我上完课再去吧！遇到这种情况时心里最难受，一方面你要集中精力跟人家谈成，另半个心你想着落下的这一课会不会补得上，两者你都不能放弃，你心就特累。然而真正累的还不在这里，落下的课不管怎么说你可以开夜车什么的补一补，在与广告客户谈判时你就可以集中注意力，这样你可能生意也谈成了，把课也补上了。但下面突然冒出来的事却令你无法容忍：在你准备按时去到广告客户那儿取回支票、回来向公司老板汇报业绩并依照讲定的条件按比例提成时，你发现什么事都与你不沾边了——公司老板早已派人瞒着你取回了支票，本宗广告业务一切与你毫无关联。你愤怒地找公司老板，老板说正式签约必须由法人出面才算数，你拿学生证人家肯给你钱吗？——流氓。你除了说这一句外，其他的无话可说。你找到原先与你洽谈的广告客户，人家回答得体面又切实：我面对的是你们公司，不是哪个具体人，再说你们内部之间的事我管不着，也没那份闲心。气死人。除此你还有啥招？受骗、劳务纠纷，这在我们大学生打工中常见。你高举法律的武器来捍卫自己的权益？人家说可以呀，但我这儿就这么做，你愿干就留下，不愿就请便，像你们这样想找活的大学生满城都是。老板们说这种话时连个唾沫都不吐，通常情况下你只有忍，只有让自己百倍的真诚去感化那些商人的良知。我现在还在广告公司谋职，我没有告诉你具体是哪个广告公司骗过我，就是因为我还在那个公司干，当然后来是因为我用自己的真诚打动了老板，他后来一直收留我做他的业务员。他用他的“理论”曾对我说过这样的话：在商人特别是广告人的眼里，一切都有可能是原先设计好的陷阱，要不就没有“奸商”这个名词了，也可能我的公司早已歇业。这个老板属于“奸商”一类，但多少他还有真诚的一面。我留下来一直干到今天正是认其这一点。

其实打工作为一种劳力与金钱的交换，它明显是商业行为，既然带“商”，难免有“奸”。但你作为一个打工仔，很多受气的事并不与这“商”有关，而纯粹因为你是一个打工仔的低卑身份所决定的。我干的拉广告活，说有多辛苦就有多辛苦，我一个外地人在短短一两年内对北京那么熟，就是因为我用心去跑出来的。只要一出校门，一天蹬着破自行车在大街小巷跑上十几个小时是属于“正常工作”。北京是首都，政治影响大，每天三四百万外地流动人口又确实给北京人带来不少头痛的地方。北京人“欺负人”多少是被逼出来的。有一天，我和班上一位同学借了两辆单车跑活，骑车路过南郊火车站前时突然有辆红色轿车向马路边靠，我在自行车道的最外面，为了躲让轿车，不得不向里靠了一下，可偏偏马路边有位老大娘在行路。我同学躲不了又把车头转向我这边，于是我只好刹车停下，车头正好碰了一下从后面靠过来的那辆红色轿车的车头。其实轿车根本没一点毛病，但因为我和同学土里土气的穿着和满口难听的方言，使得开车的那个北京人和周围一群围观者把我们当做了两个“可恶的盲流”看待。一句话：赔！我和同学自知像半个“盲流”，并从以往的经验得出与本地人打架，再有理也十有八九是输家，便老实地问赔多少。500元。那从轿车里出来的人本来样子就吓人，他这一张嘴，早把我和同学给惊呆了。500元！我们哪儿去弄500元？再说凭什么拿这近似天文数目的巨款呀！500元算个屁，你知道我要进一次修理厂花多少吗？轿车主人冲着我们说：不赔可以，那就跟我到一趟交警队。那人力气真大，拎起我们的自行车就要走。交警队哪是我们去的地方呀。我和同学一边说好话一边求情地拉住自行车。“小子，怎么着？想耍赖？”那人挥拳就向我们打过来。“你怎么打人？”我和同学急了。可人家根本不理茬，说就打你们这号专门到北京来捣乱的盲流。这话对北京市民太有煽动性了，刚才还是围观的人一下变成了同是谴责我们的力量。我们被一阵乱哄哄的折腾后，发现手中的自行车不知到哪儿去了。“警察来了！警察来了！”有人一喊，我当时有一种被救之感。可是没有想到警察的出现使我们更惨。那个轿车主人原来与那警察都很熟，围观的老百姓也能对警察叫姓唤名。“撞坏了人家的车就该赔钱么！”警察的第一句话这样说。我的同学忙分辨说我们是为了躲一位老人，再说也根本没有撞刮轿车。“小兔崽子……！”那警察抡起拳头就朝我同学打去。这一幕是我万万没想到的，我愤怒地冲那警察说，你怎么能打人？他一听，不管三七二十一，又把手向我扇过来，我一躲，正好落在我的脖子处。那警察不甘罢休地冲我说：“欠揍？”这时，围观的人也跟着你一句我一句地数落我们两个外地盲流，我清楚地听到那个刚才我们为躲她的老太太也在骂我们。当时我真感到这是个什么人间世道？一阵乱哄哄之后，警察扬长而去。我回头一看，不仅自行车不见了，就连我们出来拉广告的那些材料全都没了。这可是不得了的事！我知道丢了那些东西就不光是我们白白辛苦了好几天的打工，而且连赔都无法赔的大事呀。车和东西都到哪儿去了？啊！问围观的人，没一个愿意告诉我们。我只好求冤家——那个开轿车的人。他还是一句话，赔不赔？我知道今天的事是难过得去，就乞求他说我们是大学生，身上没钱，求他饶了我们。那人说，那你们身上有多少钱？我和同学赶紧掏口袋，直到口袋底掏空，才总共拿出了 50 块钱。那人大概见我们真的是穷光蛋，就说这回算你们运气，捡了个便宜。我最关心的还是自行车和车上的东西，便拉住那人请他帮忙。他说你们去派出所找警察。于是我们就跑到 200 来米处的派出所，找到那位向我们动手的警察。他若无其事地问我们赔钱了没有，我们说赔了。他出门远远地问那轿车司机，在得到肯定回答后，就说车子在后面，你们自己去拿。我们进派出所里头见自行车和车上的材料都在，心里总算落下一块石头。出派出所时我有意看看那警察胸前的警号，这家伙鬼得很，马上瞪大眼睛冲着我嚷嚷起来：小子，想怎么着？我知道我什么都不能怎么着，可心里闷着的气出不来。当天夜里，我在学校写下了一篇日记，平时我从不流泪，可那一天我的眼泪就是断不了，把记的日记都模糊了……

“你当时应该去告那个动手打人的警察。就是现在，还可以做。”我愤慨地说。

这位同学摇摇头："我当时没有这念头，现在更没有。你一定不解。其实问题并不复杂。我理解北京人对外地来京人员的某些不满情绪，这中间确实有一部分外地来京人员做了不少让北京人反感的事。我作为一名外地来京读书的大学生，理念上需要我用另一种心态平衡北京人与来京外地人之间的某种不协调，并以自己的所能来调整这种关系，而不是成为另一种关系的催化剂。"

他的打工磨难与收获，远远超过了一般意义的所得。也许只有像他这样的一代大学生们才能做到。我想我和所有北京人都应该做些必要的反省。

这位同学最后还告诉我，大一那一年，他的内心世界时时掀起"惊涛骇浪"和"大波大澜"，现在他越来越心平气和，对贫困、对打工，他都能应付自如。身为学校学生会"自立部"副部长的他，决心用自己的心理历程告诫与他一样贫困的同学，要勇于面对现实，平和心态，这样才能做到学习、打工两不误。

真是语语落金。

"送花人"的心境明朗朗

有一天，英俊潇洒的中国新闻学院郭建伟同学，也因为生活需要走出书斋，去干一回不是甘愿做但又必须做的事。不过后来他发现自己当回"送花人"之后，竟然心境也变得明朗起来。他因此用心记录了这个过程——

看看表：21点15分，我早到了5分钟。

按了门铃，退后两步，我静静地等着。轻嗅着艳红的玫瑰花的芳香，一边思考着第一句话应该说什么。

门开了，走出一个秀发披肩的年轻女性，两眼疑惑地看着我。她背后的客厅里，一支蜡烛慵懒地闪着白光。我感受到了她的孤独。我的耳边迅速响起电话里的那个声音：“……我远在异国……我们没有什么亲人……”

心翻滚起来，我知道自己被感动了。这都是一瞬间的事，事实上，她刚用眼睛打量我的那一刻，我就屈臂抱花，上身稍稍前倾，彬彬有礼地问：“您是王珊女士吗？”她点了点头。“生日快乐！”我说，把鲜花递过去，又补充道：“这是永远爱您的周先生对您的祝福。愿幸福永远伴随您！愿美丽永远伴随您——这是我们‘邦彦鲜花店’对您的最诚挚的祝愿！另外，这是我个人的礼物。”说着，我把一张音乐卡递过去。她轻轻地打开，红光闪处，“生日快乐歌”轻快地响起来。

她的脸上露出了温馨的笑容。“希望‘邦彦鲜花店’能经常给您带来快乐！”我说，鞠了一躬，向楼下走去。

“谢谢你，送花使者！”她在背后大声说。

送花使者！

我是送花使者！

谁能知道32个小时前我还是一个为工作而愁闷的人呢？我从东长安街踱到西长安街，看着太阳逐渐由苍白变得红润，我的心也像气候一样渐凉起来。其实，街道两旁店铺林立，不时可以看到红纸黑字的“招聘启事”显出诱人的机遇。但我无论如何也冲不破心理的阻碍——你如果像我一样第一次为了生活而出来找工作，你就会了解这种仿佛是将要偷窃别人似的心情。我在好几个写有“招聘启事”的店里转了又转，始终没有勇气开口。

但实在不能再等待了，太阳已经开始西沉。我给自己打了打气，径直向着“邦彦鲜花速递店”走去——我刚才已经留意了它门上贴的启事：招聘员工两名。

“邦彦鲜花店”面积约有四五十平方米，大理石地板，天花板上吊着欧式枝灯，约有膝高的玻璃柜上摆着许多大肚细颈的花瓶，各种各样的花错落有致地插在瓶内，芳香四溢；靠门侧处有一个空空的大冷冻箱。店的一角，有一个独脚高凳，一个三十多岁的男子正坐在上面写着什么，他的身旁，卧着一个米黄色仿古电话机。看见我进来，他停下来，温和地笑着，看着我。

我感到了自己的热血一下子全涌上了面门。“我看到了你店前门上的招聘启事，而我正需要这份工作。”我说，并迅速地拿出自己的身份证和毕业证，他认真地看了看证件说：“没想到你还是个大学生。”我的血再一次涌上已经热热的脸。

“你从前干过吗？”我摇了摇头。

他沉吟了一会儿，“你可以先试用一个星期，在这一周内，你住在店内，和我一起吃饭，但每天只有8块钱。怎么样？”

我点了点头。“那么，你现在就进入试用期了。”他说，“有些事应该说给你知道，任何行业都有自己的信条，我们开花店的也有自己的讲究——把花送到顾客手里，是一件容易的事，但送花的功夫在花外——你送去的不是花，是你的真诚，你要给顾客带去一片温馨！这就要求你的语言、你的行动处处都要体现出文明和热诚。还有，你要有很强的时间观念，雪中送炭是真诚，夏天送炭则是蠢举。这两点你一定要牢记……”他摇了摇头，我知道他省略语的含义。他接着说，“弱肉强食，竞争的原则里没有怜悯。兴衰成败，在于各自的经营。全国花店现有7000家，北京城的这类店也是遍地开花，我不想刚刚开张就被淘汰——不过，我相信我们会合作愉快！”他站起来握了握我的手。

“你现在以最快的速度熟悉宣武区的地理。”他扔给我一份地图，又补充道，“你应该练习一下站功，最好保持立正姿势。”电话铃响起来，他接了电话，对我说：“我现在去送花，你守在这儿吧。”他把我的证件放进衣兜，包扎了一束鲜花，骑上摩托走了。

我保持立正姿势，双手捧着地图，开始诵记北京地理。我很快感到腿麻木，心跳加剧，大脑也沉重起来，汗水不可遏止地向外涌。

10点钟，我终于能说出宣武区的每一条街。他满意地点了点头：“休息吧。”他拉出一张简易折叠床，从玻璃柜旁的一个纸箱里拿出一条被子，扔给我，走了。我关了门，躺在床上，感到浑身酸疼，辗转反侧，难以入睡。送你一束鲜花，带给你一份温馨，仿佛充满了浪漫，又有谁知……唉！

我觉得刚刚睡着，听到他在门外的喊声。我拉开灯，刚4点。我迅速穿好衣服，收了床，打开门，他正站在门外，昏昏的灯光下，我看到雨正淅淅沥沥地飘。“一个公司8点钟要200盆花，你和我一起去运。”他站在门外说，我看到不远处有一个中型货运车等在那儿。

上了车，车子径向城郊开去。一个多小时后，到了一个花圃。有个小伙子正等着，看见老板，埋怨道：“大哥，你怎么这么慢！”老板也不回话，对我说：“快点搬！”进了一个房间，才知道是温室，一盆盆的花正整齐地摆放着。装好车，老板的弟弟也要去，我便被安置在后车厢里。车疾快地向前驶，冰凉的雨没头没脑地浇来，我却仿佛没有一点感觉。

送花归来，老板买了两个盒饭，边吃，边教我剪枝、配束、包扎。9 点后，电话铃开始不断地响起，老板又骑着摩托忙去了。我就在店内练习剪花、包花。

到了晚上，疲惫不堪的老板对我说 ：“再有电话要送花的，你去吧。”

我第一次的任务，就是给留法的周先生送他预订给他妻子王珊女士的生日礼花。

灯光明亮。脱下龙袍，撤去神秘的光环，北京完全变成了一个现代化城市。我没有心情观赏这夜景，我在焦急地等着公共汽车，许多等车的人也在引颈翘望。车终于来了，打开门，人群蜂拥着往里挤，似乎没有了年龄和性别的差异。我突然奇怪地想 ：“三年困难时期，人们抢购粮食是不是也这样紧张？”

回到店里，老板似乎已等得不耐烦，“怎么这么慢？”他问，不等我回答，又说，“喏，再跑一趟，刚才来了一个电话，说他妈住院了，他不能回来，让我们送一束鲜花安慰一下老人家。”

老板给我讲明了路线，把包好的花递给我说 ：“记住，送花给她的时候，你就是她的儿子！”

我是她儿子？我有些不明白，但又有些明白地上了路。

费了很大的周折，我终于找到了地方。问了护士长能进去，我便向 301 房走去。我的双腿灌了铅般地沉，脑袋似乎也要胀裂开来，我觉得我也该住院了。

轻轻推开病房门。房里共四个床位，三个空着，一个床位上一位头发花白的老人正靠着一个枕头半卧着，看见我进来，疑惑地看着我。

“我来看您来了。”我说，“我是‘邦彦鲜花店’的，您儿子余先生现在不能回来看您，但他非常牵挂您的病情，希望您早日康复。”

老人不接花，喃喃地说：“不能回来，不能回来……”眼里慢慢地涌上泪水。

我定定地看着老人，眼睛也要潮湿，连忙说：“您真像我妈！”

老人诧异地看着我。

“我妈呀，想我哥时也像您一样，不过，她很快就会笑起来，她说，‘母子是感应的，我这一流泪，他不是也要伤心么？’”

老人擦了泪，露出了笑容。我们开始聊起家常。

房间里慢慢地充满了温馨。

我渐渐明白了老板几乎每天连轴转却乐此不疲的原因——我带给别人快乐，自己自然欢悦；我也明白了花市走俏的根源——鲜花不仅仅是一种观赏性植物，当它走进人们的生活中时，代表的实际是一种纯洁、真挚的感情交融。

那天的打工日记我只写了一句：在为别人带去快乐时，我们自己也会有快乐。

其实不只是郭建伟有这样的感受，学外贸的李华同学体会更深。

她有外贸与英语的双优势，于是假期她选择了到一家洋公司打工。在面试的那一小时里，李华觉得自己的精神城墙已经无力支持，但这之后又是连领班的小工头都找不到的那种完全靠自我约束的敞开性效益工作。几乎从来没有人管你，只有一台计算机和一台传真机与你为伍。

重复而简单的程序：每天守候从大洋彼岸发来的传真，然后迅速翻译、整理成中英文两种文本交经理室。

整洁而宁静的办公室，可以随时洗热水澡，可以 24 小时享用冷暖空调，一日三餐有专人送达，你只需坚守岗位，准确无误地完成传递信息。

坐在转椅里的李华，忍不住想起自己远在广西瑶寨那个破陋的家，想起面朝黄土背朝天的父母，想起与自己同窗多年却因没考上大学而早早出嫁的同村小芳……她似乎又踏上了回家的路。

“你怎么回事？传真到这儿已经一个多小时了，却仍在机器上……”主管小姐礼貌而不失严厉地斥责道，“知道吗，就这一个小时的耽搁，就使我公司两笔期货没有及时出手而蒙受数十万元的损失！”

李华全身都在颤抖：“您、您……怎么处罚我都行。”

“是用你那张尚未拿到的大学毕业证书？还是广西的那两间草房？”主管小姐严肃而又真诚地明确告诉李华，“我原谅你是因为我曾经也是个与你一样的苦女孩。但你应当明白一点：在充满激烈竞争的社会里，人们并不真正同情弱者，要生存得比别人好，就只有依靠自己的实力。实力来自何处？那便是一丝不苟的顽强工作精神与奋斗精神。”

李华觉得这一番话，可以抵她从小学到大学的全部课程。她开始懂得美好是怎样产生的，钢铁是怎样炼成的，人生是怎样完美的……她不再把一台计算机和一台传真以及那豪华舒适的环境看成简单的工具与理想中的梦幻，她意识到所有眼前有形和无形的东西，都在共同构成一个决定生死存亡的战场，而她自己是整个战斗中的一个小卒，必须勇敢、谨慎并且聪明地勇往直前。

那一次，别人都下班了，按规定她也可以回校给父母写一封家信，但似乎那一天有一种灵感告诉她在大洋彼岸有一场决战正在酝酿。她留下了，直到午夜时分，传真机“嗒嗒嗒”的响声证实了那边已经开始的新一番酣战。快快，以最快的速度告诉主管，告诉总裁……终于两小时后在一个夜总会的大厅内，李华完成了她的传递信息职责。

“李小姐，我代表公司向你表示感谢。由于你的积极负责，使我公司赢得了一笔可观的收益。我再次向你致意！”当总裁把一个红包和一束鲜花送到面前的那一瞬间，李华感受到了什么是付出与收获。

事后，她把红包的一部分寄回了家，而把那束鲜花长久地放在床头的小桌上……

寒冬里，有我们热腾腾的心

又一个寒假来临，那些家境好的大学生们早已按捺不住企盼同千里之外亲人团聚的那份冲动。有人开始疯狂购物，有人开始卷起铺盖，有人把读完的书本抛向空中……过年了，回家过年了！

每一个寒假，带给学生们的是彻彻底底的放松和痛痛快快的喜悦。但是，每一个寒假，又是将近十分之一的在校大学生们一年中最难受的时刻。他们更想与远方的父母团聚，更想回家看一看地里谷子是否已收割，那头老黄牛是否还能拉犁，但他们回不去，他们口袋里的钱买不起一张几十元的半价火车票……

喧沸了一学期的校园，此刻变得格外静寂。那片片飞落的树叶，像是为同情而滴的泪雨，一切都显得是那样的孤独。食堂的师傅已熄灭了锅灶，老师也因热腾腾的火锅吸引而不出家门，长长的宿舍通道里只有几个孤影在小心翼翼地炊煮着那盆没有油花的方便面……唉，贫困生的贫困与惆怅，只有此时此刻才显得更加突出。

过年了，谁不想家！过年了，我们倍加思亲！

“同学们，告诉大家一个好消息。学校团委要组织我们去公园卖彩票！从1月26号到2月4号十天时间，每人每天给50块钱！”

“真有这样的好事？”

“谁有闲心骗你？消息绝对可靠，这是团中央学校部跟北京东城区民政局谈妥的事。”

“这么说，这个春节我们既可以像北京人那样天天欢欢喜喜地在公园庙会上度过，又可以高高兴兴地挣上一笔？”

“那还用说。快准备准备，明天就要战斗啦！”

“乌拉，我们也要过年啦——！”

这一天，北京的几所高校里再一次响起热闹的欢呼声。他们都是有家回不了的贫困学生，他们都是感到仿佛要回家一样兴奋的边远地区来的大学生。

旭日，带着淡淡的朝霞从地平线升起。京都的寒冬呼啸着刺骨的北风，地面上散落着一块块发白的冰碴。当京城里的北京市民们还在热乎乎的被窝里安歇的时刻，一队队身穿绿色军大衣的年轻人已经雄赳赳气昂昂地来到了公园门前。那是一支“彩票大军”，那是一支给这个城市的春节制造欢乐与色彩的青春近卫军。

“原地踏步——走！”

“一二一，跑步——走！”

也许是太早了，公园里根本没有行人，但他们必须每天这么早准时来到，否则就是“贻误战机”。怎么办？运动是驱寒最好的办法，于是绿色“大军”吼声震天。还没有来得及调整步骤，还没有做好战斗准备，第一次的临战竟如此惊慌失措：方才还是静静的公园，转眼变成了人山人海的庙会世界。

“买票！”“买票！”

“快给我一张！”“我要十张！十张！”

“这里，接我这里！”“我在前面，先给我买！”

“……”

谁也没有见过这么多人。谁也想不到北京人如此疯狂。谁也没有领教过“上帝”的厉害。

“我买十张怎么少了两张呀？”

“不对，应该还找我五块，你少给了两块。”

某同学犹豫片刻，似乎没有少找人家呀。

“怎么，我还会黑你？”

“你想贪污不是？”

“上帝”原来并不温和，一旦不依其愿就出言不逊。

小张一数，少了二十元。他摸不着头脑，一脸苦相。

“同志同志，你能保证买票后就中奖吗？”有位女“上帝”提的问题出奇。

大伙你看我、我看你，像遇上了比哥德巴赫猜想更难的数学题。

“说呀。到底能中奖还是骗人的呀？”女“上帝”又在尖着嗓门叫唤。

“怎么会骗人呢？当然能中奖了。”同学中不知谁顺口说了一句。

“那我买十张。”女“上帝”把手伸过来。

“下一个谁买？”

“慢着！”突然，女“上帝”冲到前排，“你说能中的，为什么我就没中？”

“这能赖我吗？”寇晓庆同学觉得好笑。

“当然赖你。你给我赔二十块！”

“凭什么？”寇晓庆和同学们还从没听说有这样不讲理的人。

“凭你刚才狗嘴里吐出的话！”

“你怎么骂人？”

“骂你又怎么啦？”女“上帝”变成了一个泼妇，“有本事你说说你们怎么把能中奖的票自己藏兜里的……”

无中生有。岂有此理。但是成千上万的“上帝”竟那么愚昧地相信了，于是彩票场一片混乱。

“不能这样下去，否则我们的任务别想完成。”现场指挥召集同学们紧急磋商，“这样吧，暂时让寇晓庆同学退给那个女的二十块钱，或者赔给她十张票……”

“为什么这样做？我不干！”寇晓庆想不通。

“别忘了我们的任务是要把几十万张票卖出去，它涉及捐给残疾人的几千万元款项能不能从我们手里筹集的大事。别这么着。寇晓庆，我现在命令你去做！”

寇晓庆板着脸，极不情愿地做了件违心的事。

这回女“上帝”乐开了嘴巴在笑：“中了！我中奖了！”她在众多羡慕的目光中，提着一袋化妆品离开现场。回眸时，这位女士给了寇晓庆和同学们一个美丽的飞吻，寒风中满头是汗的大学生们无奈地苦笑起来。

彩票本来就是一些人为另一些人编织的美梦，而卖彩票者则是帮助这两类人实现他们各自美梦的那道虹桥。

“虹桥”边的故事太多又太奇妙。

一日，经济系的几位“战斗队员”正全力以赴抵挡巨澜般的购票者，忙乱之中竟然发现放钱的小盒子不知到了哪儿去。

“这可怎么办？”同学们个个吓呆在原地，你看我、我看你，不知如何应付这种局面。

管钱的小A先哭了，领班的小B也背了气。“完啦，彻底完啦！少说今天卖了四五万块钱吧？我们五个人摊罚平均也是一万多块……你他 × 的干什么吃的！”烈性的小C举起拳头正要朝管钱的小A屁股上狠狠揍去，可他的手突然停在半空，然后哈哈大笑起来。

小B目瞪口呆：“他疯啦？”

“啥？小C疯啦？！”小A等哭得更加上气不接下气，仿佛世界的末日已来临。

小C还是收不住地疯笑：“你们说我疯了，哈哈哈……我真疯了呀。大家往小A屁股底下看，快看呀——”

于是全体“战斗队员”朝小A的屁股底下看。不看不要紧，一看全疯啦：“哈哈哈……”原来，那只钱盒就在小A的屁股底下牢牢地被他坐着。

其实，所有参加那次“彩票战斗”的同学都有体会，那最紧张、最闹心的并不在卖票的“前方”，而是被“好运”冲昏头脑的领奖人。

你看看那些蜂拥而来的“胜利者”，仿佛他们一中奖这个世界就是他们的了。不管你说什么和怎么说，他中的如果是自行车，他就把所有认为可以挑选的新车全选上一遍，只要挑出有一点点毛病，就会无情地扔下还给你。如果是一件小小的电锅、毛毯一类日用品，她到手后并不认为事情就完了，她要先试一下，如果不合其心意，即使领回家后她第二天照样拎回来让你换。不换？那你就得费上两场辩论赛以上的时间直至你口干舌燥，最后还是老老实实换了才罢休。

“……虎年，就在我们劳累了一天后倒在床上呼呼大睡时悄然而至。醒来时，来不及细细琢磨新的一年有什么美好愿望，就赶着去应付新一天的工作了，甚至同窗好友聚在一起也忘了互相道一声新年祝福——我们完全没有了过年的概念。但请别以为我们因工作而变得麻木，丧失了热情。相反，卖彩票的战斗越继续下去，我们的热情就越高涨。因为每一位领奖者的一声道谢，就是给我们的一份肯定与尊重。记得有一个下午，我们正要收工时，一位中学教师带着她的儿子来领奖。儿子要浅蓝色的自行车，但现场却没有这种颜色的车了，那位爱子心切的教师央求我们给她找一找。看到眼前这位因操劳而满头白发的园丁，我们几个人便从堆积如山的货场一辆一辆地给她找，终于找到了领奖者想要的浅蓝色车。当看到银发如雪的女教师带着她的儿子满意归去时，我们真感觉自己很伟大，因为我们又高尚了一回！”邬维国同学用他充满激情的笔，记录着 1997、1998 两个春节间的上千名留在首都的贫困大学生们度过的那段难忘的寒假。

第八章　女生“有点想哭”

1997 年 6 月 5 日，北京某大学的女生宿舍楼前人头攒动，师生们个个神色异常惊恐地相传着一个骇人听闻的消息：“432 宿舍的女生杀人啦！”

“天，为什么要干出这等事呀？”

“听说是为了家教，那家的男的欺负她不是一天两天了，她就……”

正在此时，公安局的警车和医院的救护车一齐开进校园，整个现场的气氛更加紧张。穿白褂的医生们正把一个脖子上血流如注的中年男子抬上救护车，而四名全副武装的警察则扒开人群，向楼上的 432 宿舍冲去。不一会儿，他们荷枪实弹地押着“杀人犯”、该校年轻的女学生 B 从楼上走下……

这一天，校园内的万余名师生都被这突如其来的“杀人事件”所震骇。他们无不为 B 而感到惋惜。

关于 B 这位中文系大三的学生，老师和同学们对她都很了解，B 平时学习认真，成绩在班上总是名列前茅，是系研究生的送报对象，然而现在一切都付诸东流。

“怎么会走到这一步呢？”惋惜声中，师生们都在思索同一个问题。然而知道底细的人又似乎觉得 B 的这一步多少有些必然。

B 是个贫困生，父亲有病已多年，母亲则是下肢瘫痪，下面还有一弟一妹的 B 懂得自己上北京读大学的不易，更明白不能再因为自己而让家里负担了，事实上窘困的家庭也不会给她任何经济上的帮助。从到北京上大学的头几天，她就开始为自己的生活费和学费奔波起来。当初她报考这座著名的师范大学，一方面是因为热爱这个专业，另一方面也多少知道这个学校的在校生是全国勤工俭学最吃香的，听说有不少人上大学时空着手进去，等毕业时小存折上有五六位数的“家底”。B心想自己不说能赚多少钱，但必须把自己几年上学的学杂费和生活费挣出来外，还得将上中学的弟弟那份学费也争取挣出来。为这，她经常同时身兼三四个家教，从周一到周日，没有一天不忙忙碌碌，寒暑假里更是起早贪黑连轴转。而她平时连一个两块钱的菜都不轻易吃，至于像西单、王府井那些繁华的百货商场就更不用说去上一回。B唯一想的是能尽量多干一份家教，最好是找那些既费力不多、又挣钱不少的家教。北京人有钱有势的人多得很，碰上好运气你甭多费力就能比别人多赚几倍的钱。她缺钱，家里的弟弟也在等着钱念书哩。

终于有一天，她的运气来了：有个三年级小学生的家长请她当家教老师，女孩的母亲在外企工作，男的是北京有名的律师，姓彭。经协商，由B每周一、三、五晚上来教课，男主人彭大律师负责接送B，家教的待遇是每小时25元。“以后你就是我们家中的一员，我这个人喜欢直来直去，你也不必客气，每次来教课时就到我家吃晚饭，啊，咱们说定了。”女主人果然爽快。更令B惊喜的那位名律师的男主人也气度不凡，在第一次送她回校的路上便塞给她一沓钱：“这700元算你这个月的讲课费，先拿着用。你们女孩子用钱的地方总是要多些。”瞧，谁说现在有钱的人没学问？看看人家大律师，说话体面、到位。更让B感动的是小女孩的母亲待她就像自己的姐妹，有一次男主人出差不在家，女主人死拉着B跟她睡在一张床。那晚，女主人跟B亲亲热热聊了大半宿，使远离亲人的B感受了一种胜似亲人的温情。

女主人在公司里是个不一般的角色，经常要出差。那男主人就除了负责接送B外，还担当起了做饭的家务。每次端起热腾腾的饭菜时，B总是有些受宠若惊：“大哥，下次您就别做了，我在学校吃了再来也不晚。”“不好，你们女孩子正在长身体，尽量要吃好些。”男主人那种兄长般的关怀，使B深深感激，因为B从未享受过这样的呵护。

又一个家教日。B到孩子家后才知道女主人又出差了，那大律师依旧给她认认真真地做饭，等到课讲完后他让B在楼上等他去发动好汽车再走：“外面正下着雨，你出去会淋着的。”仅仅这细微的关照，就使B内心好一阵温暖。不一会儿，他上来了，很无奈地说，“车出毛病了。要不今晚你就住在我们家吧，孩子她妈不在家，你可以同我们千金一起睡，怎样？”B想说不行，可当她看到男主人是那样真诚、恳切，她嘴边的话再也没有力量说出来。

关于那天晚上的事用不着过多叙述，大约12点钟左右，B担心的事终于发生了。那大律师一反平日里道貌岸然的样，像个乞丐似的从黑暗中现身，突然跪倒在B的面前：“亲爱的B，我真心爱你已非一两日，我、我都快要爱得发疯了，求求你了……”说着，他像一头疯狂之兽扑来。B惧怕至极，又无反抗之力。“请相信我——B，我一定让你幸福，也要让你家庭摆脱贫困，我有能力做到，真的，只要我们俩好。”他喋喋不休地诉说着那“动人”的词汇，仿佛要把法庭上从不运用的那些美妙词语熟用一遍似的。B感到全身瘫软……

往后的日子，B陷入了深深的痛苦之中。蒙在鼓里的女主人出差回来依然一个接一个电话地催“小妹”来上课，可B不是推说病了就是不接电话。最后无奈中她选择了辞去这个家教。然而大律师彭某照样像过去一样常来学校找她，只是不再让她去自己的家上课，而是另有“内容”。B毕竟是在校学生，她害怕这样的日子。越害怕的她越遇到了可怕的事——她终于发现自己肚里有了“情况”。

“离婚，你必须离，否则我就让你身败名裂……”B有些穷凶极恶，而这正说明她内心的脆弱。律师出身的他当然清楚这一点，因此他只是用简单的话语来安抚了几句。

B感到绝望，她想起父母为了她上大学而双双出去借款的一幕幕凄惨的情景，以及弟弟妹妹企盼的眼光……她的血管在膨胀，剧烈地膨胀，直到那个人面兽心的律师再次出现时，她在得不到半点安抚时，那把早已准备好的水果刀带着她久积的全部愤恨向对方刺去……于是有了前面那警笛声声的场面。

四个月零五天后的1997年10月10日，正当我正式接受团中央的这部有关大学贫困生问题的作品采写任务时，B在法庭上被指控故意伤害罪。那警笛再次响起时，带她去的不再是温馨的校园，而是凉冷的牢狱……

B走了，但留给我的第一感觉是那样沉重与苦闷。那时，我就有一种感叹：女孩们有太多的不易！

不是吗，随着采访的不断深入，我的这种感觉愈加强烈。

到南方某市采访，每天安排得不能再紧了。这天是周末，团市委同志平时很辛苦，我对陪我到各高校采访的小伙子说“放你一天假”，其实倒不如说我自己为自己放一天假。晚上独自在房间看完新闻联播就显得有些无聊，于是出了招待所门。这里邻近闹市，旁边有个电影院，门口很多青年男女。上前一看，电影院正在放《泰坦尼克号》，好莱坞爱情片，很有些味道，看样子快开场了。

这时，一位打扮有些入时也还算得体的姑娘向我走来。“先生进去吗？这是获了十几项奥斯卡奖的著名影片，很不错的。”姑娘说。

我看了一眼姑娘，淡淡说：“我已经在北京看过了。”

“噢，对不起了。”姑娘退到了一边。

我依旧无目的地在电影院门口转悠，想借观赏这个城市那美丽的夜景来解解几日紧张的采访之劳乏。

“先生，我很想看这个电影，你能不能……带我进去一起看看。”方才那个姑娘又不知什么时候走近我身边，并在眼里流露出几分期盼。“我是学生……”见我用警觉的目光审视着她，姑娘便从斜挎的小包里掏出一个证件。

没错，是 ×× 大学的。这可能是一个十分想看电影却口袋空空如也的贫困女大学生，我心想算她碰上了，满足她一回吧。“你去买票。”我把一张百元的钞票和两张“大团结”交给她。姑娘高兴得飞步买回了两张电影票，进去后电影已进入那位老妇人的回忆镜头。

“先生你已经看过这部片子，觉得怎么样？”黑暗中，坐在一边的女大学生轻轻问道。

“单纯从商业的角度看，绝对是部超级好片，不过有几个情节从艺术讲不算佳作。”我应付了一句，照样只管看影片中出现的那张迷人的素描。

“比如说……”她的声音，看样子真的想没话找话。

“比如说那结尾，让男女主人公还重新出现会面的镜头，还有老妇人把项链扔进海里的情节处理得都很拙劣……”

“天，看来我的看法不只我一个人哪！”女学生一下惊叫起来，我不知所措，因为四周的人全都把目光从银幕转到我们这边。

我感到有些恼火：“原来你早已看过这部影片了！”

“对不起先生，我、我是看过了，而且不止一两次……”这回她说得很轻。

“看来你是个超级影迷。”我带着几分讥讽道。

“如果你真不想看下去，我陪你一起出去？”

“算了。”我原本以为今晚有意无意帮助了一个“贫困生”满足了一回愿望，没想到反给人家涮得不轻。120 元干什么不行！

今晚的《泰坦尼克号》在我的印象中更差。散场后，大概我的脸色不怎么样，于是那女学生像哄孩子似的用身子挡在了我的前面："先生别感到那么不合算嘛，这个影片真的还是不错的，就是看十次八次也还是有收获的呀。给，你的钱还都在这儿。"

这回轮到我很不自在了。清清爽爽，还是那张百元大票和两张"大团结"。"小姐你……真的就那么爱看电影？"我有些不知如何是好。

"是爱看，但它是我一份固定的课外'打工'职业。"女大学生说。

没想到前些年在小报上看到的"某些地方女大学生陪看电影现象"还真给我碰上了。当我亮出自己的身份时，姑娘很爽快地同意了我对她的采访。

"其实这在我们这座城市的高校里，像我这样的女学生利用晚上和节假日上电影院、录像厅'陪看'已不是什么新鲜事了。有的女生从大学一年级到四年级，上了四年大学，干了四年'陪看'。据我所知，有的女同学上了研究生后仍没放弃这个特殊职业。"

"你指这为'特殊职业'具体是什么含义？"我越来越被这事所吸引。

"说'陪看'电影、录像节目是特殊职业，是因为过去从没人做过，而现在在我们一些经济拮据的女大学生中把它作为了一种谋生的手段。"

"怎么讲？"

"你已经知道在高校中有相当部分的学生家庭经济情况不好，供不起我们在大学读书。怎么办？我们当子女的总不能逼着本来就过着不是人生活的父母去上吊吧！于是只好想尽一切可以想的挣钱办法呗。'陪看'作为无数种打工挣钱中的一种便自然而然地出现了。"

“能详细介绍一下这种‘陪看’的形式与内容吗？”

“当然。”女大学生希望给她找个能与我长谈的地方。

“OK，我们到对面的咖啡厅如何？”

她微笑着表示同意。坐下后她接着说：“就从我自己说起吧。我的家与很多贫困家庭的苦孩子差不离，只是我属于父母下岗的城里的新出现的苦孩子罢了。上大学本来就不容易，到了大学又必须每年支付高额学杂费和支付每月的生活及各种其他费用。父母在国有企业下岗多年，早拿不到工资了，靠做些小买卖最多能糊个口。尽管他们也想千方百计地给上大学的我帮把力，但总是力不从心。开始他们每次在信上说是流着泪告诉我这些情况，后来干脆就不来信了。我不怪他们，知道与其让他们每写一次信就得向我忏悔一次或说那些令人心酸的话，倒不如我独自吞食这贫穷的滋味。有一天我又发现自己的口袋里空如被劫，而第二天我们班里的几位女同学则已经说定到一个同窗好友家为她过生日。说好的，我们四个人每人出 20 元凑成 80 元这个吉利数，作为献给同窗好友的一点意思。说好的事是不能变的，可当我一摸口袋时突然紧张起来——我哪来这 20 元钱呀？就是把饭卡上的那些填肚子的菜费全部退出来也不够呀，再说饭卡上的钱是不能随便退的。那晚我感觉很闷气，一个人走出校门在大街上瞎逛。不瞒你说，当时我两眼盯着柏油路，真希望在路面上能见到谁掉的钱包什么的。我走着走着，突然有人一把拉住我，问我愿意不愿意陪他看电影。我当时吓得浑身哆嗦，奋力挣脱。那是个与我年龄十分相仿的男孩，他见我如此惊恐，便连说对不起对不起，他说他原来约好的一个朋友没来，手头就多余了一张票，再说一个人看又没劲，所以想邀请我。不知为什么，当我看那男孩一脸无所适从的样子时，竟答应了他。男孩一听这，简直两眼发光。那晚的电影是美国影片《生死时速》。影片虽然很热闹，但我却因为一直在想着怎样出席第二天好友的生日一事，根本没有记下影片到底都说了些什么。倒是那男孩不停地在中间忽一会儿问男主角基努·李维斯除了这《生死时速》还演过其他什么电影，忽一会儿又大惊小呼说好莱坞怎么可以把核武器也一起搬上银幕这一堆堆问题。出于应付，我把学校选修课上学到的有关艺术欣赏知识转灌给了这位老兄。没想到电影结束散场时，这老兄连连说谢谢我今晚给他上了一堂高水平的电影艺术欣赏课。接着他突然从口袋里掏出一张50元的钱票塞到我手里，说小姐算你今晚的'陪看费'吧。我当时连反应都没反应过来，当明白怎么回事时，就再也见不到那男孩子了。我拿着这50元'陪看'费，整一夜没睡着，心想这世界真怪噢，陪人家看电影还能赚钱哟！我好兴奋，因为最主要的是我第二天可以像同学们一样地为好友送20元钱的生日礼物了！在大学两年多来，我觉得那一次是我这个家贫的女孩能与其他同学平等坐在一起享受快乐的最高兴的一天。从那次起，我一有空，便开始正式做起了到电影院、录像厅'陪看'的特殊打工……"

"真有那么多人像你第一次碰上的那男孩一样手中有多余的票？"我有些难以置信并且话中有话。

"不。"她肯定听出了我的潜台词，便答道，"大部分愿意出钱给你买票让你陪他看电影、录像，并在最后付给你钱的人，都是些单独到影院的男人，或者是成群结队的男人。他们请你陪他或陪他们看电影、看录像，多为了一种满足感。"

"满足什么？"

"有多种多样……"

"比如？"

"比如是现在到电影院的大多是结伴的情人、恋人和一家人，他身边有你一个女人就不感到与众不同了。"

“再比如？”

“再比如有人文化不是很高，对一些外国片的内容和艺术上的理解缺乏水准，而我们大学生对这些问题和知识，就像给几年级的小孩搞家教一样轻轻松松。”

“还有没有其他比如？”

女大学生笑了：“我知道你所指。当然有了，比如有的单身男人想借机泡一回女孩，或占点小便宜什么的。”

“你没有碰到过？”

“碰到多了。”她十分坦率道，“可以说十有八九是这类人。”

“他们会对你们做些什么呢？如果不介意的话能说说吗？”

“没什么，因为凡是想了解我们干过‘陪看’的人，几乎无一例外地会问这个问题。”我注意到她此时的目光只盯着已经冷了的咖啡杯，“一般来说，这些人总怀有一种邪念。他们常常会借电影院或录像厅内特殊的场所对你动手动脚，有的人很紧张，有的人则有一种居高临下想怎么着就怎么着，不管是那些紧张的还是狂妄大胆的，看着看着，都会把手向你伸过来……”

“遇到这种情况你怎么处理？”

“不算复杂，将其手推开。”

“如果推不开呢？”

“也并不难，你可以起身。”

“可这样不就没工钱了吗？”

“是没有。但我们是大学生，不是‘三陪女’。”

“从广义看，同为‘陪’，很难让人区分你这个陪与现在一些饭店、歌厅里的那种陪客有什么不同——请千万别把我的话视为对你的不尊重。”我忙解释。

“不会。但我还是要明确告诉你：我们的‘陪’虽然与一些歌厅、饭店里的那种‘陪’同为一个字，但其内容和本质不同。我们只陪‘看’而不陪其他……”

“难道绝对没有或可能出现另一种内容和意义上的‘陪’？你也说过凡与你们一起进电影院、录像厅的男士十有八九是想占点女人便宜的人嘛！”

“并不排除。因为据我所知现在在我们这个城市里参与‘陪看’的女大学生不是一个两个，我也见过个别女同学从开始的‘陪看’，到最后‘陪吃、陪睡’……甚至把青春和学业全赔进去的。但那绝对是极少数。因为我们大多是穷苦家庭出来的大学生，我们知道任何东西都比不上自己大学学业的重要。我们可以去吃苦，可以忍受暂时的一点委屈甚至是耻辱低下的事，但我们清楚绝不能毁掉前程。所以我们能在任何时候，包括有时难以脱身的情况下竭力保全自己。当然这过程常有落泪和辛酸的事，或者有时还有无可奈何的事发生，但这难道全应该怪罪于我们这些可怜的女孩？”

那晚，我遇到了两个“意外”，一个是在我采访贫困大学生过程中意外地遇到了另一种特殊的“打工族”，另一个意外是这位女学生与我不欢而散。她说到后来情绪越显激动，到了完全不能控制自己的地步，所以不等我结账，就起身离我而去。第二天早晨她给我住的招待所打来一个电话，表示歉意。她说每当有人向她问起“陪看”的经历与过程时，她常常“有点想哭”。我不明白她为什么“有点想哭”，她在电话里给我补充了两个细节。一是她说有一次因为拒绝“雇主”提出的“陪看”之外的其他非分要求，结果那个无赖扬言要到学校给她“坏菜”，最后是她整整倒赔了500元才了结此事。她说这500元钱是她父亲下岗三年重新找到工作后第一次领到的工资，结果给她全都白白折腾掉了。“为这，我整停了一个学期的‘陪看’。但后来还是无法解决学费等其他上学所要花的钱，不得不继续重操旧业。”她说。第二个细节是，她说她的“陪客”中有一批固定的朋友，这些人也都是穷人家的孩子，也是因家境贫穷连小学、初中都没念，而今远离故乡和家人，只身在外打工卖苦力。她说她的这些朋友平时在建筑工地没日没夜没命地干活，唯一的精神享受是一两个月由她陪伴他们上电影院看一场电影。“我甘心情愿地义务为他们讲解电影中那些他们不懂或不太懂的东西，而他们也常常在我遇到困难或麻烦时挺身而出保护我。有一次几个小流氓欺负我，我的这些朋友前来相救，结果警察看他们是外地人，竟以‘盲流人员’把他们遣送回老家，砸了我好几个朋友的饭碗。每当想起这些事我就想哭……”电话的那头，我清楚地听出其抽泣的哽咽声。

我久久没有放下电话筒，心里在说：姑娘，想哭你就哭个痛快吧！

在我接触诸多的贫困大学生过程中，通常情况下女学生们要比男学生更封闭自己的经历，由于性别与性格关系，她们一般很少向一个外人谈论自己隐秘的一面，她们的自尊心也比男生更强烈，即使你跟她们非常非常贴心，甚至是她们的亲人好友，也未必都能清楚了解其全部的真实情况。记得不知谁说过这样的话：“在多彩的生活里，女人总比男人有更多的幸福与美丽。”那么我要说，在同为贫困的条件下，女人则比男人有更多的苦水与悲怆。

一个烈日炎炎的周末中午，我到离家很近的西四书店，有一辆不知从哪儿蹿出的警车“哇哇”直叫，而偏偏这一日的西四十字路口交通格外拥挤，警车便在长长的车流后面使劲地按着警笛，那刺耳异常的声音反而令普通的行路人根本没把它放在眼里。那警车也不是吃素的，大道走不了就向自行车人行道上挤，就在这个时候，自行车潮和人流潮出现了本不该有的骚乱，本来就拥挤的街道人流、车流开始向台阶倾斜。就在这时，一件与我本文有关的事发生了：几辆自行车压向一位正在行路的老太太，而这位老太太则又倒向一块写有“家教”的牌子……“哎哟哟，我的胳膊哟——！”老太太拼命地连叫带喊地嚷着，等她被一位女孩扶起身时，那挤道的警车和自行车流早已过了十字路口。老太太突然醒悟似的指着那块木板做的“家教”牌：“这、这牌子是谁的？把我的胳膊硌坏了！我的胳膊直不起来了，哎哟哟……”在见有人过来给她搭把手时，老太太更加气急了，“你们帮我看看这牌子是谁的，硌伤我了哟！谁的牌子？”没人答应。“是、是我的。”那个扶着老太太的女孩慢慢吞吞地说。“啥？是你呀！难怪你这么讨好扶着我啊？走，你得陪我上医院！”老太太不由分说，拉扯着那女孩就要走。女孩却怎么也不肯走：“大妈，不是我撞你的呀，是你往我这边跌的……”“啥，我还没老花眼呢，我干吗要跌到你的牌牌上呀？你是干啥的？你拿块牌牌搁在大街上干啥？没有你这块牌牌我的胳膊就不会有事。你想溜咋的？没门，今天不给我上医院你就别想走！”老太太越说嗓门越大，引来马路上一堆围观的人。那些初来乍到没看见前面一幕的围观者都向着那老太太说话，女孩子一下成了惊弓之鸟，紧张得连话都说不出来。站在一旁的我实在有些看不下去了，便上前对老人说：“刚才我都看到了，要不是那警车和马路牙子边那么多自行车，您老人家也不会倒在这块木牌牌上，这事不能怪这位学生。”老太太一愣，半天才结结巴巴地回过神，不无怒气地冲着我：“你怎么知道她是学生？”我一笑：“这不写了家教嘛！”老太太还是不甘罢休：“要是大学生就更应该讲道德，噢，你们都走了，我的胳膊伤了咋整？”“那我陪你去医院行吗？北医就在我家后面……”听我这么一说，老太太嘀咕了一句什么话后反问我道：“你就住在这边？”我点点头。“那你得给这个学生作保，要是我明儿个上医院查出个啥，你得负责给我治。”“行，我保证。”我给这位老人写了个我家的地址和电话，老太太接过纸条又看了看我，对那女学生说：“算你碰上了好人。”

老人走后，我转过身正要进书店，那女孩冲着我哭了起来："叔叔，谢谢你了。""别别，这事本来就不是你的错。"我看到了她胸前的校徽："你是北师大的？""是。"我心头暗喜：正好本来我就想到北师大采访，这不是好机会么？"你们北师大搞家教的学生到处都是呀！"我没话找话。女学生说："是。可人太多了也不怎么好找人家。""你是几年级的？像是新生呀。"女学生有些不好意思地："我大二了。""大二照例就很有经验找家教了，也不至于蹲在大街等着人家来找你呀。""可我以前没有当过家教，因为大一时我的外语不行，就拼命学习。现在大二了，又要交学费，家里寄不来钱，所以就想找份家教……"看来我没看错，她也是位贫困生。"我发现你们这些女孩胆子都挺大的，把'家教'的牌子往大街上那么一竖，还真像回事。"也许因为刚才我救了她一难，这位女学生大概看我不像是个坏人，所以答应与我说说她的街头求职遭遇：

……我们师大的学生差不多都搞家教，而且听说是北京高校中要价最高的，一般每小时15到25元，有的辅导高考的还不论时间论成绩，考上一类重点大学的，给两三千元，普通高校的也有一两千元。我不像有的同学靠这家教"致富"，我家境不好，父母都下岗了，两个人才拿400多元钱，我下面还有个上中学的弟弟，家里不可能给我钱。第一学年有个亲戚借了几千元钱给我，这学年我就不想再要人家的了，借了总还是要还的，我家啥时能还得起么！所以我也出来碰碰运气。都说北师大的学生好找家教，可我觉得也挺难的。学校的"家教中心"在排队，不知什么时候轮到我。我的同学他们说直接上街"招商"快，于是我就跟着试试。这不，今天是第二天，可就两天时间我感觉像是过了一个世纪。昨天是周六，我便去新街口丁字路口。我早早等在岗亭那儿，看有没有哪位家长来找家教的。等了约两个小时，我茫然地看着人来人往的街道，却不知怎样才能看出哪家的孩子父母是来求家教的。我想学街道两旁的那些摆摊的小商贩吆喝，可怎么也喊不出声。我喊啥呀？人家有货在旁边，不用喊也能让路人明白是干什么的。难道我也该在自己的背上或胸前贴块招牌，写上“我是大学生，有谁要找家教请前来洽谈”的一类的话，那不羞死人了！正在我不知所措的时候，我看见了马路对面有两个男生高高地打着一块写着“家教”的大牌子，我感到自己像是傻子似的，瞧人家多有办法，你看看他们招来了好多家长前去询问与洽谈。我焦急而又无奈地一直朝他们那儿望，大概“师兄们”也瞅见了我，于是其中的一个就朝我走来。他说一看你也是来寻家教活的，问我哪个学校的，我说是北师大的。他说他们是我们北师大附近的某某大学的，并说你这样呆呆地站在街上谁都不知你干什么，怎么会有人来找你呢。至少你得打个牌子，像我们一样。我一听这，脸都红了，说那不成“出卖自己”？师兄笑了，说这不叫“出卖”，叫“自我推销”。要不你跟我们一起干。我一听当然高兴，跟他们在一起可以壮壮胆。但谁知他接下来提了个条件让我退缩了：“你得向那些找家教的家长们介绍我们也是你一个学校的。没其他意思，因为人家信你们北师大的。”我一下犹豫了，说这恐怕不太行。好在那师兄并不计较，说不行就算了。他回到了对面的马路，又马上返回到我这边。“这个给你，把它高高地举起，要不谁会知道你是搞家教的嘛。”那男生把一张大大的“家教”硬纸招牌塞到我手中后转身便走。我心里深深地感激他，但双手就是举不起那块纸牌，我觉得那纸牌仿佛有千斤重。我抬起的目光正好与对面的两个男生相遇，他们向我微笑着竖起大拇指，而我更感到脸上烧得滚烫……我的头就是抬不起来，只敢看自己的脚尖，我知道一个低着头，手里举着一块大牌牌的人有多难堪。当我用眼睛的余光向对面一扫，就一眼看到那两个师兄在使劲挥动着让我脸朝上的手势。不知咋的，他们的手势越往上，我的头就越像支持不住似的往下沉。最后我实在像个无地自容的逃兵，扔下牌子钻到一条没人的小巷，我发现自己的脸上热乎乎地流着两行泪……这是昨天的事。晚上回到学校我又不好意思跟同宿舍的姐妹们说，只回答没找到合适的家教对象。有个女同学说你站的地方不对，新街口离我们学校太近，一方面到那儿的学生多，那一带的家长有的直接上我们学校里来找家教，所以建议我到离新街口远一点的地方。这不，今天我跑到了你们西四这儿。哪想一来就遇上了刚才的倒霉事，要不是你还不知……

女孩子说到这里眼里又噙起泪水，声音开始哽咽。

“得，明儿我到你们学校采访时跟学工部的老师说说，先给你安排一个合适的家教。”我安慰她道。

“叔叔请你高抬贵手，我不想让老师和同学们知道我这么笨。我、我还是想自己找……”她的脸又绯红了。

“祝你成功。”我离开她后尽量不回头，知道这女孩正不好意思看到有任何熟人瞅着她在街头举着牌子的样儿。但我还是用心看到了她那副畏畏缩缩站在牌子底下的可怜样……

唉，不知怎的我感觉自己的自行车轮子突然变得沉了起来。

几日后，我到北京师范大学采访，跟学校老师们谈起这位不知其名的女学生时，他们说这样的事在他们那儿简直太多了，曾经有个女学生好不容易找到了一份家教却又不敢独自到雇主家去，后来又不得不辞掉。老师们说你要这方面的素材，可以给你用筐装。

然而我却一直未敢提及本章开头的那位因家教惹出囚狱之罪的女生是不是他们学校的，只说了辽宁某高校一女生外出家教一去不回长达一年多的事。北师大的老师听后脸色也变得很不自然，原来他们这儿也曾发生过类似的事。他们有个女生在家教中与男主人关系暧昧，女主人知道后便来校大闹，最后学校不得不勒令那女生退学才算了事。

“现在社会上啥样的人都有。说实在的，也真难为我们这些想挣钱的女生。”一位主管勤工俭学的老师长长地叹着气说。

可不，这就是现实。

某校一个女生在我保证不把她的名字“公之于众”的前提下，给我讲述了她在两年多做家教过程中所经历的“想哭也哭不出”的另一幕经历：

……我是学理科的，在学校的课堂我不敢说门门都能考个满分，但优秀则是绝对的。可我就是不会处事，尤其不会与城里人打交道。我第一个家教对象是个三年级的小男孩，特顽皮，你给他苦口婆心把舌头讲烂了，满怀期望地问他一声：“听懂了没有？”小家伙像刚睡醒似的反问你：“什么什么，你刚才说什么？”两个小时的课下来，你觉得自己过去念十几年的书也没费那么大的劲，可小家伙却伸伸懒腰冒出一句：“等于没学。”不把你气死也会使你像全身散了架似的彻底失去信心。可气的是这个城里独生子还有许多坏毛病，便是贪吃，而且外加好说谎。我每次一到他家给他上课，他的父母便出门或上街干其他什么事去了。我的这个“学生”对知识从来像是不愿装进脑子似的，但对一切食物却从不拒绝，所以十来岁年纪其胳膊则比我粗出几圈。大概平时他父母要求他节食，好东西总要东藏西放，生怕宝贝儿子长成小胖猪。小家伙到了我给他上课时不是赖着想睡觉，就是精神格外兴奋，因为接下来的两个来小时中，他可以在不受父母监管下放开肚量东偷西摸地把一包包巧克力、奶油蛋糕拿出来饱餐一顿，然后等听到父母上楼开门声响时赶紧一擦嘴，趴在桌上假装看书。终有一天当爹当妈的发现藏的食品没有了，问儿子看见了没有。这时儿子装得特别理直气壮地回答说没有，绝对没有看见也绝对没有吃。于是这时的我就会发现那两个大人的目光就不由自主地移向我。而我这个人天生易脸红，平常一件与我根本无关的事，只要有人有意无意朝我瞧一眼，我就会不由自主地红起脸。在人家家里我的这个毛病就犯得更厉害了。每次碰到这种时候我都想向这个小男孩的家长申明，可越想申明自己的脸就涨得越红，越红脸我就越说不出话。一件与我无关的事竟似乎变成了完全是我的责任似的。有几次我像一个小偷似的在别人咄咄逼人的目光下，“逃”出他的家门。情况发生后，第二次上课时，在我和小男孩俩人时我曾警告他：你必须承认自己的行为，必须向父母说明东西是你偷吃的，而且与我无关……你知道那小家伙说什么？他听后哈哈大笑，说怎么无关？我是你的学生呀！这个小兔崽子！我心里气得直骂，可就是没办法治他，便恐吓他说你再不老实我就告诉你父母。小家伙根本不怕，反倒威胁我道：走着瞧，看谁治谁。我后来发现城里的小孩念书不一定行，但心眼就是比我们农村的小孩多，就连我这样的大学生都不是他们的对手。事情是在这之后的一次家教时发生的。那天我的“学生”父母依旧在我给他们的儿子上课时便出了家门，而只会吃不会学的小公子就开始像不知挨了多少天饿似的翻箱倒柜起来，真是见什么吃什么。有了上几回的教训后，这次我想先来个“阻击战”——不让小家伙偷吃得逞，于是便与他“穷追猛打”一通，硬从饿狼口中夺食……我不知那两个小时是怎么过来的，当我上气不接下气地累得瘫在椅子上时，门外楼道的脚步声又响起来了。正在兴冲冲啃着芒果的小家伙说了一声“不好”，便连跳带滚地从里屋奔到外屋，装出又在上课的样。就在他父母开门的一瞬间，这个小兔崽子顺手把一只吃了半截的芒果往我嘴里猛一塞……在我还根本没弄清是怎么回事时，他的父母凶神恶煞似的站在了我面前。“我、我……”这时嘴里含着半截芒果的我极力想说明真相，却由于紧张而变得更加语无伦次，脸也比以往涨得更红。“好啊，说了半天，原来是这么回事！难怪这段时间我们家里有什么好吃的转眼就没了，敢情是养了一只大耗子！”只听那个当母亲的女人尖着嗓门一边叫着一边瞪着两眼像要吞下我似的，她身边的男人也帮腔朝我怒吼起来。无所适从的我尽管当时想努力辩解，可就是说不出一句话，只有眼眶里的眼泪决堤而出……那天我不知自己是怎样从这个小男孩家走出来的，我只记得我回到学校时已经很晚很晚了。见我回到宿舍伏在铺上便号啕大哭，同宿舍的同学以为我出了什么事，赶紧过来安慰和询问，她们越问我就哭得越伤心，吓得大家不知怎么办。那次，我整整在床上躺了三天，也从此再没到那顽皮的男孩家去上课了。

可是对没有任何其他经济来源的我们这些穷学生来说，不去谋一份家教什么的你又怎么想完成四年的大学学业呢？之后没多久，我又重新在别人的介绍下找了一个家教差事。这家的小孩是个女孩，我能成为她的家教老师也是因为我重新找家教时所提出的特别条件——必须是女孩我才去，小男孩我坚决不教。可小女孩也并不就没问题呀！事情偏偏还都给我碰上了。

这个小女孩是个初一生，学习还是很认真的，但由于父母对她的期望值太高，反而使得这位小妹妹学习的效果失之正常。这个女孩的家长是一对苦知青，回城后在同一工厂工作，都没有上过大学，他们因此对孩子的要求格外严格，是想把当年他们没有实现的大学梦寄予女儿身上。我看他们也很不容易，吃的穿的都很简朴，但却把女儿的学习安排得不能再满。双休日两天，有半天是我给上的数学家教，另半天是另一位没谋过面的大学生上的英语家教，还有半天是家长自己带着孩子上外面的音乐辅导班，留下的半天是女孩子自己做作业，总之我觉得这小妹妹很可怜。小小年纪戴了副眼镜，说话办事都像一部已经被输入程序的电脑。很少看到她脸上的笑容，很少听到她说出一句属于孩童那种年龄的话语。你说学，她就打开书本；你说做作业，她就拿起笔……然后我发现她缺乏一般孩子的那种基本灵气，不知为什么，我觉得这孩子的智慧之门虽然开着却没有那种吸纳的旋流与热情，相反冷漠的成分却很多。父母对她的要求越多越高，女孩的这种冷漠就越严重。我曾经对女孩的家长专门谈过这件事，但他们并不理会我，说要让小孩出成绩就得不断加压，尤其是女孩。尽管我无法同意这种观点，但当他们反问我你考上大学除了发愤苦读外，还有什么其他窍门？我想想确实除了苦学什么窍门都没有啊，而且我上初中高中时哪有城里孩子这样条件，想要什么父母就都给你准备好了，就是你还没有想到的也都为你准备齐了。城里的孩子与我们农村的穷苦家庭的孩子相比可谓是天壤之别，想想这些，再看看我的“学生”的学习与生活条件，我真的觉得她父母的话似乎也很有道理。可怜的小妹妹，学吧，谁让我们都是家长们的希望呢！我父母为了让我能实现“跳出农门、光宗耀祖”的希望，可以撕破脸皮跪在别人面前磕头为我借上大学的学费。相比之下，我又觉得我教的这位小妹妹要幸福得多。来吧，为了父母们的共同希望，我们努力学习，发愤学习，拼命学习，直到用尽我们最后的一点力气……

又是一个星期天，早晨起来我觉得头昏脑涨，因为我们女孩子每月总有一次那件“倒霉”事，而一到这时我浑身不对劲，加上学校又要考试，所以那一日我特别打不起精神。想给我家教的家长打个电话，又一想我的饭卡上已快出现“赤字”，便咬咬牙上了路。我好不容易换了一趟又一趟车，又一步一步登上六层楼，当我费力推开门时，迎接我的竟是两张恨不得要吃掉我的脸。“你上次都给她说了些什么，啊？快说！”女孩的家长一把将我扯到几尺远的墙边，一边吼着，一边问，连唾沫星子都喷到了我的脸上。我不知是怎么回事。“你说怎么回事？她出走了！”我一听也着急起来：“为什么呀？”孩子的母亲哭泣着向我叙述道，说今天一早起来后，他们让女儿准备等家教老师来了上课。谁知从来大人说什么就做什么的“小孽种”今天不知哪来一股邪劲，说我不能把“最后的一点力气”再用在读死书上，我要把“最后的一点力气”用在像别的同学那样痛痛快快玩一回上，说完她打开门就走了。“你说说她这个小东西哪学来的这些邪气？谁教她啥‘最后的一点力气’的屁话？啊？你说说这是怎么回事？”我的心一下紧缩起来，这孩子怎么这样理解我的那句话呢！看看像丢了魂似的孩子父母那无所适从的样子，我说当务之急把孩子找回来才是。这会儿他们手忙脚乱开始又是给派出所、亲戚和孩子的学校、同学打电话，又寻思着孩子可能去哪些地方。我说分头找吧。孩子父母到那些没有电话的亲戚、老师家找，我便负责到那些小孩们常去的公共场所找。我找啊找，跑了一个公园再走另一个公园，走完一个游乐场再跑另一家影院……直到夜幕降临，再也不能在大街上看清什么时，我不得不拖着一双发麻的脚往回走，有几次差点被身边飞驰而过的车子刷倒。等我好不容易爬上那女孩家的楼梯，想叩开门看看我的学生有没有回家时，只听里面一男一女像发了疯似的在怒吼着：“……噢，你以为我们辛辛苦苦供你上学容易吗？你知道为了给你请家教，我和你妈连结婚时买的上海牌手表都给卖掉了！”“你真是越活越不知天高地厚！我跟你爸都下岗了，每一次给你付家教的钱你知道怎么来的吗？都是我们半夜上人家饭馆澡堂洗碗拖地挣来的苦命钱哪！你这没脑子的，不好好学习也就罢了，还竟敢独自梗着脖子往外跑。好你个没良心的，从今天起，家教也不给你请了，你就天天跟着我们去打工吧。呜呜呜……”后来是不停的哭闹声和乒乒乓乓的摔打声。我知道我再不能进去了，我也没有力气再去叩开这位小妹妹家的门了，自然也不可能要回我已经教了一个月的家教费。我只记得在下楼后的回校路上，我一搭上那辆公交汽车就睡着了，直到乘务员硬将我推醒时我才发现自己竟到了这一路车的总站。当时我全身没一点力气，我求公交乘务员说能不能让我在车里睡一晚。可人家说像你这样的“上访人员”应该到派出所去报到。我一听这，心里好一阵凄凉，瞧人家都把咱当成上访的了。我再看看自己那连走路都歪歪扭扭的样，可不像个上访者么！

夜，下着细雨，寒风吹得浑身打颤，孤独的我站在雨中的街心，欲哭而不能，因为我知道在这座城市还有我三年的学业，我也知道在这之后的三年中，我依然天天要面对由于生活贫困而生发出的许多许多根本料想不到的事来。

……

这位女大学生其实是位很富于幻想色彩的女孩，而生活与学业迫使其暂时将丰富、浪漫的内心世界退至遥远的一边，替代的是本不该有的冷峻与过多的刚毅。

在一个暑假里，另一所大学的十名女大学生一起来到同一家酒店打工，四天后，她们却突然集体辞职……那是一次为钱而去的冒险闯荡，但当女生们回来时却得到了沉甸甸的“无价之宝”。为这，化名李军的“我”写下了一篇荡气回肠的檄文——

校园里贴满了招聘暑假工的广告。我和阿惠决定假期不回家，打一个月工赚些钱好交下学期的学费。金山大酒店的广告非常诱人，要招收相貌端正的女大学生做服务员，早晚两班，每班 4 小时，一班 12 元，管一顿午餐，小费归己。所以连我和阿惠在内，它一共招了十名女大学生。

酒店内部用日式拉门隔成一个个单间雅室。第一天去上班，换上酒红色的统一服装，扎上雪白的小围裙后，老板和老板娘联合向我们训话。老板矮胖精明，一副很诚恳的表情："我知道你们几个家里都很困难，我们绝不想从你们身上捞什么，只是体谅你们读书不容易，想给大家一个勤工俭学的机会。"老板娘挎一个鼓鼓囊囊的腰包，妆化得可以立即上台演出，她第二个训话："但出来打工就得按规矩来。第一，上班时必须化妆，脸上得时刻带笑，谁砸了客人的兴致我就砸谁的饭碗；第二，你们几个人先试用十天，每天按 10 元工钱，干得好接着按 15 元钱算，出岔子的就请走人。"我们十人站成一排，谁都避免抬头直视她那黑黑的熊猫眼，同时也试图逃过她那如刀似箭的唾沫星子。"第三条嘛，你们可是我高价请的，所以得戴上校徽来上班。"十人中起了点小骚动，我不安地偷视左右，几个同学的神色都很困惑。"对不起，我想第三条不合适。"一个清亮的声音突然响起。老板娘的眼睛眯了起来："谁说的？"我左边一个苗条的女孩子站了出来，我知道她是与我同校的法律系大三学生，一向以口才著称。"打工是我们个人的事，与我们的学校无关。我认为您这个要求对我们学校的名誉、对我们自己的尊严，或者对您和老板的愿望出发点都是不合适的。"我觉得空气骤然变得紧张了，只见老板扯了一下脸涨得通红的老板娘，笑眯眯地打圆场：“好，不愧是大学生，想得周到。戴什么校徽呀，怪麻烦的。好了，干活吧！”

从早上10点干到午后2点，我们早班五个人和晚班五个人一起坐下吃饭，大圆桌上只搁了一大盆土豆炖茄子。有一个女孩子吃完后又去添了一勺，老板娘狠狠地盯视着她一口一口往下咽。结果我们剩下的九个人不论饥饱都只吃了一碗饭。

第二天吃饭时，只剩下了九个人。晚班的一个女孩偷偷地告诉我，昨天那位师姐被老板娘撞了一下，结果打了一只碗，被扔给10元钱后“炒鱿鱼”了。我的心一沉，这工看来不是那么容易打的。

饭店门口竖起了一块醒目的大牌子，上面写着：“本店由女大学生为您服务。”后面一连三个夸张的惊叹号。饭店前的车马上多了起来，我们几个忙得头晕腿软，老板和老板娘却乐得合不拢嘴。

我和阿惠负责7号、8号两个单间。我刚给客人上菜单，就看见阿惠含着眼泪，踉踉跄跄地跑过来。我抓住她急切地问：“怎么啦？”她抖着嘴唇，羞恼地说：“他们欺负人！”我放开她，快步到8号间门口，一阵哄笑正刺耳地传出来。“到底是学生，摸一下就吓成那个样子。”“哈哈，大学生有什么了不起？只要老子有钱，她就得来侍候我这个小学生！”“哈哈……”我想冲进去，想叫想骂，但脚却像钉在那儿……我只能使劲地攥住拳头，指甲深深地扎进手掌，有种钻心的痛。

有天吃午饭时，我发现又少了一个人，是我们中间最漂亮的那个女孩。她一直站在门口当迎宾小姐，昨天一群韩国人来吃饭，出门时借着酒兴动手动脚，被她毫不客气地甩了一巴掌，所以她也不见了。这天的菜是土豆炖豆角，老板娘不再担心我们多吃了，因为大家看上去都食欲不振。老板娘正在品评那位被解雇的“假清高”小姐：“来干活不就是为了赚钱吗？当服务员还摆什么臭架子！没让你们三陪吧？摸摸能少块肉还是怎么的？”有人第一个放下筷子，我们也就默默地起身，却被一向“和蔼可亲”的老板叫住了：“先别走。有件事想和大家商量一下。昨天店里生意不错，客人们都夸你们气质好。我准备在此基础上再搞点小创新……啊，一点小改革。”他看上去犹豫了一下，看看我们这八个温文尔雅的女学生终于说，“你们也都看到了，咱们这儿的装修带点日本风格，所以我想从明天起，让大家实行日本的‘跪式服务’，创出我们自己的服务特色，怎么样？”

我内心深处有种怒意腾然升起，开口时声调冷得让自己都直发抖：“那外面的招牌是不是也要改为‘本店由女大学生为您跪式服务’呢？”老板的笑脸慢慢消失了。“这只是服务方式上的改动而已，有什么了不起？你昨天不是得了50元小费吗？跪式服务后100元钱赚得好轻松嘛！”愤怒之火已经在我全身燃起，我深吸了一口气，强令自己挺直脊梁，正视他的眼睛：“如果你们利用某些人以金钱奴役知识的渴望来赚钱，那是你们的事。我们并不介意为赚了大钱的小学生服务，这是用我们的劳动正当赚钱，绝无羞耻之处。但这是中国，不是在日本，所以我们不会跪下。让我们所代表的知识跪倒在你和另一些人所崇拜的金钱面前，我们更是跪不起！否则跪倒的不仅仅是我们的人格与尊严。”老板娘在一旁终于得到了机会，声嘶力竭地喊起来："你听听，你听听，我就知道她是渣滓，非挑事不可！"我冷冷地看着她，另外七个人的目光和我一样冷峻，站得同我一样直。我知道我并不只是代表自己说话。老板、老板娘也自然知道这一点。

第四天，我仍去上班，很本分地工作。他们没直截了当地叫我"开路"，只是沉着脸，不停地挑三拣四。我努力不出一点差错，甚至当老板娘故技重演来撞我时，我也身手敏捷地让过，没让手里的大盘小碟有一个落在地上，还能对着同学紧张的目光安抚地笑笑。

就要交班时，一张七人桌该结账了。这些人看来是熟客，老板送了一个菜，还和他们干了一杯，老板娘更是眉目传情的不在话下。可结账时两个人却都失去了踪影。最老实的丽负责这桌，她微笑着报出："330，先生。"为首的那个大块头潇洒地一挥手："老规矩，挂账。"起身就走。丽不知怎么处理这局面，急得直喊："先生，不行的，您跟老板自己说行吗？"大块头"嘿嘿"两声："他敢说不行，你让他自己去找我那儿拿钱。"顺手在丽脸上摸了一把，吓得她直往后退，差点儿没坐在地上，而他们却扬长而去。

我们冲上去扶住丽，身后却突然炸起一声"霹雳"："谁让你们挂账的？这桌的钱你们赔！"是老板娘，她的眼神尖刻得像能割下肉来。老板不吭声地站在她身后，眼皮耷拉着。丽忙分辩："不是的，你们看到了，我要钱了，他说和您认识，总挂账的。""谁和他们认识？都像你这么干，我们喝西北风去呀！"我忍不住了，转向老板厉声道："这不公平！你该知道他们是什么人，这事不能怪阿丽！""啊哈……"老板的眼皮一下抬了起来，那老板娘也跟着兴奋道：“真有人打抱不平啊！要你们跪，你们长篇大套地说什么尊严，转过身就‘坑’我们，让我们赔老本！好，我们庙小养不了大菩萨，你请吧！至于阿丽，拿出330元现在就走，拿不出就给我干活去！什么公平不公平，反了！”看着他们暴跳如雷的样子，我突然觉得滑稽极了，有种想大笑的冲动。事实上我确实笑着摘下小围裙，轻轻地放在桌上：“你们不值得我和你们讲什么道理。四天40元钱划给阿丽，算赔你们的。”我骄傲地抬起头，迈着坚定而沉稳的步子向大门走去。“等等。”是阿惠的声音。我转过身，她正把围裙放在桌上：“我的40元也划给阿丽，我也不干了！”“我也不干了……”另外六个也同声响应。当懦弱的阿丽向我们走来时，她看上去是那么勇敢、坚强。“我们八个人，四个人干满四天，是160元；四个人干满三天，120元，合起来是280元。”我的话音还未落，阿惠把50元钱塞到我手里，我感激地向她点点头，毫不犹豫地将钱扔在地上，“加上这50元小费，330元，两不相欠！”老板的脸色难看极了，努力地想挤出一丝苦笑：“这是怎么说的呢？有事好好商量，你们一走我们怎么办？”“您和老板娘可以亲自上阵，实行跪式服务！”

门外的天蓝得让人神清气爽。我们八个人一起站在街道上，眼里都闪着泪光，但突然都想开怀大笑，一吐那心中久积的恶气浊气痛痛快快地长笑……

假期还没有完，我们仍然会去打工，因为我们需要钱。但有一点我们却一定会永远坚守，那就是：我们绝不出卖自己的人格与尊严！

……

听听，这便是中国女大学生的声音。

她们还要去打工，因为她们需要钱。但她们却不因为贫困而让人左右做人的尊严，掌握她们命运的是知识和知识铸冶的理念。

第九章 垒筑精神家园

清华园里涌“清泉”

1995 年岁末的一天午饭时，从不在学生食堂就餐的几位老教授突然来到异常拥挤的学生食堂打菜处，正准备就餐的学生和打菜的大师傅们觉得很奇怪。

“先生们也想尝尝这儿的饭菜味道？”掌勺的大师傅半开玩笑问这群“不速之客”。

“不，我们看看。”老教授们脸色凝重，既不像是来此参观检查，也不像是闲逛。那是来干什么呀？

“有什么特色小炒吗？怎么老是那几个破菜，没劲。”学生们只管打自己的饭菜。这时有几名站在前边的学生正在跟大师傅们说着话。

老教授们看看这几个嚷着要买“特色小炒”的学生，没有说话。

“给半个豆腐白菜，加一个馒头……”又一位学生来到卖菜窗前。他话说得很轻，又几乎以快得不能再快的速度买完饭菜后出了食堂。

“追追，快追上去问问是哪个系的……”几位老教授忙不迭地互相催促着，但两位跑得气喘喘的老先生不一会儿回来沮丧地报告同伴：没追上。

“先生们为什么要追刚才那位同学呀？”大师傅们好奇地问。

“我们听说学生中竟然有人常年一天只吃两顿饭，每次还只打半个菜、一两个馒头，所以来考察一下到底情况是否真实。”老教授们终于讲出了自己的“秘密行动”。

“哈，你们问一声我们不就全知道了吗？”掌勺的大师傅们觉得教授先生们就是有股学究气，啥事都自个儿跟自个儿较真。

“你能告诉我们什么呀？”老教授们冲着掌勺的大师傅瞪眼。

“嘿，那你们就小看咱掌勺的了。”一个年轻的大师傅说起劲儿来，“不是海吹，我的勺对学生情况的了解要比校领导和学工部的人清楚得多，谁是富家子谁从贫家来，谁是本分人谁是败家子，谁今儿个成绩好谁明儿心不顺，我这小小的勺上都记得哩！不信，咱就说说你们想打听的刚才那位打半个菜的学生……”

“是啊是啊，你说说他是哪个系的？几年级几班？”老教授们迫不及待地问。

“我不但知道那学生是哪系哪级，还知道他是四川人，去年考上咱清华后整整乘了四天车才到了北京。他家贫，来上大学时就背了半袋花生米，身上的那件西服是乡长临送别时给他的……”

“现在呢？现在这同学怎么生活的？”

“刚才你们不是都看到了，他几乎天天只吃两顿饭，每顿只打半个菜还是最便宜的，打那么一两个馒头……”

“果不其然，果不其然！”老教授们神情更显凝重，之后，他们又分头到了学生宿舍……

不几日，校报《新清华》以醒目的位置刊发了这几位老教授以“清华大学侨联”名义向清华全校和全体清华校友发出的一封援助贫困生的“倡议书”——

清华大学——这所全国著名的高等学府，为我们伟大祖国的现代化建设输送了成千上万的高级科技人才，全国人民对她寄予越来越高的期望。“争取在2011年清华大学建校100周年时，建成世界一流的有中国特色的社会主义大学”这一宏伟目标，正日益深入人心，成为全校教职工奋发工作的强大动力。广大清华校友无不关切母校的发展，海外侨胞和华人也时刻注视着祖国经济建设和教育事业的发展。

清华大学历年招收的新生都是来自全国的好苗子，有许多是各省市的高考“状元”或前十名，他们在老师的帮助下，为把自己培养成国家需要的优秀人才而勤奋学习。我们还注意到，在全校1万多名学生中，生活处在难以自给的，即平均每月生活费只有150元者，约占8%，特别困难的学生，即每月平均生活费不足90元者约2%。据我们所知，虽然学校已采取了许多补助措施，但仍有相当一批学生的困难得不到很好的解决，他们常为生活所困扰，影响他们健康成长。听说有一位困难学生每天只能买一个菜，其余两顿饭只吃主食。这样优秀的学生，生活这样困难，我们心里难受。

我们特向全校教职工和广大清华校友呼吁，希望大家都来为这部分学生的生活困难伸出援助之手。在我们力所能及的情况下，捐助一点钱，积少成多，为困难学生排忧解难……

没有华丽，只有硕果。清华人从来都是这样的品质，面对这发自肺腑的呼吁，谁能不为老教授们那殷殷赤子心而激动、而感染！

“老先生们的建议多好，我们清华人都应当像他们一样立即行动起来，尽自己所能，援助那些生活还困难的学生。哪怕是每个教职工每人拿出几块钱，让学生们吃上一顿像样的饭，在考试时不至于因饥饿而昏场嘛！”校长王大中在校务会上激动地站着高声说道，“清华大学在历史上从来就不是贵族学校。今天，也绝不能让一个同学因家庭贫困而失去学业！”

这是多么庄严的承诺！

那些经济困难的学子们，你们听到了吗？

正是一石激起千重浪。一时间，素以沉稳著称的清华校园内涌动起了少有的滚滚热潮。有人说，那是重师生情的清华人心与心撞击的“心潮”。在校领导和清华大学教育基金会的直接关注和参与下，中国高校第一笔专门为援助贫困大学生的基金——清华大学“清泉”困难学生基金，在清华园宣告诞生。

“今日一滴清泉，明天一片桃李。”1996年4月28日，这是清华大学85华诞之日。阳光明媚的清华园内彩旗飘扬，歌声此起彼伏。当校庆的序幕刚刚拉开，王大中校长激动地向万余名师生和来宾宣布了一件事：请在场所有心中有爱心的人给我们的贫困生们捐上一份你的爱！说完，王校长第一个来到已经摆在长桌上的一只捐款箱前，庄重地向箱内投进了300元。“谢谢校长。”一位同学代表走到王校长面前，端正地给他胸前别上一枚精制的徽章，那上面闪亮亮的正是本节开头的那十二个字。

“泉水清清，泉水清清，流到你心田……”美妙的歌声，动人的旋律，把节日的清华园里的每一寸绿地都催醒了。在校长后面，是长长的队尾望不见的捐款者，他们中有享誉国际的中国科学泰斗，有白发苍苍的退休老教授，有刚从国外回国的年轻博导，有专程而来参加校庆的海外校友或出差顺道回母校“探亲”的国内校友，更有同是学子的青年团员、学生干部……

“那场面太感人了，那些在清华园里住了几十年的老教职工们都会告诉你，这是自有清华园以来让人感到真情的少有的动人一幕。”两年后的1998年“五一”前，当我来到清华园采访清华大学教育基金会负责人时，这位当年作为“清泉”基金捐款仪式组织者之一的老师仍按捺不住内心的激动而感慨道。他说就那一天，他们的“清泉”基金便收到捐款20余万元。他拿出当时的一份登在《新清华》上的捐款名单，我忍不住将目光从长长的名单上停在了下面的几个名字与数字上：

陈浩凯 1000 元

凌瑞骥 1000 元

李传信 1000 元

顾涵芬 10000 元

耿涛 0.10 元

熊强 5 元

“陈浩凯和凌瑞骥两位都是老先生，也是‘清泉’基金的倡导者，李传信是我们的老党委书记，他跟上面的几位老教授都是第一批捐款者。捐10000元的顾涵芬是位在教育一线的老教授，她把自己多年的积蓄全都拿了出来。那位只捐了一角钱的自己就是位贫困生的耿涛，他本来是受捐者，可那种场面他说太令他感动，他把当时口袋里仅有的一角钱捐了出来，并郑重其事地在捐款者留名簿上写下了自己的名字。那一天感人事例太多了，譬如捐5元钱的熊强，他是个中学生。他在捐出这5元钱时还专门附了一封信，谁看了都会掉眼泪，他说：‘在我十五年的人生岁月里，深切感受到社会主义大家庭的温暖。我常常想，自己能为社会做点什么呢？当我得知全国著名大学、我心目中的圣殿——清华大学竟有许多大哥哥大姐姐们连饭都吃不起，我难过极了。我想：他们考上清华已经很不容易了，如果因为生活拮据，而在营养方面跟不上，就会损害身体，也将耽误学习。因此，今天我把自己上周参加勤工俭学得来的5元钱捐给你们，希望尽自己的一点微薄之力，帮助某一位大哥哥大姐姐买一份好菜，从而更有精神地投入到紧张的学习中去。钱虽然太少，但这是我的一点心意，恳请一定收下……我祝愿清华的大哥哥大姐姐们早日成为祖国的栋梁。’老师们的事迹就更生动了，精仪系的老师还在自己系里设立了一个‘精仪系希望工程’，200多名老师人人捐款，并用这笔款长期援助本系的几位特困生……”清华教育基金会的这位老师告诉我，清华园内的师生共同筑起了“清泉”济困基金，从那次捐款之日后，每年4月28日的这天校庆日，便自然而然地成了全校师生自觉自愿的“济困日”，真是做到了有钱出钱，有力出力。这一校风后来渐渐被校友们都知道了，故现在时常收到海内外诸多校友及他们的亲朋好友给“清泉”基金的捐款。这位老师透露，清华全校贫困生约1100人，不久前的一次抽样调查表明，清华现在普通学生的伙食费平均每人每月280元左右，而特困生的月经济来源过去不足90元，一般经济困难的学生不到120元。如果仅这么点钱，就把它都放在吃饭上，一日三餐每天才不到4元钱，况且学生们总还要买些生活和学习用品。目前约有六至七成的贫困生在勤工俭学，约每月增加100至150元收入，加上一部分人享受学校的“奖、贷、免”，这样就有近一半的贫困生能维持基本生活水平，剩下的一半左右，便是享受“清泉”基金。清华大学现在募捐到社会各界的教育基金总额约1.1亿元，包括其中的“清泉”基金。学校自有了这项专门基金，每年就可以发放“临时困难补助”（专发那些因家庭或自己突遇不测的）、“勤工俭学补贴”（学校设立的勤工俭学岗，一般每天可得12元报酬，另学校加发12元补贴）、“励学奖”（奖励那些生活困难而努力刻苦学习的，每人200至400元）等约130万元至150万元，这几年清华大学年年这样做，这笔金额等于全校贫困生平均每人每年享受学校发的贫困补助金达1000元之多。清华园的学子是幸运的，即使是常年得不到家庭一分钱的经济资助，他们依然可以维持自己的基本生存，如果能再稍稍勤快些谋一个勤工俭学岗，那日子将是宁静和平和的。

校长王大中在评价他们的“清泉”基金所产生的效应时，用了这八个字：惠及清华，功在中华。

校园“自助社”

刘晓平同学是我采访的300多名大学生中唯一一位非贫困生，然而他是我必须采访的对象。他所在的某工学院是我国五大理工学院之一，用这个学院的党委副书记杨波的话说，你别看没几个中国人知道我们工学院的名字，但如果你从小生长在我们学院，你可以从小学一直念到博士后，如果你愿意留在学院，那你就可以在我们学院的校园内度过一生，而且并不影响你有创造世界顶尖科学成就的机会。我知道中国有不少这样的大学，但除了上面这些受教育与搞科研上的同等优势外，他们的生活和工作方面却与清华、北大无任何可比之处，用天壤之别来形容毫不夸张。

刘晓平上的就是这样一所大学。这样的学校还有人来上，就是因为它首先也是所大学，其次它可以在录取分数上得到某种“优惠”——其实考生们后来发现并不是那么回事，凡是家庭贫困的苦孩子们都争着上的大学，其“第一志愿”的竞争更加激烈。刘晓平有深切的体会，当然他当时报考这所大学的原因主要是从前者的角度考虑多一些。那些贫困家庭的孩子们来到这样的学校才发现，进这样的学校有一个好处是，穷家庭出身的多了相互之间倒也容易混在一起，而不至于受那些有钱同学的冷嘲热讽。但也有一个致命的缺陷，那就是他们不可能像清华大学的贫困生能享受那么多的补贴。每年每人1000元？！给了我，我不也成“富翁”了吗？穷孩子哪想过天上会掉那么大的馅饼！他们最大的心愿是在饭卡上快断钱时能有人给10块、20块的，也就是“上帝的恩赐”了。学院针对贫困生多的情况，尽量地把食堂伙食搞得好一些，把菜价饭价压了又压，一个豆腐1元钱，一个豆芽8角钱，但同学们仍然闹着太贵，说这样的伙食标准他们只能每顿打半份。老师们看着可怜，就自发捐助，每一次捐助总是全校性的，从校长到书记，从教授到助教，甚至家属和员工都被调动了起来。每一次总能募集到十来万元的钱物，但也仅是这十来万元的钱物，绝对难以有更多的捐助，校长和老师们不吃不喝一个月也就拿死死的六七百、千把元钱……尽管如此，学院已连续几年都要进行这样一次活动，因为他们得不到外援——有钱人爱捐助那些大城市里的名牌大学校，这样做既有图方便之处，更有捐资所获得的社会效应，人们对此无权指责，即使有的捐助商怀着某种特殊意图。然而刘晓平他们的学校得不到依然是得不到。

来自富庶之地扬州市的善良的刘晓平惊骇地看到了过去他从未看过和听过的同学们为了读书而忍受的种种艰难：

有人吃饭从不到食堂，即使去了也只买最便宜的菜。从小花钱没有受过节制的刘晓平觉得不可思议的是：他一个星期为换换口味上一次馆子至少要花上百十来元，而他的同班同学有人竟一个月花的伙食费也不到100元！

他爱穿流行一点的衣服，不算奢侈，一般一年四个季节买上三五套，一两千块吧。可后来有人告诉他：有的同学上大学四年连袜子都没添过一双，从头到脚的所有穿着仅一两套，而且还是上大学时乡亲们送的呢！

开始刘晓平不相信这些，但过上几个月大学生活后他都服了，因为过去别人说的事现在在他身边甚至同一宿舍里都发生着。

印象最深的是1997年已经大二的刘晓平亲眼看到了这一年新生入学时的那一幕：有位四川来的新生是其家长送来的，那学生的父亲肩上挑着一根木棍，木棍两头挑着两个塑料袋，塑料袋的四只角都是用小绳子打着结。再往这位学生父亲的脚上看，一只脚上穿的是张着口的凉鞋，另一只脚则光着。一问，说是下火车时掉的。天黑了，学校给这位家长安排了住处，是最便宜的5块一张床铺。那新生的父亲说什么也不住，他说我就在操场上歇一宿就行了——这一宿他真的在操场的露天里铺下一张旧报纸睡了一夜……

刘晓平这位富有家庭出身的"公子"，其内心受到的冲击难以用言语形容。面对一张张因贫苦而惆怅、焦虑多少有些自卑的脸，刘晓平思索着，比较着，并且有一种强烈地要做点什么的心思。特别是一次他参加院四系为贫困生覃璇同学"献爱心"活动后，这种想做点什么的心思就更加强烈。覃璇同学因家贫而面临姐弟三人都要辍学，班里同学二十几人都伸出了援助之手，虽然当时覃璇同学受感动而放弃了原来想退学的打算，然而仍然不能解决在学校的基本生活问题。而像覃璇这样的同学在学校还有不少，怎么帮这样的同学走出贫困的阴影呢？从小学到大学，一向无忧无虑的刘晓平在那些日子里总是在思考这个问题。

能不能创造一种机会让这些贫困同学通过自己的努力来自立？刘晓平悄悄把自己的想法告诉了一名好友，谁知好友反问他是不是神经有问题了。"你爸你妈花大把钱是让你好好来上大学的，将来有个出息的工作。你操别人的心干啥？再说操得起吗？学校对他们都头痛，你有多少能耐？如果为了找心理平衡，等人家捐助时咱们多扔一份钱不就得了！"

话不投机，刘晓平只得自己独自琢磨。他开始为自己的构想奔波起来，先是找到班主任。班主任很支持，说应该力争得到系和学校的支持。于是刘晓平挑灯夜战写方案，第二天又给班主任老师看，老师又帮他修改。几稿之后，刘晓平敲开了学校团委书记的办公室……

“想法很好。就是学校可能力不从心，不能过多地帮你。”团委书记说。

“我什么都不要，就只要学校给提供一个场所和一部分启动资金。”刘晓平赶忙做补充。

团委书记苦笑道：“学校缺就缺这两样。”

刘晓平从头到脚像被灌了冷水。“先别急，我与学工部商量看看，争取他们的支持，因为你想成立‘大学生自助社’的目的也是我们都在想的事。”最后，团委书记给了他一个有些希望的答复。

刘晓平等啊等，隔三岔五地往团委和学工部那儿跑。终于有一天，学工部部长告诉他：你的建议被批准，学校还准备提供一个场所和一部分启动资金。

“太好了！”刘晓平一听，简直就想欢呼。

接下来的事是：召集人马，添置设备。既非学生干部又非“红头文件”任命的“自助社”社长刘晓平，想了想，只能先说服身边的同学好友加盟呗，当然主要是那些需要帮助的贫困同学，还有必须是会一定专长的人才能参加。

能借块黑板用用吗？——没有！

你们的油印机能让我们使一下吗？——没见我们正用着吗？

在宣布“自助社”成立的前几天，刘晓平受尽了这一张张冷漠面孔的蔑视，不过最后让他欣慰的是毕竟还有七八个人和“六七条枪”。

“现在我宣布：自助社自今天开始正式成立。以后我们要做的事，便是通过全社人员直接参与勤工俭学，共同创造财富，从而为社内的贫困同学以及学校的贫困同学尽我们社的所能支持他们完成大学学业。自助社现暂设三个部，分别为洗衣部、电子维修部和财务部，以后根据发展再确定具体步骤……”在一间还没有来得及粉刷的小屋里，刘晓平带着7名社员，面对墙上挂着的那件补了又补的破衣庄严宣誓——他这样做是想告诫全体“自助社”成员：今后他们所做的一切只有一个目的，那就是为帮助同室、同班、同校的贫困同学尽其所能！

在当今大学校园内各式各样名目繁多的社团现象中，刘晓平他们的小小“自助社”更像一个不起眼的萤火，尤其有人一听这名字，就嘲笑说：“这怎么跟农业合作社时代差不离呀！”

“我们就是要发扬小小萤火的精神，把大学生的自立互助风尚燃遍全校。”以往干什么都是嘻嘻哈哈的刘晓平，转眼在同学们的眼里成为“红色赤卫队队长”，又是刚正不阿，又是威严果敢。他带着“社员”利用课余和星期天时间，逐个宿舍、逐个楼门去宣传、去服务。真是功夫不负有心人，一个仅仅诞生没几天的小小学生社团，竟在校园内成了无人不知无人不晓的知名组织。同学们开始主动把要修的旧鞋破衣拿来了，而一到星期天想修“随身听”的人更是排着队来到了“电子维修部”，至于想参加“自助社”的同学更多了。等到第二学期开学，“自助社”人员一下从原来的8人发展到40余人，其中70%是贫困生。“自助社”的业务也扩大到了承揽全校教职员工和家属的各种家政服务、有义务对校内遗失物品进行妥善处理的“失物招领中心”，有“家教中心”、“公益服务中心”等十几个类别。

今年5月的一天，我来到刘晓平所在学校，学校领导带着几分骄傲的喜悦，首先向我介绍了刘晓平他们的“自助社”。在两间并不大的校舍内，我看到一群同学们正在忙着整理一大堆衣服。刘晓平告诉我，这是他们“自助社”前一段时间搞的一次捐衣活动募集来的1000多件衣服，现在“自助社”的同学们正利用本学期结束前的一两个月时间，把这些衣服整理洗净，等新学年开始后发放给那些缺少衣物的同学。

“在社里工作，一个月能获得多少报酬？”我问一位正在忙碌的女生。

她有些不好意思，片刻后说：“几十块吧！”

“那能帮你解决些什么困难吗？”

“当然。至少我现在不为吃饭发愁了……”

我感到一种具有振奋力的欣慰，因为我明白：在刘晓平他们所在的学校里，也许永远不可能出现像清华大学那样每个贫困生都能得到一份丰厚的特殊关怀，但他们这儿的贫困生们在像刘晓平这样一批非贫困生的热心帮助与呵护下，其自立自强的小萤火精神，同样光芒照人！

刘晓平成功地创办“自助社”，使我联想到了毛泽东主席在早期中国革命战争中所创造的“星星之火，可以燎原”的理论实践。中国贫困大学生问题在今天的高校是个不可避免的普遍性现象，学生成天生活在校园，他们的喜怒哀乐集中地表现在那块属于他们的圣院之内，加之他们多虑、敏感和一部分人人性格与行为上的封闭，能够在校园内得到关爱无疑是他们最求之不得的。另一方面他们的经验也证明了毛泽东主席的“走群众路线”是我们战胜一切困难的最有效办法。在校园内，学生和教职员工是学校的主体，凡是有广大的师生们自觉自愿地参与的事，总会有预想不到的效果。

在华东理工大学，团委主管学生勤工俭学的书记给我讲述了这样一件事：家住上海市区的退休教师陈鹏及夫人，其一子一女都在北京工作，老两口自迁居新村后生活多有不便，且精神备感空虚，尤其每当疾病缠身时更感到孤独无援。陈鹏老先生后来一听学校有不少学生经济困难交不起学费或生活成问题，且又找不到合适的勤工俭学项目，便萌发了与贫困生结对建立“互助社”的打算。陈老先生将自己的想法给学校勤工俭学指导中心写了一封信。接信的正是那些在勤工俭学指导中心工作的贫困同学，他们看了信很受感动，当日就派代表到陈老先生家看望。当同学们看到从教一生且写得一笔好字的老人家中并不富裕的境况时，内心受到极大震撼。回校后他们将情况在贫困生中一转达，同学们议论开了，说我们在这儿工作的十五个同学大都来自农村，每月平均生活水平在 160 元以下，如果说靠这些钱能生存得下去，应该归功于学校特别是老师们的各方照顾。今天老教师家里有难，我们应当伸出热情之手给予帮助。大家很快达成一致意见，决定分成若干小组，每周一至二次到老人家，义务为两位老人服务。陈鹏老两口对同学们的到来好高兴，尤其看到这些贫困生们个个热爱生活，又很会关心帮助人，做起家务活也十分的在行，更是乐不可支。但有一点他不赞同，那就是同学的义务服务。老人说：“我是想着同学们生活困难，才提出我们老少师生结对互助的，你们要一‘义务’，我心里就不落忍了，该怎么着还是怎么着。我们年岁大了，生活清贫一点无所谓。可你们不行，你们一方面学习任务那么重，另一方面又是长身体的时候，没有一定的物质保障是不行的。”在这位老教师的坚持下，同学们只好接受部分报酬，而陈鹏老先生呢，除了辅导学生一些功课外，还教同学们练字。现在这个“老少师生互助社”一直坚持了好几年，而他们之间的这种互助早已超出了劳动报酬上的交换范畴，更多意义上是一种同济共勉的崇高精神境界的相互援助。

在天津机电工业学校，有一群女班主任老师，她们为了使所在班上的贫困生度过生活难关，数年来始终如一地贡献着母亲般的关爱。1994年寒冬的一天，班主任王学凤老师路过校园的一条小道时，见本班的一个姓段的学生，站在一只垃圾箱旁边正伸手从里面捡出一双旧棉鞋。王老师过去问他捡这干啥，那同学低声地哭泣道：“老师，我想把脚上的鞋换一换……”王学凤老师一看这学生脚上竟穿着一双露出脚丫的自制单鞋，再抚摸一下他的腿，连条最起码的毛裤都没穿。王学凤老师的鼻子酸了：“从今天起，除了学习上课外，你到我家来……”从那天起，这位同学就成了王学凤家中的一员，有好吃的，全家人先留着让他吃，一年四季的衣服都由王学凤老师给添置，放假的车票也都是她买好后送到他手里。这位同学后来当了班长，还被学校评为“十佳青年团员”。现在他已经毕业了，成了某工厂的一名技术骨干。他给王学凤老师来信说：“王老师，在学校几年里我就想喊你一声妈妈，然而始终留在心头。现在我毕业了，我觉得可以大声地叫你一声：妈妈。妈妈，没有你这几年胜似亲人般的爱护，我难以想象自己能完成学业，今天成为一名能为国家做些事的有用人才。真的，王老师，请允许我终生叫你妈妈吧……”

这样被学生们尊称为“妈妈”的津门女教师何止王学凤一个。陶崇威老师这三年中带的学生先后有七个学生因重病住过医院，而每一个有病的学生从入院到平日的看护都是她陶老师包下的活。陶老师知道学校的难处，她从不向校方诉苦求助，她更知有病的贫困生内心的痛苦和无援的家庭，所以她只靠自己默默地担负起这些同学住院治病和平时生活上的照料。最辛苦的是有人住院治病的时候，陶老师就得成天从早到晚忙活。她家离医院很远，来回要骑车三十多公里，可为了让住院的同学能感受到一种家的温暖，她坚持自己炒菜做饭给同学送到病榻前，仅为了做到这一条，陶老师不知吃了多少苦。五十多岁的人了，又有需要管理的几十个上课的学生，又要照顾好在医院的病号学生，陶老师几乎天天要全身心地投入。医院里的人开始感到奇怪，问她为什么你家那么多“儿子”都有病呀？陶老师苦笑地摇摇头，说他们都不是我的儿子，是学生。医院的人惊愕得说不出话，因为在她们的眼里，这位累弯了腰的“母亲”至少陪床、守护了三五个病情严重的“儿子”。有人给陶老师算了一笔账：在这近三年里，她少说为有病的学生加了四百多个昼夜班，为学生交的学费、出的治疗费等不下3000元，至于平时买营养品、炒个好菜所花费的钱就更不计其数。人们无法从陶老师本人的嘴里知道这些，只有从她那日渐变白的头发和苍老的脸庞上看出那颗为贫困生们操劳、奔波的慈母之心。

某大学有位老教授八十多岁了，为资助贫困生，第一次制定了一天省1元的计划，后来当听说一个贫困生一月只花150元以下的生活费，老人家掐手指一算，才3块来钱一天。这怎么过呀！老人心疼地跑到学工部，说我今天开始每天省下5元钱，外加省掉早餐的一个鸡蛋，请你们把我省下的这些钱资助给一个贫困生，看他够不够吃的、用的，再不行我愿把收藏的一批书画全部给卖了。后来老教授真这么做了。当他欣慰地得知用自己的钱救助了5名贫困生时，老人家自己的生活费却每月降到了一个贫困生的水平上。就是这位老先生，他在接受我采访时坚持不让我说出他的名字。

几乎每个大学都有这样的老师，都有这样的同学，他们尽其所能，有的与贫困生结成“一帮一”对子，有的一个教研组、一个党小组合作起来帮助一名或几名困难学生。在南京十几所高校中，每年学生毕业时，校园内总有那些由老生联手自发形成的“旧货跳蚤市场”，其规模、其声势、其内容都很不一般。然而这几年“旧货跳蚤市场”的大拍卖，变成了一年一度老生向贫困生的捐献仪式。毕业生把自己已经不用了的成千上万的旧衣旧帽、旧书旧物和生活用品，无偿地留给困难中的学弟、学妹们用。这等众志成城的场面，谁见了都热泪盈眶……

今年开学不久，中国科技大学商学院97级2班学生小魏，意外地收到了200元钱和一封热情洋溢的信。从信中小魏才知道这是学校内的老师和同学们给他的一份“爱心款”。与此同时小魏还知道了另外9名与他一样经济有困难的同学也收到了来自学校“爱心行动特别账户”的这份钱物。“爱心行动特别账户”为何物？原来从去年底开始，有关如何帮助经济贫困的同学的问题，便成了科大校园计算机网上的一个热门话题。众多“网虫”经过网上一番交流、策划后，决定在全校范围内组织一次“爱心行动”，其内容是通过义卖、募捐等形式筹集资金，为帮助贫困生完成学业做一份贡献。动议一经在网上发出，立即得到科大师生们的积极响应。校网络中心还在BBS电子广告站专辟栏目，那些平时一心钻在知识海洋里的“网虫”们，这一回做起了另一件事：搜集自己的和所有可能参与的校友们的“口袋”——有钱出钱、有物出物，一分钱不言少，1000元不嫌多。行动吧，同学们、老师们！不几日，科大校园内的师生都忙着在做一件共同的事，这就是向网上“爱心账户”捐款捐物。“网上特别行动”收到了意想不到的成功，短短一段时间内，就收到了少至一毛、多至千元的捐款。策划此次活动的“网友”们又将这些钱转入当地银行……至此，科大的“爱心特别账户”就这样诞生了，小魏和另9名贫困生则是这个“账户”的第一批获得资助者。据发起“网上行动”的一位老师介绍，“爱心特别账户”完全是由师生们通过自愿捐助并完全在严格的网上监督下实施定期对贫困生的资助。运用这种先进的网上手段开展爱心活动的好处在于，可以随时随地提醒师生们向那些有困难的同学奉献爱心，从而在校园内联结起“爱心长城”。

如今，大学校内类似刘晓平式的“自助社”和科大式的“网上爱心长城”到处可闻，这些师生间的相互帮助集中体现了一个特色，即自觉、自愿。一位从老师和同学们那儿获得过这种资助的贫困生感动地说，我们的老师和同学大部分人都不是物质的富有者，因而他们的这种滴水之恩，更能激起我们贫困生的自立、自强。

从自觉、自愿到自立、自强，这是一段从单极到多媒、从分散到联合和从个体到集体的过程。不要小看了这过程，因为它连结起来就是钢铁，就是长城，就是不可战胜！

3 月——生命的驿站

1995 年 3 月的一天，正在金陵古都东南大学读书的吴淼同学感冒了。南京的春天真是怪，不是下雨便是暴热。吴淼对自己的感冒并没有放在心上，这种流行性感冒在大江南北的气候交汇处是太常有的事了。体育课时，吴淼与平常一样，该跳照跳，该跑照跑，他毫不在乎。可突然间，吴淼一下感到视线模糊，开始他以为有什么异物掉进了眼睛里。不对，吴淼觉得除了眼睛模糊外，浑身也顿然乏力，彻底地乏力，直到像掉进了万丈深渊……等吴淼再醒来时，他早已不在体育场，而是躺在了雪白的病房内。呵，床是白的，墙是白的，一切都变成了白的，连同自己的生命。吴淼从昏迷中醒来时，就听一群医生在跟自己的班主任交代：严重肾衰竭。只有两条路可走，一是长期做肾透析，每星期两次，每次最少得花 340 元，一年 3520 元左右；二是做肾脏移植，手术费约 5.5 万元左右，连同手术后服用 5 年的抗排异物药费（一瓶

3000元），至少27万元……

“医生，我、我家在去年我上大学时就借了人家好几千元债，现在穷得连头耕牛都没了。27万元哪！这不是要我全家的命吗？医生，我不治了，不治了……”吴淼这位刚强的山里娃第一次痛苦地闭上眼，只有两行止不住的泪水顺着他那侧过去的脸颊，浸透了病榻头的白被……

吴淼是不幸的。半年前，当这位鄂北竹山县的山娃娃以优异成绩走出山村，来到国家重点学府——东南大学时，17岁的小伙子心里充满了多么浪漫而又美好的理想。然而仅仅几个月的校园生活，吴淼却面临着生命与前途的灭顶之灾。其实，吴淼不知道，像他这样好不容易走出山村，然后又面临病魔不幸折磨的大学生并非他一人。在我采访的几十所大学里，据不完全统计，至少有3%左右的贫困生是由于各种疾病而陷入了学业与生活的双重困境。如果说，一个经济困难的学生要完成四年的大学学业是在跨越一道高不可攀的山崖，那么对那些身患疾病的贫困生来说，他们将面临的则是一道死亡之槛。

吴淼又是幸运的，因为他生活在中国的大学校园内。当东南大学的师生们得知吴淼身患重病、生命垂危的消息后，整个校园发出了强烈的呼唤：“吴淼，我们要留住你！让你回到我们中间来！”

首先行动起来的是吴淼的同系学友，60多名同学全体出动，他们挤出时间，24小时轮流上医院值班。一天、两天，十天、二十天……在吴淼病情最紧急的两个月内，全体同学不分男女，日夜守护在病榻前，用一颗颗青春的滚烫之心，呵护着同窗好友渡过生命的死亡之槛。

当吴淼在病榻上迎来第一个初冬时，东南大学又一次专门为他举行了全校性的捐助活动。那一天阳光正暖，许多人不约而同地来到募捐点，5块、10块、100块……有饭票、有现金，人群中有学生、有教授，也有校领导和退休职工，然而在那本厚厚的签字簿上却留了同一个名字 ：“爱心”。

“妈妈，你是医生，你一定救救叔叔的命！”一位校医的 4 岁小女儿听大人们在窃窃私语如果没有那么多钱换肾，那个吴淼同学就很快要死时，竟嘤嘤地一边哭着一边拉扯着年轻母亲的衣襟这样乞求道。

一位外籍教授把刚领的当月薪金 1021 元原封不动地塞进了捐款箱内，而仅在留名簿上画了一个大大的红“心”图案。

钱！钱！一个生命在呼救。

钱！钱！千万名师生在呐喊。

短短两天时间，捐款竟达 4 万余。可是、可是吴淼的换肾要 27 万元哪！师生们还没有来得及喘口气，便一挥手 ：走，我们走出校门去募捐！

入冬的金陵，北风呼啸。然而在市青少年宫内却是一片暖融融的海洋。东南大学的 40 多名同学正在这里进行义卖活动。从来没有当过市场销售员的大学生们，却在瑟瑟寒风中，喊哑了嗓子，冻裂了手脚……

繁华的新街口闹市区，傅秀章老师正带着一群学生在街头“叫卖”：“哪家需要拖地擦玻璃——？”“谁家的电脑、电视、电冰箱坏了要修理——？”

东南大学的师生们，为了一个年轻校友的生命，他们几乎忘了自己的身份，也几乎忘了白天与黑夜……上帝终于被感动。至这年年底，东南大学共为吴淼募捐达 15 万元。在这巨额的捐款中，每一分钱里都有东南大学的师生们和来自全国各大学的师生们，以及社会各界谱写的动人故事。有一个名叫陈辉的哈尔滨女大学生，在捐款的同时，特意给吴淼寄来贝多芬的《命运》磁带。汕头大学 94 级 35 名同为贫困生的同学们，竟从自己的牙缝里也挤出了450元钱汇给了吴淼。他们在汇款单上写下了一段滚烫的话语："作为大山的儿子，血管里理应流淌着山的豪迈、坚韧和刚强。吴淼，相信生命，让死神走开！"最令吴淼父母感动的是在众多汇款单中，有一位署名"艾心"的人，落款地址是南京市"同龄路"500号，寄的钱也正好是500元。二位老人决意要面谢这位"艾心"先生，于是整整跑了两天金陵城却仍如大海捞针。后来在邮局工作人员的帮助下，才知道此"艾心"是解放军南京政治学院的一位大学生寄出的。可当吴淼的父母来到解放军大学生中间寻觅这位好人时，学员们笑着就是拒不提供线索，好像一切都是早已"策划"好的。

1996年4月26日21：00，这对吴淼同学来说，是他永不会忘记的日子和时间了。此日、此时，他在母校师生和解放军南京军区总医院的关怀下，不仅凑足了换肾的高额手术费用（缺额部分是解放军的这所医院给予了减免），而且成功地渡过了死亡线……如今的吴淼虽然仍在康复之中，但他一直在抓紧补习功课，努力争取以良好的成绩完成学业，以报答母校和社会各界给予他的第二次生命。

人的生命是宝贵的，青春的生命更是千金难买。然而宝贵的生命却那么脆弱。根本不会有人想到，就在南国校园的贫困生吴淼刚刚摆脱生命危险重新迈进久违了的亲切课堂时，北国一所大学校园内的另一名贫困生却陷入了绝境之中。

又是一个3月。

这一天的封延会同学听着医生给他解释"再生障碍性贫血"是一种非常非常危险的病，如果不进行紧急治疗就有可能危及生命，而且一般患上这种病在发病一年内的生存率极低……"你们别吓唬人！我才刚刚20岁，从小生长在山里，啥苦都吃过，好端端的怎么会死呢？”封延会拒绝医生的劝阻，更不同意留下来住院。他不相信命运对他如此不公。“如果说我身体虚，营养不够，这我承认——每天三餐永远是不变的馒头、粥和 5 毛钱的菜，那是肯定体质差些，贫血嘛也有可能。从现在开始注意些，吃得好些就行了吧！”封延会有自己的理论，他嘴上跟医生们硬，但他心里明白：“我这也没法子啊，一天三餐馒头稀粥加 5 毛钱的菜，一个月下来也得 120 元出头。120 元哪！你们知道我家里每月给我这么多钱是多么不易啊！我、我怎么可能不贫血？就是现在贫血了我也绝不可能会多出一分钱去补一补呀！医生们，行行好吧，我、我要上学，我要上大学呀！”

封延会从医院跑回来，一头倒在床头，他再也忍不住心中的痛苦与恐惧，抱着被子号哭起来，哭得整个宿舍的同学都跟着流泪。大家心里都清楚，苦出身的封延会，能走进大学门已实为不易，你看他天天穿的是什么：一件暗红上衣，一双几经修补的球鞋，不分秋冬春夏，从来都是这一身“行头”。同学们还知道他的书包里只有三样东西：课本、图书馆借来的书和饭盒。

“封延会太爱读书了，我们得帮助他，即使抽遍我们每一人的血，也要延长他想完成大学学业的生命！”当同学们得知封延会的病在配合治疗的同时，还必须在相当长的时间内依靠输血来维持其年轻的生命时，发出了出自肺腑的豪言。

1997 年 4 月 17 日，河北大学播放了《离开雷锋的日子》的电影。18 日上午，校园宣传栏上出现了一张言词动情的巨幅海报：“……看影片情动于衷我们落泪，扶危济困河大人没有沉默；回现实情发于外迅即行动，激浊扬清大学生舍我其谁？”这是一篇专门为动员师生们为封延会献血的特别海报。

“封延会？封延会怎么啦？”

“听说是个经济困难学生，得重病后要输大量血才能维持生命……”

“真不幸。能帮他做什么吗？”

“献血呗。”

“走，只要让同学的年轻生命得以延伸，我愿献！”

“好，咱们走！”

那几日，河北大学的校园内到处是有关封延会与献血的话题。学校领导也发出了“不惜一切代价、挽救同学生命”的号召，顿时，一张张“守住生命的烛光”“献血献爱心”的决心书、海报，在河大校园的每一个角落传扬。

首批百名献血者还没有来得及完成验血，长长的队伍后面又接上了一个更长的新队伍……艺术系的一位同学在体检时血压偏高，医生不接受他的献血要求，这位同学就再次排队，第二次血压仍高又没通过，他再去排队，一连排了三次共三个多小时的队，但终因血压偏高而被医生拒绝。“你们今天不要我，那我明天再来。”天已黑了，这位同学看到医生们就要离开献血现场，仍这样不服地说道。一位家在石家庄的经济系同学第一次抽完血后仍不肯走，他对医生说，因为我从小生活在一个富有的家庭，所以并不了解那些经济困难同学的真实情况，平时还总有些看不起他们。现在让我用自己多献的血，以表我过去的那份歉意。最后他还是献了比别人多一倍的血才离开现场。

苦孩子封延会在短短的几个月里经历了几个“没有想到”的事：9月，他没有想到自己一个山娃娃竟以绝对的高分考上河北大学；他进大学后竟然会因没钱而无法生活下去，想不到是学校的一份勤工俭学岗位使他快要窒息的学业重新焕发了生命活力；他现在更没有想到的是自己的血管里竟然活脱脱地流淌着近400名母校师生们的热血和近万名亲人们的情……血浓于水，情高于山。当滴滴凝聚着情与爱的鲜血，流进封延会的血管，一个垂危的年轻生命从容地甩下死神，重新回到了他那可爱的大学校园，再次拿起法律专业的课本时，封延会的眼里所看到的则是一个映满了他全部视觉的大国徽——那是中华人民共和国的国徽。在那鲜艳的红旗和金灿灿的天安门下，封延会感受的是一片阳光无限的蓝天和又一个生命的驿站……

一个人与一群人的故事

与山西大学师范学院刘向阳同学的访谈，是我采访的几百名贫困大学生中谈得时间较长的一个。这不仅是因为刘向阳现在是贫困大学生中获得荣誉最多和最高的一个（他现在是“国际青少年消除贫困奖”获得者、中国大学生跨世纪发展基金·建昊奖学金特等奖获得者、团中央授予的“中国保护未成年人权益优秀公民”等十几项荣誉的著名人物），更重要的是这位有过多年打工求学特殊经历的大学生，如今仍在边学习、边打工的同时，带动和影响着他身边的一群大学生在自强、自立的道路上阔步前进。

其实，作为一名贫困生，刘向阳在过去的十几年学业生涯中早已给我们留下了一份非常沉重而又宝贵的精神财富。但是关于他的事迹则很晚才被人家发现并公之于众的，还纯粹是一次偶然的机会。那是1996年岁末，山西省新闻界报道了一位74岁的老太太在十四年前捡了一个弃婴刘娜。十四年来，老人含辛茹苦将孩子拉扯大并送进了中学。无固定收入的老人为了这个没户口的孩子能继续上学，不得不拖着老弱病残的身体上街扫地供刘娜上学。当新闻镜头频频对准这位老人和刘娜小朋友时，人们发现了在她们身边还有一位年轻的小伙子。这位小伙子是怎么回事？他与老人和刘娜小朋友是什么关系？观众们纷纷要求了解这一情况，于是记者们转过头来把镜头对准了这位小伙子。这时，人们才发现，在这位小伙子身上还有更催人泪下的故事。

这位小伙子就是刘向阳，他是被老人的事迹所感动自愿加入关照这一老一少而进入这个家的。提到刘向阳，我不能不用一些篇幅来介绍他在十几年间面对诸多巨大的困难而自强不息的感人经历。

刘向阳的家在吕梁山区的一个叫前峡村的小山村。村子小得不能再小，七八户人家；村子又穷得不能再穷，全村唯一能称其为“动力”的是那座磨面的石磨。自然不会有专门的学校，孩子们想上学必须翻过山、走很远的路才行。刘向阳的家境不比别人好，直到9岁时，母亲才让他背起那个用碎布头缝成的书包，踏上了那条通往他乡的上学之路。这是个什么学校呀！一个民办教师、一个黑乎乎的窑洞，便是这所学校的全部。但没有出过大山的刘向阳，却从此激发了对知识与外部世界的渴望，并再也没有任何一种力量能阻止他的求学愿望。但命运偏偏爱跟这样一个苦孩子作对。11岁那年，他父亲因一次车祸甩下他和母亲及一弟一妹而去。苦命的母亲还没有擦干泪水却又背负一身债，身边的儿女则拉扯着她的衣角在哭喊着：“饿、饿……”

“小阳，你最大，别光念书，得帮帮妈呀！”急得无路可走的母亲冲着11岁的大儿子嚷嚷起来。小向阳明白地点点头。

11岁的孩子能做什么？11岁的小向阳则像一个成年的汉子勇敢地走进了建筑工地。工地上的人知道这是个苦孩子，便不忍心把他赶走。于是小向阳学着大人的样，开始干起摆砖、和泥、搅石灰、抹砖缝、背石头等不属于他这个年龄的人干的活。可毕竟他人太小，一次只能搬上两块砖；擦墙时又因个头太矮，砂纸还没磨几下，他上仰的眼里已经被灰尘弄得无法睁开。工头实在有些生气了，几次把他的铺盖扔到门外，但稍一会儿，可怜巴巴的小向阳又把它拎进了屋……

“给，你的工钱！”当一个暑假快要完时，工头郑重其事地把9元6角钱放进刘向阳的手里。这是刘向阳第一次经手钱，小小年纪的他马上明白怎么使用它。刘向阳至今记得当时他用7分钱买了一个作业本，2分钱买了一支铅笔，剩下的全部交给了母亲。他甚至还清楚地记得母亲当时是怎样流着泪从箱子底下为他找出书包，并抱着弟弟和妹妹一路将重新上学的他送出村口很远很远的地方。从那时起，刘向阳才开始真正懂得了没有父亲后的这个家里他做大儿子的责任。生长在穷人家的孩子总是早当家，刘向阳则比别家的穷孩子更早地当家了。在这之后的岁月里，他一边上学一边做一些短工，以保证自己和弟弟能继续上学。为此他挖过山药、摆过地摊、修过公路、装过货车、下过煤窑……上高小时，他一面要带着小弟，一面要干他每天必须干的活。山里的水是山里人的生命，刘向阳家的那个山洼里没有泉眼，只能到几里外的另一山洼担。正好这泓泉离刘向阳上学的学校不远。为了让母亲少一些操劳，刘向阳便先把水桶带进教室，等一放学，第一个任务就是去担水，他的那副坚硬的双肩就是从十一二岁开始练就的。山里人除了靠几亩薄地糊口外，能换来几个现钱的机会只能是上山去挖草药。一次，刘向阳利用星期天带着弟弟一起上山挖甘草根，兄弟俩在一个山头上发现了一团很大的根系，高兴得只顾拼命往下挖。这时在他们的脚下露出了一个无底的山洞，向阳发现足下一阵松软，下意识地揪住弟弟往后退了一步，就在兄弟俩刚刚移足时，他们原来站的那块地方“轰隆”一声，整整一大片像魔术似的消失了，留下的是一个见不到底的大黑洞……向阳拉着小弟的手，半天直不起身子——他真的吓坏了。

初二了，家里一下多了两个人，一个是继父，一个是更小的弟弟。向阳因此觉得自己更大了，也因此意识到必须为家里承担更多的责任。十三四岁的他无权去选择花季的阳光，等待他的则是永远的煎熬苦雨。向阳的家乡也出煤，那些有能耐的人到处建起煤窑发财，而没本钱的便只有出苦力挣苦钱。不用说，向阳肯定属于后一类人。这一类人需要的是力气，也需要的是玩命——毫无安全设施的小煤窑通常是那些私人业主开的，他们只管从你身上榨取油水，至于其他只能听天由命了。那时向阳其实根本不懂得这些，他只知在小煤窑干活比其他地方赚得多些。他便从那学期开始与一家小煤窑主讲定：节假日来煤窑当装卸工。有一次，正逢庙会日，煤窑上的工人都去赶集了，只剩下向阳一人在矿上。这时有一辆车来拉煤，向阳瞅着没人，便提起铲子自己干了起来。装煤的人不相信这么个“小民工”能装得满10吨重的一辆大煤车，但6个小时后，这位刚比车胎高不了多少的“小民工”真的把煤车装满了……入夜，累得散了骨架似的向阳一睡下去就到第二天大天亮。当他推门往外看时，下了一夜雨而聚集的山洪，早已把煤场上的那座十几米高的煤堆冲得无影无踪。向阳再一看，不由大惊失色：自己待的那个小棚棚，仅距奔腾汹涌的河床咫尺之遥！那一天，他在回家途中，一路都看到被洪水冲到岸边的人尸、畜尸……

初三了，穷人家的读书人忙着为考中专而喜而愁。中专，几乎是所有那些既期望孩子出息、又期望早早卸下沉重负担的贫困家庭的家长们为自己子女首选的出路。向阳也不例外，但他却以几分之差破灭了父母的期望。“别念了，该到成家立业的年岁啦！”向阳第一次感觉继父和母亲的话那么刺耳，他为此伤心地落下了泪，独自默默地扛起行李，到了一家个体煤矿干井下“推坡”活。那井下的日子不堪回首，向阳却一点也记不得了，他只记得那次挣回了100多块钱。别小看这100多块钱，它给刘向阳求学的信念如增千倍力量：妈、爸，我要上高中去，将来还要上大学。从现在开始，我不要你们任何负担，以后我读书、盖房、娶媳妇什么的全由我自个儿担着。

老实巴交的继父和母亲没有阻挠他。但三年后的高考失败，则使刘向阳陷入了几乎难以自拔的痛苦：难道这就是山里人的“宿命”，难道就该听大人话早早娶个媳妇成个家便万事大吉了？不！我不——！刘向阳无法接受这残酷的现实，他倒下了，直到家人将他送进镇医院整整输了十天液……

病好后，刘向阳放下书包又跑到窑井下干起了“推坡”。一个月后回到家，他把200元工钱一半交了继父，一半留在自己的口袋里，并告诉母亲：我到城里去补课，明年还想考一次。这回继父终于发火了，说什么就是不同意。

“我自己的路自己走！”刘向阳临出门时，无奈地与继父翻了脸。

然而命运是如此地捉弄他：第二次高考又以7分之差成为一枕黄粱。面对一贫如洗的家和成天板着面孔的继父，这回轮到刘向阳无话可说了。他开始有些“认命”了，在揭榜的第三天，他扛起简陋的行李，来到另一个私人小矿当起了真正的矿工。矿主交给他的活是在煤井下拉车，这是一件非常非常危险的苦力活，那些私营小矿根本谈不上任何安全设备，只是在认为可能塌方的地方打几个木桩便算了事。昏暗的井下，仅有三尺高的通道狭窄而坑洼不平。拉车人只能弓着腰，顺着车辙小心翼翼地左躲右闪地往返。老板见一身文弱书生气的刘向阳，好意想给他换个活。但刘向阳没有答应，因为他心里仍怀着一个不想被别人知道的“秘密”：争取多挣些钱，重新补习高考。

下井三个月了，刘向阳一算，该有一笔较为可观的工钱了吧！于是他那深藏在内心的“秘密”又开始涌动。

“老板，我要去临汾上课，能把工钱结给我吗？”

老板有些为难地对刘向阳说：“年关了，外头有几笔款还没来得及结回来。这样吧，你先去那儿，我保证尽快给你寄出。”

“那就说定了。”刘向阳走出矿井，怀揣仅有的10元钱，重新踏上了求学的艰涩之路。为了省下每一分钱，他不得不打起几十斤重的铺盖和书籍，步行到200里外的临汾。那是一段令刘向阳永生不忘之路。整整三天三夜，他在被风雪覆盖的漫漫盘山路上，一步一个脚印地艰难跋涉着。饿了，从怀里取出干粮啃几口；渴了，抓一把雪团往嘴里润润嗓子。天黑了，找一间路边没有人住的草棚打个盹。有一天夜里，他在荒野的残垣下被冻醒后不得不借赶路的热量继续往前走。当他走到临汾时，已经筋疲力尽，他庆幸自己没病倒。“好了，太阳出来啦！”刘向阳抬头望着耀眼的太阳，心头仿佛有一种预兆：这回我刘向阳的命运可能要重写了！

一年后的1994年9月，刘向阳终于如愿以偿，他以全县第一名的成绩考上了山西大学师范学院。在得到录取通知书那天，刘向阳赤条条地躺在黄土上，他内心有个强烈的愿望：让阳光把沉积在自己身上的所有霉味统统地晒掉……

从吕梁山的黄土坡，走到省城太原，刘向阳的第一感觉是这是个全新的世界：美丽的校园，繁华的大街和富有的人们。但他同时也发现：在这个全新的世界里，他刘向阳还是个穷人。交不起学费，不敢像同学们一样吃个很想吃的炒菜，更不用说上街买什么东西了。怎么办？这儿既没有可供他打工的煤窑，也没有能让他拉车的矿井……难道我刘向阳的名字白起的吗？难道这个世界上偏偏不让一个叫“向阳”的人去沐浴阳光？不，我不信，刘向阳苦涩地自己对自己调侃起来。然而就在这时，他又有了另一个发现：城里也有比山村更多的赚钱地方。比如卖个什么小玩意儿，做个什么生意啦，一转手就可能赚好多好多钱哪！

这时的刘向阳，像所有刚进城的山里人一样，他被眼前的花花世界有些弄迷惑了。1995 年夏，他结识了一个生意人，开始帮着人家联系到他老家办煤厂的事儿。刘向阳想得不错呀，如果这桩生意做成了，既能为家乡建设助把力，又能解决自己上大学的费用，说不定还能供弟弟妹妹上学哩！但刘向阳怎么也没有想到这做生意远比他下井拉煤要复杂得多，没几日，那个原说准备投资的人甩手不干了，刘向阳白白忙活一通不说，光中间为此事来回东借西挪花掉的就达 2000 多元呀！偏偏又赶上新学年开始得向学校交 1000 余元学杂费。两大笔钱一下集中在一起，刘向阳简直到了绝望的地步。一时间，刘向阳的精神几乎崩溃了。系里不得不派人把他送回老家以便让他好好休息，但老师和同学们发现，才三天时间刘向阳便已经回到了教室。

自小饱经磨难的刘向阳没有被意外的挫折所压倒。当重新站立起来的那一瞬间，他明白了一个道理：干什么事必须脚踏实地，量力而行。

从此，在老师和同学们的眼里，刘向阳变了，干什么事都异常稳健，格外踏实，而且心境也显得开朗。而刘向阳自己呢，他也从教训中重新寻找到了自己的位置。他发现自己很适合从事家教一类的勤工俭学，而且由于为人诚恳与热情，使他在家教中不仅寻找到了越来越多的打工活源，而且认识了一批真正热心的好人。很快，刘向阳完全摆脱了经济贫困的阴影。而没有了经济压力的他，在学习上更加得心应手，他的积极参与和大胆管理又使他成为班上的班长。一切进入良好状态后的刘向阳，越来越感到自己有许多潜力可以挖掘，他把自己的时间进行合理安排，除了确保个人的学习和勤工俭学外，开始将一大部分精力用于帮助同班的贫困生摆脱贫困的困扰。比如说，班上有几个贫困生总也抹不去心理上的自卑感，因而入学几年各方面仍非常吃力。他就逐个逐个带着他们在生活与学习的现实里进行自我调节训练。比如说，有位贫困生找了很多勤工俭学岗，从星期一忙碌到星期日，但仍然不能解决基本的生活费。刘向阳便带着这位同学到打工的现场进行言传身教，特别教育同学们干什么事都首先要做到以诚待人、以信待人、以实待人。学校的那些带有照顾性的勤工俭学岗位来了，刘向阳总是让给那些比自己困难得多的同学。1997 年 12 月，刘向阳获得“中国大学生跨世纪发展基金·建昊奖学金”特等奖后，他除了将近 2000 元捐献给“希望工程”和资助刘娜小朋友外，还在本校建立了“山西大学师范学院贫困优秀生基金”。这也是中国大学校内第一个由贫困大学生以个人的名义设立的奖励优秀贫困生专项基金。如今在刘向阳的身边围聚着一大群贫困生，他们一方面接受刘向阳的心理与方法上的指导，另一方面以刘向阳为榜样开展着有声有色的自立自强活动，成为山西高校内的一道独特风景线。

与刘向阳相比，武汉中国地质大学成人教育学院 976111 班的王国栋同学，在自己还是被拒之大学门外的不幸者时，他便成了大学贫困生们自立自强的榜样和坚强有力的后盾。

似乎 1993 年对一部分人来说是个不好的年份，那一年不仅刘向阳以 7 分之差失落于高考的大门之外，王国栋那年也正好差了 7 分而未圆大学之梦。在“黑色七月”败下阵来的人是最痛苦的一族，他们既要经受自我的折磨，还得面对来自各个方面的热讽冷嘲，而且一朝失落，似乎在所有人的眼里，你这辈子的命运将从此黯淡无光。王国栋当初同样面临这个严酷的现实，他因家境贫困没像刘向阳那样地走出大山去复读，却到了宜昌的一个石材公司当了一名农民合同工，整天与坚硬的大理石打交道。外人不理解的是，有了稳定收入的王国栋不仅没像村上的同龄小伙子忙着盖房娶妻，而是东奔西颠地把用苦力挣来的钱，全都援助给了本村和邻近那些准备考大学却又经济困难的人。

像比自己念高中时低一届的本村张祖德，这孩子很苦，4 岁没了娘，5 岁爹瘫痪，13 岁时哥哥得了精神病。这么多不幸全给了苦命的张祖德，可小张不认命，咬着牙从小学念到高中。王国栋虽在外地打工，但对张祖德准备考大学的事是知道的，当然也清楚小张是空着肚子在与命运拼搏。王国栋从宜昌当合同工拿回第一笔工钱往村里走时，他没进自己的家，径直去了张祖德家。一打听张祖德不在家。“到哪去了？”“上学校复读呢！”“噢，那我就去学校找。”王国栋出了张家，翻山越岭二十余里，天黑才赶到学校。“这 600 元钱是给你的。”王国栋见张祖德的第一句话就这么说。“国栋，你这是干啥呀？”“没啥，你不是要考大学嘛，没钱你咋坚持到高考？”张祖德感动得说不出话。在王国栋的帮助下，这一年，张祖德成功地跨进了大学门。得知同村好友考上大学的消息，王国栋似乎比自己考上还高兴，他从干活的工地专程回到村里，见张祖德后，王国栋做的还是同一件事：“祖德，你家贫，上大学的学费我包了，另外以后每月保证给你寄去 100 元生活费……”从小缺少亲情的张祖德，双膝“扑通”一声跪在王国栋面前：“国栋，让我以后叫你哥吧，啊？”

事过一年，同村青年李兴桂考上了武汉大学图书情报学院。王国栋听后很激动，他找到李兴桂：“你考上名牌大学，是我们秀水坪村人的光荣。兴桂，你家境困难，供你上大学一定有很大困难，我每学期资助你 200 元，算是个补贴吧。”李兴桂一直在村里读书，村上的事哪一样他不知晓？“国栋哥，你在外做苦力挣钱不易，可你既要资助祖德，前不久又帮助宜昌的一名经济困难生免遭退学，而今你又来帮助我……”李兴桂不知说什么好。

1995 年，王国栋除了继续资助同村的张祖德、李兴桂外，又承担了宜昌大学、宜昌师专和宜昌第一技工学校的三名贫困生的生活费。而他所做的这一切，都叫人有些无法理解之处。有人说是不是王国栋把自己的“大学梦”转附给了他人，并以此获得某种心理上的宽慰？可又不全像。人们发现王国栋在做工的同时仍没放弃他想上大学的念头。就是在高考落榜后的第二年，王国栋还专门从做工的单位赶回到县城，只是在临上考场时，他听到自己的邻居邹志信上吊的不幸消息后，竟然背起书包离开了考场。有人看到他回家后就奔邹家，把本来用于高考的钱都给了邹家的孤儿寡母。

不可思议。难道王国栋自己真的就对上大学无所谓了？或者他命里注定“没那个能耐”？

“不！在我第一次高考受挫后，我比谁都更加强烈地想上大学，而且我同所有贫困的农家子弟一样，把上大学当做年轻时的最高理想。但正是因为有了第一次高考失利的亲身体验，我才更加强烈地意识到那些贫困家庭的儿女是多么期待摆脱命运对他们的不公。他们比任何人更需要援助之手，然而却又常常得不到。拉一把，也许他们明天就是祖国的栋梁；冷一语，也许他们就成了霜打的路边草。在这决定千千万万个青年人命运的关键时刻，雷锋精神显得多么宝贵。雷锋，我要追寻你，我要像你一样将个人得失完全置之度外，像你一样将有限的生命投入到无限的为人民服务之中去。也许追寻你的道路是崎岖的，也许在追寻的同时会有许许多多的失去，但我心甘情愿……”五年后的今天，当我们有机会翻开当年王国栋的日记时，才彻底明白了几年前他所作所为的全部谜底。

1995、1996两年，王国栋两度参加成人高考都如愿以偿地拿到了录取通知书，然而为了继续负担起已经资助了几年的几位正在上学的贫困生，他暂时放弃了入大学门的机会，而是留在大学门外的工地上继续卖苦力挣钱。1997年，王国栋资助的六名学生均已完成或快要完成学业了，这时的他便再次信心百倍地走进考场，并以579分的全县最高分考入了中国地质大学成人教育学院计算机专业。但命运却与王国栋开了一个残酷的玩笑：当他考完不久，他工作的工厂却因生产线改造而停产。“这可怎么好？每年3500元的学费外加几千元的生活费从何而来呀？”王国栋没有想到通过自己的捐助把别人送进大学又让他们完成学业后，轮到他王国栋自个儿进校门时却又被贫困这只可恶的“拦路虎”难住了。指望家里是不可能的事，于是为了挣出入学的学费，那6、7、8三个月里，王国栋不管烈日当头还是刮风下雨，天天头戴草帽、脚穿解放鞋，奔波在宜昌城区的各个工地做零活，然而当他向学校交完1000元的预收费后，已是身无分文。王国栋陷入了绝境。就在这时，社会没有忘记这位好青年。他原在的石材公司决定承担其14000元的全部学费，宜昌市委、团委机关的职工们也给王国栋捐助了近2000元。更值得一提的是，曾长期接受王国栋资助的张祖德、杨朝明两位同学此时已毕业并走向工作岗位，他们得知后马上尽自己所能反过来资助往日的恩人。

1997年9月8日，在大学门外整整徘徊了五年的王国栋，终于迈进了大学门槛。现在他是中国地质大学成人教育学院的大二学生，并担任班长和学院学生会副主席。除了学习和打工解决自己的学费与生活费外，王国栋依然像个老大哥那样只要一有空、一有能力，就去帮助那些困难的同学。身为班长的他，已经几次组织全班同学义务为本校贫困生解难和捐资。更重要的是他以自己的言传身教，为经济困难的同学树立了学习进取的榜样。1997年底，王国栋被团中央授予“中国杰出青年志愿者”称号。

第十章　琅琅书声有条路

“书山有路勤为径，学海无涯苦作舟。”这句名言，对南京大学94级学生屠娟来说几乎是天天要默默念上几遍的信条。大学四年，四个365天，16个春夏秋冬季节……今天的屠娟再回首看一看自己走过的大学路，她连自己都有些不敢相信这样一个事实：她在经济困难的绝路边缘竟然跌跌撞撞地走了过来。

“哈，1998，我该对你笑了！因为我要大学毕业了！不，我还要告诉你，我现在已被学校保送上研究生……”5月，当我在南大校园的那座西式小楼前见到屠娟时，她是一脸的灿烂。

“当你上大学时，父亲因病长期在家，不仅不能像别的爸爸那样给予你父爱，反而要家里负担高额的治疗费。而你母亲又偏偏在一个不景气的工厂工作，厂长一句话，你妈拿着400元一月的退休金，刚刚40来岁就被打发回家，并且是永远的。400来元钱，要支撑一个三口之家，且有一个重病号，一个已经考上了大学……你，还有你家人当时就没有想过——这个大学怎么上呀？”我问她。

“想，想得太多，太苦。”屠娟说，“躺在病榻上的爸爸由于想这个问题，堂堂七尺男子汉竟然泪流满面，他捧着我的脸说：娟娟，是爸爸的这身病害得你不能高高兴兴、轻轻松松去上大学。最令我心酸的是我妈，她搂着我哭，在哭诉中让我原谅当妈的当初没进个好厂子……可我没哭，我强制自己不把心头的忧苦带给这个世界。我知道爸爸妈妈的不幸，他们原来都是出类拔萃的‘老三届’，‘大学梦’本来应该属于他们去圆的。但他们不能，不能抗拒那个‘革命’的年代，于是他们把全部的期望留给了我。他们含辛茹苦地将我带大，送到最好的小学、中学……他们还要把我送到他们心目中最好的大学。他们没有白费心血，他们的女儿要上南京大学了，他们多么高兴，就像自己考上了一样。可就在这个时候，他们发现自己却几乎没有一点能力供他们心爱的女儿进大学……他们能不伤心吗？还能有比这更令他们痛苦的吗？”

我默默无语，静静地看着眼前的屠娟同学，想感受一下她父母当时的那种心情。

她仰起头，说："我当时没有伤心，反过来安慰我的父母，我说爸妈，你们只要给我一口饭吃，其他的我自己能行，大学我读定了。爸妈流着泪笑了，说娟娟你放心，家里永远有你想吃的东西，即使爸妈饿着，我们的娟娟会饱着肚子去上大学的。我搂住爸爸妈妈说，娟娟一定会好好读大学的……"屠娟羞涩地摇摇头说，"这回是轮到我扑在大人怀里哭了。"

我们又开始对话——

进了大学后，你没有因为自己家庭的贫困而自卑过？

当然会有的，但我相信一点，就是作为一名在校大学生，自豪与自卑的最高衡量标准应该是表现好、学习好，而不是谁家有多少存款谁家的父母官位大小。所以我曾有过一点的自卑也很快没有了，因为我要用自己的实力来向同学们证明我不比别人缺什么，更不比别人矮一截。

没有经济困难的学生可以集中精力读书，家庭苦的孩子能一心一意坐下学习吗？

有钱人不为生活所愁当然是优势，他们可以不去勤工俭学，可以在下课后的时间里去跳舞、看电影，放松放松。我们则不行，但我们可以利用他们放松的时间多学些知识、多看或熟读些功课。他们得到了休息与娱乐，我们赢得的是进步与充实……

你也打工吗？

基本不，我靠学习“创收”。

一年能“创收”多少？

我们南大的奖学金制度很健全，只要学习好的就会获得很可观的数目。

能公开一下你的所得吗？

可以。我几乎每学期都能得奖学金，而且基本都是一、二等奖。最高的是“吴健雄奖学金”，一次就是2000元。嗯——我平均每年都能保证拿到不少于2000元的奖学金吧！

靠这，够你上大学的生活和学习费用？

够。我家就在南京，我能每天回家吃住，所以每月给家100元，自己留100来元在学校吃顿中饭，加上买些书等其他小费用。

成绩好除了使你不再为生活所困外，还有什么好处？

有呀！受到大家的尊重，再没有人认为我是那种不合群的“贫困族”。请不要误会，其实即使有人把我纳入“贫困族”，我也照样不在乎，或许可能还多一份自豪感。

你能公正说一声自己作为一名贫困生，能不能做到心灵与现实生活里平常人的融通？

怎么不能？我从来就一直很坦然地面对贫困，特别是不可改变的家庭困难。但就像我对待学习一样，我有信心，因此也就用不着掩饰什么了。我公开地对同学们讲，我一个月就200来块“财金”，而且这是学习得来的奖学金，我拿这些钱可以做什么，不可以做什么。我更不隐瞒自己的家庭，甚至常带同学们上我家，让他们看一看我家到底是个什么样。许多同学到我家后回来都跟我说，屠娟，你家生活这么困难，但你爸妈都非常开朗、乐观，好幸福哩！你说我还有什么在同学面前说“不”的？

我笑了，笑自己成功地完成了对一位成功贫困生的采访。

其实，如何对待和处理贫困问题，作为高校、作为贫困生本人，情况虽然各有各的不同，其做法也各有各的招数，但有一点大家是认同的，尤其是我们的教育工作者群体更加这样认为，那就是学习好本身就是一条理想的出路。

谁不想学习好？然而想学习好并不一定就能成功。对一个生活困难的大学生来说，有时想好好学习却也未必成为可能。南大的屠娟同学从小在南京重点中、小学成长，有着较好的学习环境，而且她很聪慧。可是那些从边远地区或大山里走出来的同学，比起她来则要不幸得多。

北京医科大学的一位女生告诉我，虽然她是当年河南考生中的佼佼者，但进了京城的大学才发现自己的知识面和以前中学的教育水平明显差许多。比如现在大学实行英语四级考试制，这就得有相当的听力和口语水平，可是她从前在中学念书时连什么是“随身听”都没见过，别说进行什么“语音训练”了。她所有的英语学习都是在一块黑板和几个练习本本上完成的。如今大学里要求那么高的外语听力、口语方面的能力，像她这样来自大山和边远地区的农家儿女的基础水平，就无法与城市学生相比。

拿一个高高的考分进入大学，却不能成为学习和成绩上的佼佼者，几乎是农家弟子与城里学生的最显著区别。而那些贫困学生们所面临的难题就更是多出几倍。为了明天的学费和买饭钱，本来一堂必须听的课他不能听了；本来考试前应该多一些的自习时间，但他因为预先安排好的打工或家教而只得放弃……这样的事太多太多，故而贫困生们承载的又何止是简单的基础水平问题。

但他们清楚，生活从不同情弱者，大学更不是穷人的慈善机构，所有成绩上的败兵，你无论有多少充足的理由，都将被神圣的殿堂沦为下人。

学习好——是所有走进“象牙塔”的大学生必须完成的最终目标，每一位贫困生也毫不例外。他们因此比别人付出更高昂的代价。

上海同济大学的吕咸涛同学不相信有人给贫困生下的“口袋与成绩单里都装着0”的定语，为此他制定了一份长时间的“午夜自修学习表”——因为他不能不打工，贫困的家里已经为他做了力所能及的全部，故而他必须有足够的打工收入来确保自己的学费与生活费。一天24小时，一星期七天，老天的“法则”对所有人一视同仁：五天学习或工作，两天留下自己支配。但吕咸涛与诸多需要靠打工来维系大学生活的同学一样，他得在同样的时间里多干出以下几件事：每周三次外加周六、周日两次到一家超市打工，每次上班时间6～9小时。第二件事是每周两次的家教，每次两小时。完成如此两件事约计工作时间50小时，如果加上来回路途用去的时间约计55小时。不算不知道，一算也许对许多同为学生的人来说，才能真正体味贫困生们的艰辛。这道算术题谁都会算，吕咸涛等同学在一个星期里要比别人每天平均多付出8小时的劳动。8小时是什么概念？8小时是国际劳工部门规定的每个就业者在一天里最长的“法定劳动时间”。这种简单的分析说明了吕咸涛同学每天的学习和打工时间共为16小时。他的一天仅剩了8小时，这中间包括吃饭、睡觉……然而他不能将这宝贵的8小时全部用于吃饭和睡觉——他要跟上别人一样的学习水平，因此他必须自修，因此他就只能定一个长期的“午夜自修学习表”。

多少个午夜11点开始，上海同济大学的校园内夜深人静，而某教室的灯光则分外明烁地依然亮着。正在贪婪自学的吕咸涛似乎从没感觉宽大的教室里只剩下了他一个人，你看他偶尔抬头做几下眼保健操后，又伏案很久很久……嗯，是不是太晚了？可不，已经清晨2点了！吕涛赶紧收拾书包，关好灯后往宿舍跑。坏了，大门又被值班的师傅给锁了。得，还是回到教室去吧。于是，他又重新开灯、打开书本……多数时候他是清醒的，再自修一会儿，就该眯盹儿了，因为明天还有明天的课程与打工内容。也有少数时候他不知不觉就睡着了，直到外滩的钟声在耳边响起……

他的一天中，只有上、下午的第二节课间是最快乐和惬意的，因为这是大课间，可以与同学们轻轻松松地聊聊天，或者欢欢快快地娱乐几下。他的一星期中，只有每个周日的上午是彻底“放纵”的时间，因为这个时间既没有课，也不打工，他可以痛痛快快睡上一大觉，以此恢复整个星期的精力，并为下个七天养精蓄锐。

他珍惜大学有那么好的学习与生活环境。比起过去曾经就读的那所乡间的破旧中学，吕咸涛觉得同济大学真的是殿堂。他上的那个中学要什么没什么，在他吕咸涛之前竟有五年之久没有一个人考上过大学，如果不是1995年吕咸涛获得全区第一名的高考成绩，这所破旧而无建树的中学就可能已经永远地被撤销了。当地人至今仍流传着“好学生吕咸涛拯救了一所中学”的轶事。上大学了，又是同济这样的名牌大学，吕咸涛觉得自己是一个来自穷地方的穷孩子，现在有了这么好的条件，再不好好学习，简直就是一种犯罪，一种对知识与年华的犯罪。他始终以为家庭的贫困虽然不能选择，但人生的奋斗目标则完全可以选择。一个贫困生无论你可以怎么地诅咒家庭与自己命运的不幸，但你却无权对学习与知识有丝毫的懈怠。吕咸涛说，他刚入学时也很自卑，加上他的性格又内向，有一次班里组织第一次班干部竞选，同学们个个滔滔不绝，显尽风流。可等他上台时，没说两句就面红耳赤。然而他没有后退，以自己特有的纯朴和憨厚赢得了同学们的信任，最后他以较高的票数当选了班级生活委员。虽说这只是个“芝麻官”，但吕咸涛极其认真和投入，把班上有关同学们的一些生活问题安排得周周到到，活活泼泼，大家因此把他当成“小管家”，什么都爱听他的吩咐与调遣。打工有时难免影响一些课程，同学们则主动帮助他整理笔记、抄补讲义。吕咸涛呢，打大一到现在快大四了，年年班里成绩第一，去年还被学校评为“百名优秀大学生”之一。成绩好了，奖学金自然也多了，现在吕咸涛可以不打工也能基本保证学费和生活费了。他说能达到目前这种状况是比较理想的了，因为不去打工就有更多时间与精力放在学习上。现在他有两个目标，一是利用大学的最后一段时间，争取尽可能多地掌握那些在参加工作后直接可以服务于社会的知识与技能。二是帮助班里一部分成绩相对差的贫困生们把学习赶上来，使他们不仅在学校能自立自强，日后毕业就业时也能有个满意的着落。

吕咸涛用牺牲自己的无数个午夜与节假日，换来老师和同学们的尊重与优异成绩，使得他成为上海高校大学生中自强不息的先进典型。像他这样的贫困生绝不是少数。

第三部　感受阳光与挚爱

第十一章　来自团中央的内部消息

1998年4月29日，北大校园内异常喜气，因为师生们都知道今天有位贵客要亲临校园，他就是中共中央总书记、国家主席江泽民。上午，才艺卓著的江泽民主席或在与教育界泰斗畅谈之际，或在参观北大新落成的图书馆途中，时而出口成章，时而高歌咏赋，给百年大庆的北大校园带来阵阵涌动不息的春潮。临近中午12时，江泽民主席来到了学生食堂，正在就餐的学生们沸腾了，他们想不到国家主席如此平易近人地来到了他们中间。特别令学生们激动的是，江泽民同志亲切地走到一个打菜的窗口，饶有兴趣地看着一位同学用一张磁卡在买饭菜。当他得知全国高校的大学生都有这张生活磁卡，而学校有关部门正是通过这张磁卡上出现的“晴雨表”来及时掌握和解决那些经济有困难的同学生活问题时，情不自禁地高举起那张小小磁卡，连声说了几个“好”、“好”！

总书记手持磁卡的镜头在当晚的“新闻联播”中播出时，团中央机关的一些干部特别激动，因为对大学生手中那张磁卡的诞生和后来开展全国性高校济困工作的过程，他们最知其来之不易。

1994年下半年的新学年开学后，北大、清华在内的几十所重点高校按照国家教委指示精神，首先开始了“双轨制”试点工作。随着对新生入学的收费，一批家庭经济困难的大学生随即出现了上不起学、进了校门也面临辍学的严峻问题。作为主抓青少年工作的团中央，像敏锐地关注山区失学儿童一样，又一次敏锐地把目光投向了大学贫困生群体。也许是十几年来开展声势浩大的“希望工程”使团中央的领导们有了一个更清醒的认识：组织和动员几千万失学儿童重新走进课堂其任务艰巨而繁重，而如果眼巴巴地看着好不容易通过“希望工程”培养出来的学生，最后仍因经济贫困而不能进大学门，或者进了大学门又不得不面临辍学，这实在不仅是学生本人的不幸，更是民族的悲哀。

“我们应当全力配合国家教育部门，像抓希望工程一样地关注大学贫困生问题！这件事关系到下世纪科教兴国的大业，一定要抓紧、抓好！”团中央的书记处会议上，青年工作的领导干部们激情如潮，迸发出一个共同的心声。

贫困大学生之所以贫困就是手头缺钱，要开展帮助他们的济困助学工作缺的也是钱呀！团中央作为共青团的最高领导机关，它本身并没有钱，当年由他们一手发起的“希望工程”也是一项公益事业，靠的就是动员和鼓励全社会“众人拾柴火焰高”。如今进行大学济困助学，路子还是一样。团干部们戏言：他们是专业的“星星之火”火把手。可不要小看了这火把手，现在我们人人都知道、就是在联合国也挂上名的中国“希望工程”便是他们搞起来的。在最初时的1989年，当团中央领导听说联系上了第一笔2000元的“希望工程”捐款时，喜得奔走相告，常务书记亲自带人前去捐款者那儿接受捐款。十几年以后的“希望工程”是个什么样，今天我们都看到了，它已经成了深入亿万人心的中国最大、最广泛的一项公益事业了。团中央有关部门开展大学贫困生济困助学这项工作时，形势并不比“希望工程”的初期乐观。1995年12月，他们商议在新年的寒假来临之时，进行第一次有影响的全国性救济贫困大学生活动。战略部署一经确定，剩下的就是找钱——没有钱只能是纸上谈兵。

最初谈定一家企业资助，捐款仪式也隆重地安排妥当，不想半途出岔，有关部门的负责同志赶着星期天不休息，操起电话，向熟悉和不熟悉的企业“老总”们求助以解燃眉之急。就在与原定的捐款仪式仅差十几小时之时，棘手的问题终于有了转机：深圳黄金灯饰集团公司老板、著名的青年民营企业家夏春盛先生，同意出资捐助，每年40万，连续三年共120万！

深圳的夏春盛老板救了青年干部们一急。于是，一场声势浩大的“关注贫困生”跨世纪公益活动拉开了序幕。

1996年1月底前，团中央、全国学联将首批由深圳黄金灯饰集团公司捐助的40万元济困助学金，发到了高校的630名贫困生手中。团中央第一书记李克强等4名团中央主要领导赴北京、重庆、西安和新疆等地的高校，亲自将济困金送到学生手里。从此，为中国大学贫困生济困助学的活动开始在全国蓬勃兴起，广大民众也在各种媒体上认识了一个过去不曾听说的名词——“大学贫困生”。

大学还有“贫困生”呀？社会主义大学里还有人饿着肚子、半途辍学的呀？老将军洪学智坐不住了，拿出几千元积蓄，让秘书迅速送到全国学联。

老部长孙大光躺不住了，在病榻上吩咐老伴张刚女士：“把家里那五十多幅书画交拍卖公司拍卖掉吧！孩子们连大学都上不起，我心疼哪……”老部长南征北战六十余春秋，那些书画都是中国近现代书画大师任伯年、吴昌硕、齐白石、张大千、李可染、潘天寿等人的杰作，上面大多落有老部长名字的上款，价值连城。“设个助学基金，奖给我的那些安徽籍同乡贫困生。”老部长爱家乡，也爱家乡的下一代。

老院长慕玉生待不住了，翻箱倒柜，把一直没动的三笔政府补发的战争负伤荣誉金、一笔“文革”后重返工作岗位的补发工资和离休后从事种植业所得的积蓄，全部拿了出来。“哇，二十几万元呀！”儿孙们好不惊喜，他们从没听说一向俭朴的老爷子还有这么巨额的存款。慕玉生抱歉地对儿孙说："这些钱我一直留着没舍得拿出来。现在该是时候了，我要设立个'寒窗基金'，奖给那些念不起大学的苦孩子……"慕老用这些钱先后资助了19名贫困生上大学。

花木工张俊年是在《中国青年报》上看到一则贫困生问题报道的，他睡不着了：咱老百姓能做些啥贡献呢？哎，我们俩人一月的工资加起来有一千来元吧？我想每月从中拿出100元捐助一名贫困大学生读书，你同意吗？张俊年用胳膊轻轻碰碰妻子。妻子打了个翻身，说：啥事我没依你？张俊年一笑，第二天正好口袋里有100元钱，他跑到邮局，向全国学联填了张单子……从这以后的第二个月开始直至今日，张俊年每月领到工资后的第一件事，便是乘车到全国学联办公室，亲自交上100元捐助款。现在他还是济困助学的青年志愿者，每天下班后他多了一件事：向认识和不认识的人介绍为贫困大学生们济困助学的意义。

……

上面的这些事，都是我从团中央机关了解到的。因为材料大多是从特别设立的"全国学联济困助学办公室"的卷宗中获得的，所以只能以简单的排列形式来告知读者，其实在这些人和事的后面都有一个个感人至深的细节。由于这些做善事的人几乎没一个人愿意接受外界采访，所以社会上很少有人知道他们的事。有位老将军从1990年就开始资助失学儿童，已成为"希望工程"资助过十几万元，每月的离休工资一大半给了山区苦孩子。当他从广播里听说有那么多大学生因经济困难而面临十分艰难的生存问题后，又强制自己戒烟戒酒，每天再省下5元钱来帮助某名牌高校的一个贫困生完成学业。而像这样的事，自1996年1月，团中央和全国学联开展为贫困大学生"济困助学"的活动之日起，全国各高校的学联、团组织内都能找出一大批来。

那天我在南京大学采访，江西籍的大四女生朱早红拉住我，第一句话就非常激动地告诉我，她已经同南京某国家科研所签好了就业协议书。她拿出那份已盖上用人单位大红章的协议书给我看时，双手在剧烈发抖。后来听了她的自我介绍，我才明白这位即将走出大学门的女孩子不可能不激动。朱早红的家在江西临川，那是个十年九涝的低洼山区。她上高中时就是方圆十几里唯一的女生，后来她考上大学、考上名牌大学更是当地女生中第一人。可小朱的家里贫困，父亲早逝，她与母亲和弟妹五人，靠种五六亩山田度日，无灾无旱的年份里全家人勉强能解决温饱。她考上大学那年却又遇发大水，家里几乎颗粒无收，偏偏她在办理上大学的“农转非”时，有那么个部门竟反要她交550斤“上缴粮”，最后还是好心的粮管所职工代她交了一笔钱才算了事。可是面对入学通知书上写的2000多元学费，小朱傻了眼。母亲一边唉声叹气，一边劝闺女：“咱是苦人家，你就认了命吧！”朱早红不服，说我从小就知道“我们是祖国的未来”，就不信没人救救我们这些穷人家的孩子。真是人小胆大，朱早红提笔就给当时的省长写了一封求助信。“说实话，当时我是赌气给省长写信，根本没想能顶啥用。但我万没想到的是省长真的回了信，而且专门又寄给我1000元钱……”朱早红说她接到回信时，才真正从心底里感受到了什么是“共产党好”。这位女大学生后来转上了好运，乡里、县里的干部也都学着省长的样，为她捐款捐物。不过朱早红内心最深刻的感受还是来自这位“大官”那儿。因为进了大学门的朱早红又一个“没想到”的是，后来已已经调整了职务进入更高层的这位领导，仍然一如既往地帮助、支持她读完了四年大学，并经常写信鼓励她好好学习。有一阵小朱因为没拿到奖学金而很苦闷，这位领导得知后写信对她说：“只要你努力了，这就够了！”一位日理万机的领导人，能给一名普通学子亲笔写下这般语重心长的话语，还有比这更能激励青春斗志的事？已经走上工作岗位的朱早红不久前写信对我说："我现在想得最多的是怎样来报答社会，因为我过去'拿'得太多，以后的日子就该我为别人'拿'了，只有这样我才对得起所有曾经给予我关爱的人……"我相信这是这位女大学生的肺腑之言。

在山西，我见到了另一位与大学贫困生打得火热的省委书记，他就是被山西人民誉为"我们的好书记"的胡富国同志。到山西之前就听山西作家协会的朋友说过许多胡富国的轶事，比如他专爱在山西治穷，为了修那条"太旧高速公路"，他号召干部带头捐款，结果有人为此事整整告了他四年状，而老百姓因为有了一条可以走出大山的通天大道而就差点没呼"胡富国万岁"，路刚修好，他又来个卖掉身上的衣服也要"引黄入晋"。山西过去穷就穷在没水上，但办这么大的好事自然也会在一些利益上得罪某种人，还真有人干得出来，用炸他的住宅相威胁。可胡富国说，你就是把我炸烂，我也要流尽最后一滴血把黄河水引到山西来。有人因此上中央告他"像阎锡山一样爱山西"，胡富国知道后大叫"冤屈"，说："我在提'爱山西'的口号前面，还有'爱党、爱国'嘛！"嘿，他就是那么个既幽默又敢作敢为的人。大学里的老师、学生，更喜欢胡富国来考察，因为"我们的胡书记"说实话、办实事。他到山西农大考察，见学生们连个像样的吃饭地方都没有，当即指示有关部门解决。这个学校的贫困生太多，胡富国听了直掉眼泪，说我这个省委书记也难当，山西有那么多穷的地方要根治，大钱要花在能彻底改变旧貌的大地方上，但眼下也不能让娃娃们饿着，我胡富国眼下能做的是每天让娃娃们吃上一个鸡蛋。"副省长，这件事你一定给我办好！"胡富国脸色凝重地对陪同他一起到山西农大的副省长说。那副省长点点头，"可你没记下嘛！”胡富国盯着那副省长，直到看着他用钢笔在小本本上记下这事才换了话题。在太原，我有幸与这位被山西人民传得神乎其神的省委书记面对面地谈论有关贫困大学生的话题。一提起这，他马上显得很焦虑地说：咱山西贫困大学生多啊，我曾作过一个调查，其中国防工办有个中年妇女，培养了两个大学生子女，可家里经济困难呀，靠卖血供孩子上学，后来她自己闹了贫血症。农村家的孩子上不起大学的就更多了，许多苦孩子就连中学、小学还都念不起呢！我来山西当省长、省委书记后，与省里的同志一起就抓了三件事，其中第一件事就是改善贫困山区的教学条件。我们山西底子穷，可再穷不能穷教育，再苦不能苦孩子呀！我们管教育的副省长代表省委、省政府向全社会做出承诺：不能在山西出现一个因家庭经济困难而退学的大学生。这是我们全省的承诺，可是个硬指标啊！为了实现这个目标，我对省长就说过这样的话："我胡富国和你孙长盛省长，要是有那个靠卖血供孩子上大学的妇女百分之几的精神，咱山西省所有上大学、上中学和上小学的娃儿就有活路了。孩子们今天有了活路，咱还愁山西明儿没前途？”胡富国的魅力就是在于他说话干事总是带着浓烈的感情色彩。他公开提出的“要带着感情抓教育”的口号，在山西全省深入人心。其实，中国共产党人要实现全心全意为人民服务的宗旨，需要的正是这种感情色彩。胡富国对贫困学生的特殊感情，还在于他自己青年时代有过一段特殊的经历。这位煤矿工出身的党的高级领导，从小生活在一个贫苦的农民家庭，上学时的苦难岁月深深地烙在他的记忆中，而母亲为了保他上大学忍痛让两个女儿辍学当文盲的那块伤痛，至今一直留在胡富国的心头……

关于我们党和政府的高级领导关心爱护贫困大学生的事不止一二个人在做。早在1995、1996年时，李鹏总理就曾多次专门从“总理基金”中拨款给不能在寒假时回家的贫困生送去路费与棉衣等钱物。主管教育的李岚清同志近年来每一次到高校视察工作，几乎都要提及贫困生问题，而在他的多次亲自过问下，全国高校的贫困生问题越来越引起各界重视。教育部近几年也连连推出新举措，使各高校的济困助学工作纳入教育改革的重要内容，并有步骤地逐一落到实处。河南、江西、上海等省、市政府，把解决大学生经济困难问题的工作列入政府行为，建立了保证贫困大学生最低生活费和“济困基金”等制度，从而使当地的济困助学工作走入经常化、正规化、制度化。所有这些，都说明了党和政府对贫困大学生们的特殊关爱。正是党和政府对寒窗学子的这份特殊关爱，影响与激起了每一位善良的中国人的爱心。值得一提的是福建恒安集团公司总裁许连杰，这位热心社会公益事业的民营企业家，在一次参加团中央召开的大学生自强自立事迹报告会上，被学生们饱受贫困之苦而依然发愤读书的精神感动得泪流满面。许连杰当即表示，他的公司要大力资助那些自强不息的贫困学子。就这样，迄今为止最大的一笔救助中国贫困大学生的基金——中国大学生跨世纪发展基金·（恒安）济困助学金已正式建立，每年都有一批品学兼优的贫困生获得“恒安”基金的爱心援助。

我在自己的老家苏州听说许云凤的事后，忍不住与许多在场的医生一起流了眼泪……

许云凤是个只有 19 岁的少女，然而她生来就不幸。12 岁那年的一天，她在连发十几天高烧后终于晕倒在上学的路上，诊断结果是白血病。听到这个消息后，许云凤的母亲欲哭无泪，因为八年前孩子的父亲也是得的白血病而死在回家的摇桨船上。小云凤从小是个好学生，每天早晨，都是她第一个叩开学校大门。猝然而至的不幸，使她不得不住进了苏州医学院附属儿童医院，开始漫长而痛楚的吃药、化疗与骨髓抽检。但她没有放弃学习，那之后的五六年间，她时而住院，时而上学，成绩一直非常优秀。1995 年 9 月，她以 545 分的成绩考取了盐城市供销职工中专商储班。云凤多么渴望像别的女孩一样过着美妙的花季生活，但她不能，时常一节课下来，手腕上就出现许多出血点。顽强的她没有被这可怕的病魔所吓倒，在 1996 年 1 月的期末考试时，云凤的病情又开始恶化，四门考试每次都是同学们扶着她进教室，当最后一门考试结束时，老师和同学们发现她坐的椅子上全是血，教室里顿时哭成了一片……可云凤那张苍白的脸上则露出一丝微笑，因为这次考试她得了全班第一。

第二学期开始，云凤又不得不回苏州医院治疗，这时学校才知道她得的是白血病，学校为此发起了两次捐款活动，当地市长得知云凤的情况后也亲自批复 2 万元的救济款。但当校长把这些钱送到云凤手里时，她就是不接受。校长觉得不可理解，因为他知道许云凤的家里早已被十几万元的治疗费弄得一贫如洗了。当晚，校长还在思忖时，一个同学给他送来了许云凤写的一封信。信中说："我从小就在困难中长大，再残酷的现实我都不会害怕，可我害怕得到别人的帮助，父母已经为我付出了太多，我不能再违心地接受他人太多的帮助，因为我自己知道没有时间再允许我去还清这么多恩惠了，所以我不能接受别人给予的那么多的钱。我只希望把这些来之不易的钱用在延续有用的生命上……"校长含着泪水，只好向市长如实汇报。

但就在这时，已知生命不太久的云凤姑娘却在做着一件壮举。她看到《当代青年》杂志上一则有关贫困大学生的报道时，忍不住提笔给杂志编辑部写了一封信，请求联系一名贫困大学生给予资助。她在当天的日记里写道："生命已经短暂，我只想让它点点滴滴都化成一份美丽的回忆。我要把握生命中的每一分钟，希望去爱每一个人。"《当代青年》杂志社很快来信说，西安外国语学院教育系女生宋春阳家庭困难，父亲患了严重肺炎不能下地，母亲是个残疾人，所以上大学的宋春阳生活十分困难，平时只吃馒头不吃菜，日久天长，得了胆囊炎，急需帮助。云凤没有任何犹豫，把自己用于治病的钱拿出来，又给远在千里之外、素不相识的西安外国语学院的宋春阳写信说："从现在开始，我每月给你寄30元钱，以助一臂之力，帮助你完成大学学业……"《当代青年》杂志社的人并不知道云凤的真实情况，还以为促成了一件美事。只是西安外国语学院的宋春阳同学见给她资助的也是位学生，便回信说："云凤妹妹，我真心感谢你的支持和鼓励，我会鼓足勇气渡过难关的。不过你也在上学，是个消费者，好妹妹我求你，以后不许再寄钱来啊！"云凤见信后马上又回信写道："从我第一次提笔给你写信的那一刻起，我就决定帮你度过人生的暂时困境。也许生命本来就是一种缘，就再让我们用一颗坦诚的心对待彼此吧！"随信，云凤又给西安寄去30元钱。宋春阳再次收到信和钱后，就突发一种"哭的感觉"。其实宋春阳当时根本不知道此时给她写信寄钱的小妹妹，生命已经处在十分危险的时刻。此时云凤的身体凝血机能已经被白血病破坏殆尽，每天大量失血。一个多月时间内，她整整用掉了22袋卫生巾和22包卫生纸……

去年2月，为云凤医治了七年之久的苏州医学院，在万般无奈中向这位可爱的少女关上了大门。回家后的云凤，因癌细胞扩散，全身剧烈疼痛，后来又头发脱光，生命最后时刻的每一分钟，都使她承受着生者无法感受的痛苦……2月20日凌晨3时，只有19岁生命的许云凤永远离开了人间。悲痛欲绝的母亲在整理女儿床头的那只书包时，发现了三样东西：一是女儿心爱的课本，二是没做完的作业，三是她给哥哥写的一张纸条。那纸条上这样写道："陕西有个女孩生活太艰难，以后请你代我每月给她寄30元钱……"

4 月，西安外国语学院学生宋春阳得知一直资助她的许云凤原来是位白血病患者并已不幸离开人间的内情后，悲痛得肝肠欲断。因为她过去一直认为许云凤是位非常健康而富有的女孩。“比起云凤，我简直太渺小了。从今后，我将以云凤妹妹的精神，尽力克服所有困难，完成好学业……”宋春阳在给许云凤母校的信中这样说。

第十二章　流金的呵护

我记不住哪一天的电视节目，但有两个镜头却永远刻烙在我的记忆之中：一个镜头是一位患癌症的女教师在她即将离开人世的前几个小时，她用极其虚弱的声音，断断续续地向家人叮嘱："你们……一定要、要继续给、给广涛按时寄钱，让他在清华……读完大学。还有、我死了……千、千万别、别告诉他，那样会影响他学习的……"镜头里的这位女教师说这些话时，泪流满面。看得出，她是多么留恋这个美好的人世，而她心中最放不下的似乎还是那个在她生命最后时刻仍在千呼万唤的一个叫"广涛"的人。

第二个镜头是：在清华大学学生宿舍里，学生赵广涛蹲下身子，吃力地从床铺下拉出一个木箱，他从这唯一的"家当"里取出一叠信件，随后含泪向记者说："……这都是李妈妈写给我的信。几年时间里，她不仅在经济上给予我巨大支援，每月寄钱来，而且更多的是慈母的关爱。可是她现在已经离我而去……我、我到现在还没见过她一面，我还没来得及当面叫她一声'妈妈'她就……"

我看这镜头时流了许多泪，因此我也决心一定要找到这个女教师的家和这位在清华读书的赵广涛同学。后来我如愿以偿，而当我听屏幕之下的主人公讲述那段超乎寻常的人间真情后，更是难以抑制自己的感情……

现在就读于清华大学精仪系的赵广涛同学是河南郾城县龙城镇仲李村人，那个离他而去的女教师是湖南娄底涟钢子弟学校的李赛明女士，这二位后来认做"母子关系"的人素不相识，也平生未谋过一次面，却因为电视台的一个节目使他们之间演绎了一段情深似海的母子之缘。

那天我到清华去见赵广涛，我们开始几乎没说上几句，虽然还有另外几名贫困生在场，但我看得出赵广涛似乎已不太再想谈他与李赛明老师之间的事。等对其他的学生采访完毕后，我约他单独在清华园的一块绿地上倾谈。那已经是晚霞落地的时间，只有我们俩人的时候，我问他为什么不太愿意提及李赛明妈妈的事，他说李妈妈的不幸去世本来就使他非常非常的悲痛，电视上把事情一播后隔三岔五地有记者什么的找他谈这件事，各地来信的也特别多。赵广涛说，正是因为他与李赛明妈妈的特殊“母子”关系，本来李妈妈去世后他一直把这巨大的悲痛深深地埋在心底，每天尽量地用满负荷的学习来填补这一心灵的沉重打击，另一方面他决心通过努力学习争取早日毕业后抽个时间到湖南的李妈妈坟前磕几个头……“现在不行，我越是不想提的事越老有人来左问右问的，我实在受不了，每提一次李妈妈的事，我就会好几天缓不过劲。你们这些当作家记者的就知道找素材，可你们知道不知道这是在一次又一次地挖我的心？”赵广涛瞪着一双略带怒色的目光看着我。

“真对不起了，广涛。”他让我有种负罪感。少顷，我把手搁在他垂下的双肩上，然后说，“好，今天我们就不谈这事……”

“不不。”赵广涛同学又突然抬起头，抱歉地说，“对不起，刚才我不是对着你的。你是学校学工部老师安排的，我当然得跟你好好说一说的，不过我是想通过你对新闻界还有社会上的人说一说——其实他们都是好人，他们报道我，还有很多人寄钱给我。可我希望的是自已能够安下心，努力学习，用优异成绩来报答李妈妈，同时也报答所有关心我的人。我只是不想别人再打扰我，顺便也想通过你的笔，对所有关心我的人说清一件事：当初我接受李妈妈一家的资助，是因为我那时太困难。现在已经几年过去了，我已经能自立了，所以不想再接受别人资助，而且我已经做到了。可是有个记者在最近写的一篇文章中说我还在接受李妈妈家的资助，我觉得心里挺难受的，事情已经不是那样了，真要那样我就太没出息，更对不起九泉之下的李妈妈了……你理解我的心思吗？能答应帮我做这件事吗？”

我十分郑重地点点头。

“好，那我就从头跟你说……”赵广涛的脸侧仰着，正好一缕金色的晚霞打在他的眼上，于是他双目微眯，那神情一下陷入了无边的思恋之中……

1994 年 9 月 1 日，赵广涛一直没有忘记这个日子，因为在这一天他带着家乡龙城镇的数万名父老乡亲的厚望，踏上了进京的路。从收到清华大学的录取书那天起，赵广涛就成了当地的“名人”，因为在他之前全镇还没有一个真正的大学生，尤其是名牌大学生。虽然鄄城是个穷地方，但祖祖辈辈靠天吃饭的父老乡亲们却都知道中国有个清华大学。在当地人的心目中，能考进清华的那就是正正经经的“状元”。那阵子乡里的干部、乡里的百姓都感到光彩，要是出家门往外乡走一趟，谁都要提及“俺乡有个娃考上了清华”这句话。但是乡干部万没想到的是，赵广涛家人却因儿子考上了这么个大学而整天满脸忧愁，一问，说是为了几千块一年的学杂费。上了大学不就可以吃国家了吗？乡亲们还是老观念，他们不知道从这一年开始大学实行双轨制，所有上学的人都得交学杂费，除此个人还要承担生活费。“凑！俺们全乡人就是每人捐出一毛钱也要让我们的‘状元娃’上清华！”乡长把袖子一捋，对着广播向全乡百姓发出号召。就是在赵广涛上路的这一天，乡长代表全乡数万名乡亲把一笔钱交给了他们引以为自豪的“状元”。赵广涛呢，他正是用这笔钱进了首都北京的清华园。

但是，令赵广涛这位乡下孩子不可思议的是，要踏进现今的大学门，除了要交一笔高额学杂费外，还得至少每月200来元的生活费。哪儿来那么多钱？他太清楚自己的家是个什么样，别说每月200元，就是一年到头也难见200元的现钱呀！一个早已年迈的奶奶，久病不治的父亲，还有一个正在上学的弟弟……赵广涛知道要从这么个家里每月抠出200来元现钱，就等于扒家人的皮。清华园里的“状元”陷入了窘境。这时，一位记者把面临几近失学困境的赵广涛的情况录入了中央电视台的《焦点访谈》。

“得帮帮这个有出息的苦孩子呀！”在中央电视台这一节目播出的那一短暂的时间里，有一位远在湖南娄底市的中年女老师心头刹那间被紧紧攫住了。那一夜，这位善良而富有同情心的女老师辗转难眠，伟大祖国的最高学府里的一位孤苦无助的学子的影子一直在她眼前晃动着……不行，我得帮一把这孩子，考上清华大学多不容易，不能让他因为家境的困难而影响学业！

第二天，这位女老师悄悄来到邮局，给远在北京的赵广涛同学汇去100元钱，特意在附寄的一封信中表达了一个真诚的心愿：“你就当自己是我的一个孩子吧！”

邮局工作人员清清楚楚地看到汇款人一栏上写着三个秀美流畅的字：李赛明。

没几日，李赛明一天中午回家吃饭，看到有封自己的信。她拿起一看，就兴冲冲地对老伴欧游说：“你看看，北京给我回信啦！”

“北京？你啥时候有了北京的亲朋好友？”

李赛明老师见老伴一脸狐疑，便开怀地公开了一个心中的“秘密”。老伴欧游一听，就把儿女叫到一起，很是郑重地说：“你们妈做了一件好事，也是善事。我们都要支持她的行动，把赵广涛同学当做你们兄弟姐妹中的一个。”

“嘿，这回咱家可就出了个清华大学生啦！”孩子们也十分高兴地议论开了。

从此，李赛明每月领完工资后的第一件事，就是上邮局汇款，而且从不拖时，从不间断，就连寒暑的假期依旧将一张一张汇单寄向清华园……

清华园内的赵广涛同学开始接到这一张又一张的汇款单时，心里总有一种说不清的愧疚感。要强的他终于忍不住给这位“李妈妈”写信，并婉转表述了自己不好意思再收取资助的心境。他哪想到，这封信不仅没“冷却”对方，反而收到了“李妈妈”更情深意切的来信——赵广涛承认在这之前他对“李妈妈”的称呼也纯粹是出于礼貌，而绝非等同后来他所称之的“李妈妈”之真切。

“李妈妈”的信上这样对他说：广涛，我的好儿，你这么想了让妈我心里都不好受。我不能看着你在大学里为了一顿饭钱、为了买个本子而总是那样愁眉苦脸。如果真是那样，我每天生活在又有冰箱彩电，又有音响空调的家里会极不舒服的。好儿啊，你知道吗，当妈妈的假如不能为自己的儿女做些什么，心头都会有种负罪感，那更不用说她自个儿偷着一人在享受安乐富裕的生活了。明白吗？只要儿在外面受苦，当妈的就是有金山银山也不会有丝毫的幸福可言。

赵广涛哭了，他从这位平生根本不相识的“李妈妈”信中，看到了自己亲生妈妈的那种发自母性最原始、最崇高的珍爱与呵护。“李妈妈，看了您的信，我一下有千言万语想对您说，可我不知该从何说起，我唯一能说的就是一句话：让我像对亲娘一般地叫您一声妈妈——”打这以后，赵广涛的内心就有了一种特殊的归宿感，他说那时开始他叫“李妈妈”完全与叫自己的母亲一般，面对的就是一个真真实实的亲娘，而且从某种意义上讲超过了亲生母亲，因为这个李妈妈有时几乎一个星期就要给他写一封信，这种心灵间的异常频繁的交流与融会，时间一长就慢慢变成了一种亲情，一种两相牵挂的、不可消失的永恒的亲情。赵广涛直到李妈妈去世后才从由长沙专程到北京来采访他的记者那里知道，李妈妈一家根本不像她在信中向他所描述的那样富有，当时李赛明老师就是为了打消赵广涛接受资助的内疚感而有意这么说的。当老师的李妈妈当然懂得这一点，所以她在赵广涛面前也做得天衣无缝。其实李赛明的家是个再平常不过的家，也可以说是个生活水平低下的家庭。她和老伴二人才各拿每月四五百元的工资，三个孩子中大的未成家，小的正在发育年龄，中间的大儿子与赵广涛同龄，也是属于能吃和长身体的时候。李赛明本人又是个体弱多病的人，一家五口挤在30来平米的房子里，勉强两件现代化的家什是一台14英寸的黑白电视机和一台单缸洗衣机。两个低收入的父母要带三个又在读书又在长身体的大孩子，生活的艰辛是可想而知的，但李赛明不仅从来没有向赵广涛透露过一丝一毫，相反每一次向北京汇款时总刻意表现出一位有钱的母亲向一位有难的儿子施恩时的那种豁达与大度。如此长久的“美丽谎言”，使一南一北的“一家人”共同进入了一个无比幸福的童话世界。

亲情不仅仅来自血缘，它还属于那些相互关爱的人。时间一长，已有三个孩子的李赛明总是特别惦记北京的赵广涛。有一次，李赛明的小儿子对妈半开玩笑地说：“妈，我们感觉在你心中广涛哥好像比我们更亲似的……”母亲笑了，说：“傻孩子，你们天天在我身边，还用得着我那么牵挂吗？广涛就不一样了，他一个人孤身在外，自然得多为他想点儿。”在清华园上学的赵广涛呢，心头也慢慢老有一种对远在湖南的李妈妈及其一家人的牵挂。有时倘若晚收到一两天的信，他便有些坐不住了，回去赶紧发一封信问问为什么，是不是“妈妈”身体又不太好啦，总之是那种无法割舍的惦念。平时，赵广涛也不时把学校和自己在学习生活中所发生的事写信告诉李赛明。李赛明呢，则用她母亲的那般特有的细微关怀着远方的“儿子”。只要她稍稍从赵广涛的信中感觉到他正需要什么时，就赶紧倾其所能地去办。冬天到了，她忙着向北京寄去棉大衣；夏天来临，她便把本来给亲儿子买的衬衣汗衫邮到清华园，同时还寄去一笔特殊的“回家费”。“你出来又快一年了，该回去看看父母了。如果不打算回家，那这笔钱就算你在北京打工的本钱吧……”李赛明信中总是一遍又一遍地叮嘱。1995年的春节前四天，赵广涛的奶奶突然去世，为了办丧事，本来就清贫的赵广涛一家犹如雪上加霜，一下多了不少新债。李赛明得知后，一面给赵广涛写信安慰，一面忙着筹钱。她除了每月给赵广涛寄100元，还一次又一次地向好几个孤儿及一群无家可归的乞丐们施舍捐助。一个本来就极低收入的家庭，要是整天摊上那么多事，谁都感到极其为难。但当李赛明知道赵广涛家里出事后，便毫不犹豫地把全家所剩的200元伙食费给汇走……“妈，咱一个多月了，老吃地瓜加茄子，我一闻家里的饭菜就反胃，么子就不能换换口味呀？”面对儿女们的抱怨，李赛明只得无可奈何地苦笑着向他们许了个永远难以实现的愿。

又一个暑假到了，李赛明把该汇出的“回家费”汇走了，也把该备齐的衣物寄出了，然而却一晃近两个月没收到赵广涛的回信。是他没回家？可学校的人说他没留在北京打工。难道他回到亲人身边就把我这个“妈妈”给忘了？不像，广涛这孩子不是那种人。那他到底怎么啦？李赛明心里好着急也好担心，她猜想一定是广涛这孩子的家里又出什么难事了。不行，说什么我也要找到广涛听他说说是怎么回事，就是天大的困难，还有我这个妈妈给你顶着嘛！一不做二不休，李赛明一连发出三封信和一封加急电报，催着广涛给回音。

事情果然不出所料，赵广涛家里还没有来得及处理奶奶死后的债务，5月份，多病的父亲又离开人世，年仅49岁。赵广涛一面沉浸在巨大的悲痛之中，一面不想再让李妈妈一家跟着承担他和他家的不幸。从每一次湖南邮寄来的用旧布做的包裹和一件件不新不旧的衣物中，赵广涛多多少少隐约感觉到了李妈妈一家的生活并不像她信中所描绘的那样富裕。正是因为这个，他不想再由于自己家庭的不幸拖累李妈妈一家，他也不想让好心的李妈妈跟着为父亲的病逝而悲伤，所以一直没有回信。现在看到李妈妈一封又一封的信件与电报，赵广涛只得将注满泪水的话倾诉给远方的李妈妈听……赵广涛说，这一封信他写得很长很长，也很悲伤忧闷。信发出没几天，他就接到了李妈妈的信，李妈妈的信比他写得还长，整整密密麻麻的十几页纸，那每一页字里行间都刻着一位慈母的伟大的爱。她告诉广涛，从现在开始每月给他的生活费由原来的一个月100元，提高到300元。“好儿呀，你不用为我们家里想，妈妈一家人长年过着要吃啥就有啥、要穿啥就有啥的生活，可你呢，情况就大不相同，你要读书，你家又频频出事，我这个当妈的担心的是你因沉重的困难而影响学业，你千万要顶住，你也完全可以放心地相信有我这个妈妈做后盾，纵然有天大的困难，也一定能克服……”信中，李赛明一方面继续编织美丽的谎言，一方面用中外名人的奋斗事例鼓励赵广涛化悲痛为力量，努力完成学业。

赵广涛就是在李赛明的鼓励下重新站立了起来，而且学习成绩也从入学初期的全班中游水平，跃入前五六名。他的班主任说：“是李赛明老师所给予的那种人间至诚的特殊精神力量，为清华大学重塑了一个赵广涛同学。”

1997年春节过后的新学年已经有一段时间，然而赵广涛却奇怪一直没有收到李妈妈的亲笔信，虽然钱还是准时收到，但落款却不是李妈妈的字。赵广涛焦虑起来：莫非李妈妈病了，而且病得不轻？事实正如他所猜，李赛明本来一直身体多病，这年3月开始她就再也支持不住，到医院一查，竟是晚期肺癌并发肝硬化。病魔的痛苦折磨使李赛明连动手写信的力量都失去了，她不得不躺在床上让老伴代写，并吩咐信上一定要说明是因为自己工作太忙而由人代笔的。“广涛这孩子心细又敏感，不然他会发觉什么的。”李赛明对老伴特别说明。其实从这微妙的变化，赵广涛还是感觉到李妈妈出什么事了。他回信说，等暑假一到就去湖南看“妈妈”。但是，赵广涛没有等到这一天，1997年5月3日，李赛明老师与世长辞，这对超越了一般意义上的母子亲情的两代人因此而永远失去了见面的机会……

其间，当地有一位电视台的记者知道了李赛明与赵广涛的事，便在李赛明的生命最后时刻录下了这位伟大母性的形象，那就是后来在中央电视台“焦点访谈”里出现的镜头。镜头里有记者与李赛明的一段对话：

记者：“您现在想不想见见赵广涛？”

李赛明将头侧到一边，流起了泪。片刻，她毅然道：“不想！让他把五年的书念完再说！”

记者：“可您的病……难道您就不想先见他一面？”

李赛明重新把头侧过来，她的脸上尽是泪痕。“我不相信医生说的我只有三个月时间了。我有信心等到他毕业的时候见他……可现在不想打扰他，他太不容易了，他爸爸死时他都没回家……”

良久，记者又问：“您这样关心赵广涛，有没有想等他以后有了出息报答您呢？”

李赛明肯定地摇摇头：“我不要他报答，只要他能够独立，能够自己保自己就行。我最大愿望是他能顺顺利利读完五年大学，然后走上工作岗位能为国家做点出色的事，因为他是清华大学生……”

这段话说完没几天，李赛明带着她对赵广涛的无限惦念永远地离开了人间。在办丧事时，有人提出应该给清华大学的“儿子”发封电报，但被李赛明的老伴阻止了，他说：“在生命最后一刻，她还一再叮嘱不管自己发生什么事，都不要去惊动和打扰广涛，让他安安心心地读书。她唯一让我做的是要继续给广涛寄钱及以她的名义写信……”后来如果不是赵广涛坚持在暑假上湖南去看李妈妈，李赛明家人是绝不会将他心目中的一位形似泰山的母亲已入天国的噩耗向他告知。

“我无论如何也想不到李妈妈这么好的一个人会溘然逝去，老天竟是如此不公！”当赵广涛向我讲述完他与“李妈妈”之间的故事时，清华园里已是一片灯火。

“何先生，现在你大概知道我为什么不愿别人老在我面前提起李妈妈的事了吧？”赵广涛忽然说。

我点点头：“你内心还有一份别人并不懂的愿望，就是尽量地少去打扰九泉之下的李妈妈，让她不要再多为你这个清华学子操心了……”

赵广涛突然把我的手紧紧握住：“谢谢你。谢谢你的理解！”

分手时，赵广涛告诉我一个心愿：“马上就要毕业了。毕业后的第一件事，就是带着我的清华大学毕业证书去湖南，去李妈妈的坟前喊一声：“妈妈，你的儿子完成学业后看您来了！”

夜色下，我分明看到这位清华学子瞳仁内的闪闪泪光。

与赵广涛一样，杨虹的几年大学学业可以说是自始至终被特殊的爱与温暖沐浴着，而当人们了解这事情的整个过程后，有谁还能说人的本性不是善良？

杨虹现在已走出校门，在沈阳市某交通局客运集团公司上班，他是作为特批对象落户在这座北方城市的。其实如果不是与这座城市早有的一段情结，杨虹也许今生今世成不了一个沈阳市民，也许根本不可能与大学有缘。

杨虹的老家在四川省巴中的一个边远山村。这里的人受传统和客观条件等方面的影响，一般的年轻人上完初中就开始务农，能到几十里外的县城念高中的娃儿几年也出不了个把，在娃儿的父母眼里，那些想上大学的都是在做梦，与其做梦，还不如早些拿起牛鞭粪桶置个家业。所以当那年杨虹把上高中的录取通知书拿出来时，父亲一脸的不悦：“家里连拿出一分钱都费劲，你还念啥子高中么？”

“我就要念么，将来还要上大学！”杨虹与父亲顶完嘴，就开始走自己的路。

他到同学那儿借了150元路费，买了一张站台票便坐上了开往哈尔滨的火车。结果乘了几天几夜车子准备在哈尔滨找个工打的杨虹落了空，于是他又辗转到沈阳。这回他运气不好，半途被查出没票而赶下了车。后来他一路徒步，到沈阳时口袋里只剩5块钱。走投无路的他突然想起自己的舅舅在沈阳东陵沙场工作，便搭了一辆车子赶到那儿。此时天忽然下起大雨，又饿又乏的杨虹再也支撑不住了，在一棵避雨的树下他昏死了过去……第二天醒来时，杨虹感觉自己好像快要离开这个世界似的。他拼出全身力气，挥动着手臂，以示过路的行人与车辆注意。最后还是一辆开小货车的师傅拉他上了车，并将他送到东陵沙场。杨虹一问，人家说他的舅舅早已不在这儿干活了。当时杨虹一听这，又一下昏了过去。沙场上好心的人看这孩子太可怜，便留下了他。杨虹后来说，当时他好比一个乞丐，别人留了两碗面汤他吃得却如山珍海味一样惬意。

打工的日子就这样开始了。杨虹他们干的活是帮人家拆旧房，偏偏这是个要力气的活儿。杨虹个小，没有人愿意跟他搭帮，于是他被安排在工地做饭。也许是机缘巧合，也许是老天开眼，杨虹就是在这个时候认识了后来改变了他一生命运的沈阳市民项士信一家。项士信的家当时就在杨虹做工工地的附近，他儿子项鑫比杨虹小几岁，每天中午回家吃完饭后就喜欢上工地那个地方玩一阵子。时间一长，项鑫便与杨虹熟了。杨虹见项鑫经常从工地那儿担水回家很吃力，就帮小项鑫挑，这样杨虹也认识了项鑫的母亲郭淑杰。项家的人都是老实本分又善良，见杨虹聪明热情，便经常请他到家里来吃个便饭什么的。有一天，小项鑫的母亲郭淑杰正在家里忙活，见杨虹愁眉苦脸地坐在她家的门槛上，一问，原来杨虹打工的这个工地上已经没活了，人家甩下他换到别的地方，他杨虹一下又成了孤独的流浪者。

“阿姨，我想到您这儿借点米吃……”杨虹终于开口了，他说他现在跟一个老乡俩人一起蜗居在工地上的一间小破房子里，靠捡砖头卖过日子。因为旧砖不好卖，他与老乡两天没吃啥东西了。

郭淑杰二话没说，找出一个小口袋便给杨虹装了十来斤米。“有难，你就说一声。阿姨一家只要能做得到的一定帮你。”郭淑杰随口说了一句，杨虹却把它牢牢地烙在心上。

项鑫的家要动迁，杨虹第一个来帮忙。在运货的一路上，杨虹见项鑫的父亲是个大好人，便半真半假地说：“项大叔，要是我认你作爸，你能不能供我读书？”

项鑫的父亲项士信憨厚地一笑，说：“你上学要花多少呀？”

“一个月五十来元就够了。”

项士信一思忖，说：“读书是好事，我一定帮助你。”

当时杨虹并没有把这话放在心上，嘴上说说，不就图个快活嘛！但是杨虹虽身在他乡，心里却一直惦念着高中快要开学的时间。想想眼前的境况，杨虹觉得自己已经完全没了重进课堂的希望，为此他写信给老家的同学，流露出走绝路的念头。偏巧，郭淑杰在给杨虹洗衣服时无意中看到了那个同学给杨虹的回信。郭淑杰吓坏了，把这事赶紧告诉了丈夫项士信。夫妻俩都是心地善良的老实人，一商量，说什么也要帮这孩子一把。可是家里哪有钱呀？项家三口人，其实挣钱的就项士信一人，郭淑杰是沈阳头一批下岗的人，他们的儿子也在上学，三口子本来日子就过得够紧巴。

“杨虹这孩子实在太可怜，容我想想办法。”项士信说完就出了门。他是去朋友家借钱去。

“怎么样，借着了没有？”半夜，老伴给项士信开门后的第一句话便这样问。

“成了。”项士信说。

第二天，项家夫妇找来杨虹，当面把 1000 元钱交给他：“这钱是给你上学用的，赶紧收拾行李，还来得及赶上开学……”

杨虹愣了很长时间才缓过神，眼泪禁不住哗哗直下。他“扑通”跪在项家夫妇面前，泣不成声：“我……我这辈子永不忘记你们！”

再说杨虹回家跟父亲把自己离家出走后的前前后后的事一说，老父亲大为惊讶，对儿子说：“项家真是天底下的大好人。虹儿，你能重新上学，这事我跟你妈做亲爹娘的都帮不了你，项家的义举对你来说就是再生父母。以后你得改口，叫他们爹妈才是。”杨虹呢，这回跟父亲想到一起了，其实他内心早有此愿，只是经父亲这么一提就更加迫切。当晚，杨虹含着泪水把久存在心头的愿望连同上学的喜讯，一起写信告诉了远在千里之外的沈阳那个新家……

之后的三年，村里人都说杨虹交上了好运，因为他有一个沈阳的“好爸好妈”每月寄钱来供他上高中，而且寄钱的数目从最初的 50 元，升到 80 元、100 元和 200 元……逢到新学年开学，甚至升至五六百元还多。杨虹一家和村上人真的以为遇上了一家有钱的好心人。说好心不假，但说项士信是个有钱的人家那实在太离谱了。那时项士信一人上班挣500来元的工资，为了保证给四川的杨虹每月寄钱，老伴郭淑杰一等丈夫把工资领回家，不管家里有什么大事难事要办，她总先留出一半钱来放在抽屉，第二天又匆匆寄走。郭淑杰说她是怕钱在家里多留一天，就可能被别的急事挤用掉了。“在认识杨虹后的这五六年间，我心里一直提着弦，生怕有一天突然自己家里出件什么大事把给杨虹的钱挪作它用了……”郭淑杰每每谈起此事，心中总有一种常人难以想象的负重感。全家唯一的经济来源就是丈夫的500来元工资，却要把其中的一半留出来给别人念书用，而仅用剩下的那么一点点钱维持一个三口之家的生活，这日子是怎么过来的，恐怕除了郭淑杰和她丈夫项士信能说得出外，再没有人能回答上来。

1993年夏，项家又接到四川寄来的一封信，打开一看，是杨虹写的，里面还有一张沈阳工业高等专科学校的入学录取通知书。“孩子他爸，杨虹这回有出息了，考上我们沈阳的大学了，你快看呀！”丈夫项士信下班刚踏进家门，妻子就激动地把这一喜讯告诉了他。

“好啊，这孩子总算没辜负我们的一片心血！”项士信其实比妻子还要高兴，因为他曾跟杨虹半真半假地说过这样一句话，“哪一天你真考上了大学，我就正式认你这个儿子。”

看到丈夫从心底里都在乐的样，一边的妻子郭淑杰则双眉慢慢紧锁起来：“杨虹上大学的费用就更大了。你看，光上学报名时就得一下交1700元呢！”

“还能凑一凑吗？”

“拿什么凑？咱鑫儿的学费这回也得出去借了……”妻子“唉”了一声，忍不住两眼直流泪水。

"杨虹已经到这份上了，我们就是砸锅卖铁也得帮他进大学门。"黑色夜幕下，丈夫一把搂过瘦弱的妻子，有些哽咽地，"只是又要苦了你……"

天亮后，项士信叫妻子去给杨虹发电报让他先到沈阳来，自己又去到朋友那儿求情借钱。这回他把该想到的人都想到了，但仍然只借到了600元……开学报到的日子已到，那天郭淑杰特意给杨虹换了一套新衣服，但领杨虹去学校报到的丈夫项士信那天脸上却显得很沉重。

"老师，我们杨虹的家就在沈阳，离学校不远，能不能让他走读，这样他的住宿费啥的我们不出行不行？"来到学校，项士信把杨虹安顿到一边，自己便带有乞求地问正在登记的一位学生处工作人员。

"那怎么行？上大学有规定，必须住校。"

"您高抬贵手给通融通融……"

"不行就是不行，你别浪费时间好吗？来来，让一让，下一个！"忙得不亦乐乎的工作人员根本没时间跟项士信多说什么。

头一回没办成，项士信只好带着杨虹回了家。第二天他没让杨虹去，自个儿又去找那个管报名的学生处工作人员，那人一见项士信又来提这根本"不着边"的事，就干脆回答道："要是交不起钱，就别上了嘛！"

项士信气得掉头就往回走。气归气，人家学校有规定么。妻子好言劝道：明儿找找学校的领导，把事挑明了，看看他们到底能不能照顾照顾。

还有啥法子，只能这样呗。报名的日子只剩最后一天了，项士信再次来到学校。这回他直接找到了学生处的杨处长。"好吧，正好有点空闲时间，你就说说你儿子的事到底是怎么回事？"

老实巴交的项士信苦笑了一下，只好无奈地把他一家与杨虹的事全盘倒给了杨处长听。

“竟有这样的事呀？”杨处长听项士信的讲述后，激动地站了起来，并当即表示，“如果情况属实，我一定促成领导批准你的这个特殊要求！”值此，项家七年含辛茹苦帮助一位贫困生上学的事才被旁人所知晓。杨虹也顺理成章地被学校破例允许走读并免去了一切学杂费。

有人说杨虹太幸运了，幸运遇到了像项士信这样天底下最好的人家。这话其实一点不过分，先不说过去的几年里项士信一家为了帮助杨虹这个对前途、对人生失去信心的苦孩子怎么重新树立信心、上完高中的那片苦心，单单在杨虹上大学的三年时间里，项家就曾几度倾家荡产、高筑债台。有一次杨虹入学后需要办个30元的图书阅览证，当时“妈妈”郭淑杰手里别说30元，就是3毛钱都拿不出。可孩子在大学里有个阅览证是必需的，郭淑杰想来想去也没招，最后她想到了自己有件没穿过的新呢子上衣，于是毫不犹豫地拿到自由市场上廉价出手卖了50元钱。当她看到自己还没有穿过一回的新衣服被人无情地拿走时，竟坐在马路边上哭了起来。项士信自打添了个“大学生儿子”后就更不用说了，因屡屡借钱他把朋友都给得罪了，“老实、仗义”的名声也变成了“可怜、可气”的骂名。至于在邻居的眼里，他项氏一家是抠门抠到了自个儿的皮肉。这话咋讲？人家说你没有注意他项士信的脚上那袜子？咋？是从垃圾箱里捡的！还有你没看他媳妇，倒也天天上菜市场，也筐里常满满的往回提，可那都是别人扔下的烂菜根烂菜叶哩！

我们再来听听项士信一家是怎么说的。问男主人，可他不愿提这些事，大老爷们的说不出口呀！女主人并不在乎人家怎么瞧不起她所做的事，她说得也平淡：“家家都有本难念的经，我们本来就鑫儿他爸一个人挣工资，后来虹儿进了我们家，四张嘴吃一个人挣的钱，自然只能过苦日子。可咱心里亮堂、踏实，因为看到虹儿能有出息，能上完大学，现在又能找到一份能发挥他才能的工作，我们全家一点儿不感觉冤。虽然为了他我们背了一身债，但现在两个孩子都大了，他爸也还能干，我也可以腾出空了，准备办个托儿所，再苦干两三年，欠的债就差不多可以还清了……”

听，本是滚烫、激昂的豪言壮语，却在这样一个普通的人嘴里说得那么平平淡淡。这才是我们中国百姓的真实情怀！

第十三章　驮在车轱辘上的丰碑

我知道白芳礼老人的事是从团中央学校部一位负责人口里听得的，他告诉我，在天津有一位蹬三轮车的老人现已八十五六岁了，十几年来靠自己蹬三轮车赚来的血汗钱，资助了近200个大学生的学费与生活费，曾受到江泽民、李鹏、李瑞环等领导的赞誉和接见。初听这事，我除了强烈的震惊外，心里怎么也不太容易接受这个事实。我觉得让一个八十几岁的老人而且还是蹬三轮车的老人，用自己那么一脚一脚蹬出来的血汗钱，去供那么多青春年少的大学生吃饭、穿衣和上学，实在太残酷了，也太……总之我心里有种说不清的滋味。

去采访之前，我给天津团市委打了个电话，请他们帮助找到这位老人。5月19日，我正在北京参加一次文学研讨会，会的中途传来天津方面打在我寻呼机上的消息："天津无你打听的那个白大爷……"这怎么可能！我走出会议大厅，急忙给天津方面打去长途电话，要求他们继续帮助寻找。下午对方告知"已找到"，这才使我悬着的心放了下来。第二天一早4点我就睡不着了，5点"打的"赶到市郊的赵公口长途汽车站，因为来得太早，白白在晨露中等了一个多小时才启程到天津。

9点半左右，市学联的一位同志带我在大街上转来转去走了好多路，来到了天津火车站。

"白大爷就在那个大广告牌后面。"学联的同志指着火车站西侧的那块巨型广告，对我说，"白大爷平时没有固定地点，到处都走。为了今天你的采访，昨天下午我专门来了一趟，让他今儿在这个地方等着。”

越过川流不息的车潮和熙熙攘攘的人流，我们来到巨型广告牌后面的一个三角地。我远远看到在那个三角地的路边，堆放着一摊破破烂烂的东西，有各种瓶瓶罐罐、纸屑废桶等，在这些废品堆放物的中央，有一个用旧编织袋片搭成的只有半人高的小棚棚。在棚的后面，只见一位衣衫穿着极为破旧的老人在一只小盆里洗刷着两顶旧鸭舌帽……

“这就是白大爷？！”

“是他。”

这时，老人正抬起头。我心头一颤：这不是油画《父亲》的翻版吗？瞧那一道道刀刻般的深深皱纹和充满沧桑的脸……

“你是北京来的作家？”老人直起身子，那张黑黝黝的脸盘顿时绽出那憨厚的歉意，“看看，我嘛没干，又让上面重视了。”

老人家原来是个一开口就叫人能见得着底的人哪！

“可你这阵来看我啥都不像了……”老人皱起眉头，指指点点地对我说，“以前我在这儿有 13 个小卖铺，前阵子政府号召要整治车站、街道环境，我们这些小卖铺、小亭子都得拆掉。我是劳模，当了几十年的老劳模，得带头响应政府的号召呀，所以我就让政府先拆了我的这些小卖铺。13 个小铺哩，他们那天来了三十多辆车、一百多号人哪，拆了近一天，全给拆掉了。现在我就成了这个样，一点不像样，以前可不是这样的，生意好着呢！”

老大爷还是个做过大生意的人呢，这也是我没想到的。

“哎，以前生意大着呢。”老人一提起这，顿时神采飞扬。他说他这儿是前些年张立昌市长亲自给他批的一块地用来让他建小亭子，卖些水果、包子什么的。“我是老劳模，事事就得想多为国家做点事，多做点贡献。你等着，我给你看看材料……”

老人转身钻进那个小棚棚，很吃力地拎出四个塞得满满的包包给我看："都是材料，写我的，还有照片。好多好多呢。我当劳模十几年，你想十几年了给我写的材料有多少！多去了，家里还有好多好多……"质朴的老人拿起一张张皱巴巴的、早已发黄了的各式各样有关介绍他的报纸和新闻图片，如数家珍似的给我看，那张沧桑的脸上露着一种童真般的笑容。而我正是从这些早已发黄和模糊了的点点滴滴材料上，了解了这位蹬三轮车老人的事——

白芳礼老人生于1912年，祖籍河北沧县白贾村，祖辈贫寒，他从小没念过书，如今也不认得几个字。1944年，因日子过不下去逃难到天津，流浪几年后当上了一名卖苦力的三轮车车夫。从那时起，他一跨上三轮车就没停过，一直到五十多年后的今天。解放后的白芳礼，靠自己两条腿成了为人民服务的劳动模范，也靠三轮车拉扯大了自己的四个孩子，其中三个上了大学。从小不认字的老人，对自己能用三轮车滚出的汗水，把自己的子女培养成大学生感到欣慰。1986年，相当于绕地球蹬了几十圈的74岁老人正准备告别三轮车时，一次回老家使他改变了主意，并重新蹬上三轮，开始了新的生命历程。

娃儿，大白天的你们不上学，在地里泡啥？老人在庄稼地里看到一群孩子正在干活，便问。娃儿们告诉这位城里来的老爷爷，他们的大人不让他们上学。这是怎么回事？老人找到孩子的家长问这是究竟为啥。家长们说，种田人哪有那么多钱供娃儿们上学。老人一听，心里像灌了铅，他跑到学校问校长，收多少钱孩子们上不起学？校长苦笑道，一年也就百儿八十的，不过就是真的有学生来上学，也没老师了。老人不解，为什么没老师？校长说，还不是工资太少，留不住呗。老人顿时无言。

这一夜，老人辗转难眠：家乡那么贫困，就是因为庄稼人没知识，可现今孩子们仍然上不了学，难道还要让家乡一辈辈穷下去？不！其他事都可以，孩子不上学这事不行。

“有件事跟你们说一说，我原打算回老家养老享清福，可现在改变主意了，我要回城重操旧业。”家庭会上，白芳礼老人当着老伴和儿女们宣布道，“另一件事是，我要把以前蹬三轮车攒下的5000块钱全部交给老家办教育。这事你们是赞成还是反对都一样，我主意已定，谁也别抬杠了！”

别人不知道，可老伴和孩子们知道，这5000元钱，是老爷子几十年来仅存下的“养老钱”呀！急也没用，嚷更不顶事，既然老爷子自己定下的事，就依他去吧。家人无可奈何地叹了几声气，孝顺的儿女们担心的是父亲蹬了一辈子三轮车，如今这么大年纪了，本该享享清福，可他……唉，阻是阻不住了，老爷子的脾气家人最清楚。

“爸，咱再说别的啥是没用了，您老可悠着点，腿脚感到有点累了就早点儿回来歇着。”像往常一样，儿女们在老爷子出门时，给他备好一瓶水、一块毛巾，一直目送出街的尽头。

白芳礼呢，这回重新蹬上三轮车虽然还是那么熟悉，那么转圈圈，但心里却比过去多装了一样东西，那就是孩子们上学的事。是的，毛主席都解放我们几十年了，咋还有念不下去书的？！不能，绝不能让小娃儿们再像我不认得几个字而只能蹬三轮车。74岁的老人想到这里，他的双腿重重地提了一把劲，而就是这么一提劲，又整整绕地球转了六圈……

面对如此一位执着、坚韧的耄耋老人，我的心无法不强烈颤动。那辆伴着老人走了地球几圈的三轮车就停在旁边，这是很普通的一辆人力小车，与天津火车站附近千百辆三轮车不同的是，这辆小车前面有一面十分醒目的小三角红旗，红旗上面有三行字：老弱病残优待，孤老户义务，军烈属半价。

“你看看咱车站四周有多少蹬车人哪！竞争了不得哟。可我从不挣黑心钱，为了给孩子们多挣些钱念书，我就争取每天多跑几趟。这面旗打出去后，好多以前的老伙计朝我白眼，说你又是压价又搞义务我们生意怎么做呀。我说你们说错了，车站那么多人要车，我哪顾得过来？你们挣钱是为了养家糊口和发财，我不一样，所以我可以搞些义务，当然我也要赚钱，可赚了钱是为孩子们上学用的，好生意你们抢去了，我只能找些便宜的或者半价一类的活。听我这么一说，那些老伙计们就不再跟我过不去了。”老人擦着车，开心地说着。然而我怎么也开心不起来，看看眼前这位苍如古柏的三轮车老人那身破陋得与街边要饭的乞丐无两样的行头，谁能想得到他在这十余年里竟无偿向教育事业赞助了 30 万元巨款，常年支援了天津、南开等好几所大学里正在读书的 200 多名贫困大学生和几十名有经济困难的中小学生上学！

“大爷，您给学生们捐了那么多钱，自己却生活得如此艰苦！”我实在无法忍心看一眼这位已是风烛残年的老人的生活，从头到脚穿的是不配套的衣衫鞋帽，吃的是冷馒头加一瓶白开水，那张他说已经在此住了十个年头的所谓“床”，只不过是两叠砖上面搁的一块木板和一件旧大衣。没有“屋”，唯一的“屋”是块摊开的塑料编织袋布和四根小木杆支撑的一个弱不禁风的小棚棚。我来此的夜晚京津两地正下过一场暴雨，老人说他昨晚就是在雨中过的，他拿起一床正在晒着的被子给我看，那上面有一大摊水迹……

“以前这儿是小亭子，7 平方来米，能有个栖身之处。现在不行了，给拆了，不知啥时候能好起来……”老人似乎对我没能看到他以前曾经“辉煌”的小亭子感到有些遗憾。其实有人告诉我即使是那时，老人过的仍是俭朴得叫人不堪入目的生活。为了能多挣一点钱，他已经好多年不住家里，特别是老伴去世后他就以车站边的小亭子为家，很多时候由于拉活需要，他走到哪就睡在哪，一张报纸往地上一铺，一块方砖往后脑一放，一只帽子往脸上一掩，便是他睡觉前的全部准备“程序”。“我从来没买过衣服，你看，我身上这些衬衣、外裤，都是平时捡的。还有鞋，两只不一样的呀，瞧，里面的里子不一样吧！还有袜子，我都是捡的。今儿捡一只，明儿再捡一只，多了就可以配套。我从头到脚、从里到外穿着的东西没有一件是出钱买的。”老人说到这儿很神秘地对我说，“那么多记者采访我，我都没给他们讲这些事，你是第一个知道。”我忙说谢谢您老了。于是老人接着说：“我哪舍得花钱！蹬一次车赚一二十块钱不易啊，孩子们等着我的钱念书，我天天心头惦记着我赞助的那几百学生。我就不能花钱，只能往里挣才是。孩子们考上大学多不易，可考上大学还念不起，你说这事咋整？那年我听人说咱天津几所大学里有不少学生考上了却没钱买书，没钱吃饱饭，我想孩子们的家长没办法给他们挣来钱，可我蹬三轮车还能挣些呀，所以我就重操旧业，一蹬就蹬到现在，一蹬就下不了车了，你想几百个学生光吃光出学费一年就要多少钱！我是劳模，没文化，又年岁大了，嘛事干不了了，可蹬三轮车还成。一天蹬下来总还有几十块钱么，孩子们有了钱就可以安心上课了，所以一想到这些我就越蹬越有劲……”

老人说得我眼睛直发酸。

现今的社会上有大款一出手可以给哪个单位赞助几百万、几千万甚至上亿的，虽然赚钱也并不是对所有人来说都那么容易，但无论如何他们要比白芳礼容易不知多少倍。可是我眼前的这位津门老人为学生们送去的每一分钱，却是用自己的双腿一脚高一脚低那么踩出来的，是他每日不分早晚，栉风沐雨，用淌下的一滴滴汗水积攒出来的，它是多么来之不易，来之艰辛呵！

一日，老人正蹬车回“家”时，见路边躺着一位昏倒在地的妇女。他赶紧下车将这位40来岁的妇女扶上自己的小三轮，之后直奔医院。谁知在颠簸中苏醒过来的这位妇女说啥也不愿让老人往医院送。“大爷求求您了，我要赶回学校，您给我把车转过来。”老人听妇女说这话后有些不解，便问嘛回事。当这位妇女告诉他自己是位老师，身体不好，有贫血症，眼下得要赶去给学生批改作业呢。白大爷听到这里，心头一阵发热，从此更坚定了他支持教育的那片赤诚之心，而且似乎每每想起这位因劳累导致贫血的女老师，老人不仅一方面更拼命蹬车，另一方面对自己俭朴的生活更苛刻。除了不买衣帽鞋袜外，连吃的东西他都尽可能地不买不花钱，有人常看到他在拾他人扔下的馒头、面包或半截没有吃完的香肠……

白芳礼的事迹后来被新闻媒体广为宣传报道，他成了家喻户晓的人物。一次他正在5路汽车站小憩时啃着一块馒头。有人认出是“当代武训”白芳礼老人，便一下围了过来。有人就问他：“您老捐别人十万八万的，为嘛自己这么苦？”

老人举起如今到处可见的馒头说：“这有嘛苦？这馒头是农民兄弟用一滴一滴汗换来的，人家扔了，我把它拾起来吃了，不少浪费些么。”

在场的好几位人被感动得直流泪。

老人为了让孩子们能安心上学，他几乎是在用超过极限的生命努力相助着。老人告诉我，有一年他到南开大学给贫困生捐款，学校要派车来接他，老人说不用了，把省下的汽油钱给穷孩子买书。后来他自个儿蹬着三轮车到了南开大学。捐赠仪式上，学工部的老师把这事一讲，台下一片哭声。许多学生上台从白芳礼老人手中接过资助的钱时，双手都在发抖，说我们一个个青春年华却让如此一位日子比乞丐好不了多少的蹬三轮老人供学费、供生活费，实在过意不去。当场有一位来自新疆贫困地区的大学生，门门功课优秀，道德品质也好，没毕业就被天津一家大公司看中，并以高薪相聘。在这捐赠仪式上，这位新疆学生情不自禁地走上台，激动地说："我从白大爷身上，感到了一种前所未有的精神和力量。这种精神使我的灵魂得到升华，现在我正式向学校、也向白大爷表示：毕业后我不留天津，我要回目前还贫困的家乡，以白大爷的精神去努力为改变贫困落后做贡献。"那位同学说完深深地向白芳礼鞠了一躬。这时全场的情绪激昂起来，紧跟着一批安徽、贵州等地的大学生们纷纷上台表示服从分配，到祖国最艰苦、最需要的地方去。

南开校园里的这一幕是白芳礼老人最感欣慰的事。他说有人说我傻，辛辛苦苦挣来的钱都送给了别人，自己却过得不像人过的日子。要说人家的话一点道理没有也不对。我过得是苦，挣来的每一块钱都不容易。可我心里是舒畅的，看到大学生们能从我做的这一点点小事上唤起一份报国心，我高兴呀。你都看到了，像我这样一大把年岁的人，又不认得字，没啥能耐可以为国家做贡献了。可我捐助的那些大学生他们就不一样，他们有文化，懂科学，说不定以后出几个大人才，那对国家贡献多大！老人说到这里，从其中的一只包里取出一叠资助的学生名单给我看，他说他不认得字，不知上面都写些啥，但知道这些孩子都是从穷地方来的好孩子，不是好孩子咋能考上南开、天津大学这样的名牌大学？老人说这些时，那双布满血丝的眼睁得特别大，仿佛他已经看到自己用汗水换来的辛苦钱有了满意的回报。"我给这些孩子捐些钱让他们买书学知识，买点吃的补补身体。嘿，他们一转眼大学毕业，上了工作岗位，搞出个啥科学发明，你说那该给国家建设做多大贡献哩！"我看到老人说到这儿，脸上光彩异常。

1994 年，时值 82 岁高龄的白芳礼在一次给某校的贫困生们捐资的会上，他把整一个寒冬挣来的 3000 元辛苦钱交给学校后，这个学校的领导说要代表全校 300 余贫困生向他致敬。老人一听这话，久久思忖起来：现今家里缺钱上学的孩子这么多，光靠我一个人蹬三轮车挣得的钱救不了几个娃儿呀！这可咋办？老人的心一下沉重了起来。回到车站他的那个露天“家”后，老人硬是琢磨了一宿，第二天天还未亮他就把儿女家的门给敲开了。

“爸呀，您这么早来没出啥事吧？”儿女们看老人气喘吁吁地挂着一身霜露，不知老爷子有啥急茬，忙让进屋。

老爷子要过一碗水，拍拍衣襟上的落尘，说：“我准备把你妈和我留下的那两间老屋给卖了，再贷点钱办个公司。”

“哈哈哈，我的老爷子，您昨晚没多喝吧？”儿女们一听这就忍不住捧腹笑起来。

老爷子有些生气了，板着脸：“我给你们说正经的，有嘛好笑？我就是要办个公司，名字都想好了，就叫‘白芳礼支教公司’。”

“啥啥？子饺还是水饺公司？”

“支——教，支持的支，教育的教，支持教育的公司。”老人一个字一个字给儿孙们念清楚。

这回都听清楚了：老爷子真是着了魔，敢情自个儿卖老命还嫌不够，还想当个“专业”赞助户！

“你们看咋样？啊，说呀，是支持还是反对？”老人心急地问了这个又问那个。

儿女们你看我，我看你，异口同声地：“爸，只要您老看咋合适就咋办。”

“哈哈哈，我说我的儿女就像我么。”这回轮到老爷子哈哈乐不可支了。

“爸，我们嘛不担心，就是担心您老这么大年岁还……”

白芳礼朝儿女们挥挥手，说：“啥事没有，你们开口支持我办支教公司比给我买罐头、麦乳精强百倍。走喽——”老人猛地一按车铃，伴着清脆悦耳的“丁零零”声，便消失在晨雾之中……

不多时，由市长亲自给白芳礼老人在紧靠火车站边划定的一块小地盘上，全国唯一的一家“支教公司”——天津白芳礼支教公司宣布正式成立，84岁的白芳礼当上了公司董事长。开业伊始，他对受雇的二十来名员工庄严宣布：“我们挣来的钱姓教育，所以有一分利就交一分给教育，每月结算，月月上交……”

不知道的人以为这下白芳礼老人可以坐享清福了，其实他的那个“支教公司”只不过是火车站边的一个7平方米的小售货亭，经营些糕点、烟酒什么的。

“可别小看我的小亭子，这儿可是黄金宝地哩。”与我面对面坐着的白芳礼老人指指如今那块成为他露天栖身之地的地盘，不无自豪地说，“我就是凭着卖掉老屋的1万元和贷来的钱做本钱，慢慢滚雪球越滚越大，由开始的一个小亭子发展到后来的十几个小亭子，连成了一片。最多一月除去成本、工钱和税啥的，还余1万多元哩！”

“那可比您老一个人蹬三轮车多赚不少哟。”我听后打心眼里为老人高兴。

“多好几倍呢！”老人发出朗朗笑声。

不过有一件事我不禁要问他：“您老这么一大摊都是自己管呀？”

“不不不，我是董事长，不管具体的，我雇一个经理，他帮着我管事。我还是蹬自己的三轮车……”老人连摆了几回手，“我懂嘛做买卖？再说蹬了几十年三轮，你这回一下让我真像皇帝那样坐在太师椅里，看着伙计们流着汗吆喝着，可不是自己给自己折寿吗？要不得要不得。”老人乐呵呵地开怀大笑之后，接着说道：“再说想想那些缺钱的孩子，我也坐不住呀！我还是像以前天天出车，24小时待客，一天总还能挣回个二三十块。别小看这二三十块钱，可以供十来个苦孩子一天的饭钱呢！”

这就是一个耄耋老人的全部内心世界。他靠自己的全部所能，烘托着一片灿烂天空，温暖着莘莘学子。

我知道自办公司起，白芳礼老人每月向天津的几所大学、中学、小学送去数额可观的赞助费，这些所谓的赞助费实际上就是他的“支教公司”全部税后利润，他因此而由开始资助的十几名学生，到后来的几十名、一百多名，直到二百多名……并且成为名扬津门和海内外的“支教劳模”。

老人讲到这段辉煌历史时，情不自禁地又翻腾起那几口袋有关他的报道材料，并自豪地夸耀起来：“……我到中央、到市里作报告，十三个机子对着我，录像的电视机呀！我对学生们讲，我说你们花我白爷爷一个卖大苦力的人的钱确实不容易，我是一脚一脚蹬出来的呀，可你们只要好好学习，朝好的方向走，我供你们学习也越干越有劲。我干啥支持教育？支持你们学生？我晓得我们国家落后就是因为教育没上去，所以我要支持教育，支持你们学生好好上学。我是上面挂上号的人哪，不干出些事来，咋向上面交代？你看你从北京大老远地跑到我这里来，我没有点事迹，没有点材料给你写，你就不好回去写了，我就算啥先进、算啥劳模么？所以我越干越有劲。我对孩子们说，你们只要好好学习，就不要为钱发愁，有我白爷爷一天在蹬三轮，就有你们娃儿上学念书和吃饭的钱。我这么一讲，台下的孩子们全哭了……”

能不哭吗！老人在一边依然沉浸在他那幸福的回忆之中，而我却无法平静如波澜起伏的心海世界：一个坐在你面前形似乞丐却比丰碑更巍峨的老人，十几年来从不间断地蹬着三轮，行程 50 余万里、捐出 30 多万元帮助贫困生，其本身的壮举便足够让那些大有能力却从不愿向社会、向公益事业施舍的人汗颜，当然那些不仅不向社会、向公益事业施舍且还想尽心思占便宜、伸黑手的人，就更无法与白芳礼老人的精神境界相比。照理像白芳礼这样高龄的老人不仅无需再为他人做些什么，理当完全可以接受别人的关爱。可他没有，不仅丝毫没有，而且把自己仅能再为别人可闪耀的一截烛光全部点亮，并点得如此亮堂，如此光耀！

末后，老人告诉我，虽然他为诸多学生提供赞助的主要生财之源的“支教公司”，其经营地盘因整治城市环境而被拆除了，但他的三轮车还在，他的双脚还健壮，他的那颗爱国、爱教、爱学生的心，还在“扑通扑通”地跳，他就要尽快恢复每月向 200 多名学生的资助。

“大爷，允许我在这里代表所有受过您老资助的同学向您致意。”我觉得再在老人面前待下去我就会哭出来。

“好好，让同学们放心，我身体还硬朗着呢，还在天天蹬三轮，一天十块八块的我还要挣回来。”老人吃力地从小凳上坐起来，向我伸过双手。

“您老的手怎么啦？”在我触摸到那双粗糙的手时，心头一阵颤动：老人的两手背上都有一大块发紫的瘀血斑！

“前天夜里被几个小偷打的。”老人说，“他们看我这儿乱哄哄的，就想占便宜。我出去拦，他们就用木棍打我……”

我抚摸着老人手背上的伤痕，又是悲愤又是心疼，就像抚摸我自己爷爷的手。

“您老快去医院看看呀！”

“我不去，一去的话他们就要让你住院咋的，我这摊咋整？”真无法明白老人在对待自己的问题上总那样毫不在乎。

临别时，我向他要几份资料带走。老人显得有些为难。我马上明白过来，便说：“大爷，我要的资料我自己去复印，顺便给您多复印几份，以后有记者什么的来了您就可以给他们了。”

老人听后，似乎一下激动起来，脸都有些涨红了，他把手伸过来握着我连连说："你是我碰到的好人。以前他们来写我，一来就拿走好多材料，我一印就是好几十块哪！可人家是来宣传我的呀，我嘛有话说么！那会儿我做买卖的那些小亭子没拆，也有钱应付得起。现在不行了，我断财源了，资助的那些学生有的一两个月没拿到钱了，所以你看你大老远地来宣传我还让你掏钱，怪叫人那个的……"

"大爷你可别当一回事，比起您这么高龄还一脚一脚地蹬车为学生们捐钱，我们算什么？大爷千万别……"我感觉自己的鼻子阵阵发酸，再也说不下去了。

"再见了，大爷。"

"欢迎再来。"身后，突然传来老人的一声叫喊，"……等文章出来了给我捎上一份啊！"

"哎，一定。"

当时已经走出几步的我，真想再回头看一眼津门的这位令人无比尊敬的老人，可是我没勇气。我发现我的泪水早已模糊了双眼。我猜想这是第一次、或许也可能是最后一次见我一生中最最值得尊敬的人，我多么渴望转过身去再看一眼他，但就是没有那种力量，没有那种可以让我不失声痛哭的力量……

离开天津，我到了山西。

这完全是两个世界的天地。一个是海与河的天地，一个是山和丘的世界。在喧闹的大都市街头，当白芳礼老人蹬着他的三轮车艰难地穿梭奔走在车水马龙的大街小巷时，人们谁也不会注意或听到一声是属于一位八十多岁老人所碾出的那个车轱辘声。在太行山脉的崎岖小道上，人们同样不会注意或听到一位普通农家妇女推着她的那辆两轮板车的轱辘声……

但，我却听得清澈、悦耳，甚至那么动情。在物质文明高度发展的今天，人们可以在咖啡馆里随意听一出富豪们为情人或美女的一个笑脸而一掷百万的绯闻，也可以随手捡一篓有关腐败官员费尽心机地替自己添金博彩而丧尽天良的佐证。然而你或许不能相信和明白这样一件事：一位山区妇女和她已经死去的父亲二人，前赴后继二十年，靠推小车养猪致富来济助一大群从不相识的贫困学生。令我感动的是，这对许多年间每次出手都是几万几万的“济困父女”，自己家中却穷得一贫如洗。如果不是亲眼所见，你不会相信这对经常出现在京城、省城的大会堂、电视台里的慷慨资助者家中不仅见不到半点儿“富裕”，就连基本的生活家什都难见到：普通得不能再普通的几间农舍，农舍里面是一字形排着的三个立柜，主人说这还是曾祖父传的；一张方桌，两把老式椅子，其中一把还短了半条腿；唯一的奢侈品是方桌上摆着的一台17英寸电视机，那是死去的父亲在他当七届全国人大代表时从省里得奖抱回来的。主人见我们的眼睛有意无意地盯在那只老式立柜上的那把铜锁，便不好意思地掏出钥匙当着众人面打开了——没有金银财宝，更没有绫罗绸缎，只有上下两层补丁摞补丁的旧衣破褥。

毕腊英说她从来不愿有记者、作家什么的到她家采访，她说她宁可披红戴花地站在主席台上让人们认为她真的是财主什么的“吹”着、“抬”着，那样那些贫困学生就会心安理得地接受她的捐助，否则她说她的一份心意别人就不敢领受了。

与太行山的泥土一样质朴的毕腊英，不善言辞，更不善装腔作势，除了当她推起两轮车给一群猪崽喂食扫圈时所勃发出的那一股麻利劲外，你见到的她只会是一脸憨厚的笑容和大山女儿那特有的举止。然而这只是你所看到她的表面现象，而她那颗对生活、对贫困学生的怜惜的滚烫之心却隐藏在深处。

毕腊英和她的父亲都是农民，也没有特别的能耐，他们靠一个庄稼人能做的一点种粮养猪的本领，一个成了全国人大代表（父亲），一个是省人大代表和第一届国际家庭年“五好家庭”金奖得主（毕腊英）。

“咱是农民，农民除了身上有力气外就没其他啥本事。力气虽不是金银钱财，但却能生金银钱财。咱有力气呀！力气用完了会再生出来。出点力，少睡会儿，多收几百斤粮就少掏钱买饲料，少掏钱买饲料一年就能省出万儿八千块来资助那些贫困娃娃上学、读大学。”让毕腊英谈帮困助学的“思想境界”，你就会发现她是一个真正意义上的农民，但你又同时会发现她是位真正的唯物主义思想家。

没有高深的智慧，没有闪烁的辞藻，毕腊英跟着她那位可敬的父亲走过了近二十年的助学历程，而这条漫长的助学历程既非惊天动地，又非常人所能。毕腊英对自己为何走上一条“养猪助学”人生路的最初印象并不深刻，她说还在她是个十六七岁的姑娘时，就亲历过父亲出的一次当时让她难以解开的谜：那时“文革”刚结束，因受不白之冤而蹲了几年大狱的父亲为洗刷屈辱，在目不识丁、身无分文的情况下，开始了长达十年的上访生涯。小腊英那时不知父亲求的是什么，她只知全家人为了父亲能出行上访，可以几天几宿不起灶、不热炕，辛辛苦苦好不容易喂成六七十斤重的小猪崽子总被提前出栏卖掉，换得几十块钱给父亲上省城、京城。那时小腊英也像别的女孩一样想上学，可她不敢开口，知道全家唯一能生钱的小猪崽子是为父亲上访而饲养和准备的。她清楚记得，每次父亲从省城、京城回来时总要带回一只病怏怏的小猪崽子，而且父亲总说那猪崽不是买的，是路边捡的或是别人送的。小腊英一见这病怏怏的猪崽就生气，一则这半死不活的猪崽总是那样难养无比，娇得比婴儿还难侍候，二则只要有这小猪崽的存在，父亲那上访的心思就断不了。恨死你这狗猪崽！有一次小腊英乘父亲不在家时，有意把一堆猪饲草放在露雨天里淋湿后再给猪崽吃，那猪崽一吃便拉个不停，小腊英觉得十分解恨。可第二天她发现父亲竟累昏在猪栏里——他老人家整整一宿用自己的体温和草禾给小猪崽子取暖哩！那次小腊英哭了，她哭父亲可怜，也哭自己的不幸命运。后来的她不仅对小猪崽子渐渐有了感情，而且发现父亲在养猪崽上极有一套，什么样病弱的猪崽，一经他手没有不被养得体胖膘肥的。小腊英似乎从父亲对养猪的专注中看到了老人家在上访问题上那义无反顾的执着和对美好人生的无限希冀，于是她也开始学养猪，直到后来父亲或家人不在的时候她能独立喂养几头猪崽。

这样的日子过去了近十个春秋，小腊英也变成了大腊英，而父亲也在一位老将军的帮助下平反了往日的冤屈。

“爸，你现在不用上访了，咋还养猪崽，而且是一大窝崽？”一日，腊英见刚刚宁静了不足半年的猪圈里又热闹非凡，便问。

父亲嘿嘿一笑，没理会女儿的话，照常用他往日的养猪本领一天一天地精心饲养他的那些小猪崽。半年过后，小猪崽养得又肥又壮，该出栏了！邻里们都来观摩，并在一旁七嘴八舌地说这回毕家可再不是“上访贫困户”了，而马上是养猪致富户啦！腊英听得也高兴哟，她想跟老爸全家苦了几十年，咱毕家也该有出头日子了！

晚饭时分，父亲从镇上回来，腊英和母亲、丈夫及孩子们欢欢喜喜地把老人家让到上座，等待着那“大珠小珠落玉盘”的激动时刻……可是直到碗空锅朝天时，这激动的时候仍不见到来。腊英和全家人大眼小眼直瞪着父亲，问你卖掉猪崽的钱哪去啦？

我都给邻村的那几个辍学的娃儿送去了呀！父亲眯着堆满皱纹的老眼笑嘻嘻地说道。

腊英和全家人你看我、我看你，全都呆了。先是老母亲的一声撕人心肺的啼哭，接着是娃儿们的哭闹……

“咋啦？我做错了？”父亲把饭碗往桌上重重一放，说，“你们咋忘了？忘了我是为什么坐监狱吃劳苦的？忘了我为啥上访十年才平冤的？不就是我、我们全家没有人识文认字嘛！一个家，不认字、不识文，全家就没有出头的好日子过。一个国家，没有文化、没有科学，就是全国的人没有好日子过。我看到邻村的娃儿好不容易考上了大学、考上了重点高中，却因为没有钱而半途退学，可惜啊！我想我老农民一个能做啥呀？不能。可我能养猪，养好几栏猪崽，我就这点本事，我就这点能耐。那就把这点本事和能耐给那些能上大学、上重点高中的好娃儿尽一份心、一份力，有什么不对？有什么不好？你们说，我是做对了还是做错了？英儿，你说爸是老昏了还是老得有出息了？你说呀，爸要听你的话。”

腊英哭了，哭得双肩抖动。许久，腊英抬起泪眼，重重地向父亲点点头：“爸，你做得对。我、我们全家支持你！”

“英儿……”父亲顿时老泪纵横，哭得比谁都动情，最后是在儿孙们劝导下又破涕为笑。

父亲选定的济困助学路并不好走，尤其对缺乏经济来源的一个农民家庭来说。而且除了经济原因外，还有更严重的是不被人理解。最早有关助学的事都由父亲一手操办，腊英和家里人只管把地种好，把猪喂大，至于外面的事她们一概不太清楚。1987 年父亲资助山西经济管理学院的一批贫困大学生时，在临上省城时父亲便叫上了腊英，说我年岁越来越大了，可咱家助贫济学的事才刚开始，以后怕你得替我多走走了。腊英是孝女，父亲说啥都听着。那是腊英第一次上省城，在向山西经济管理学院贫困生捐助的仪式上，她不仅深深感受到了父亲选择济困助学这条路的意义，而且也被另外一件事触痛了自己的心。那是她和父亲捐款结束后，准备返回高平老家的前一夜，突然她和父亲住的小招待所里来了好几位“募捐者”，他们有的是报社记者，有的是省直某某单位或什么基金会的，牌子都很大，他们共同的一句话是：希望毕家父女为他们的“事业”掏钱，而且一开口便说得那么轻松随便——三万、五万不嫌少，十万、八万凑整数。腊英哪见过这种场面，说我跟爸到省城几天除了受捐助单位请客吃上两顿好饭，其余的饭我们吃的都是方便面和自己家中带来的干馍馍，别说三万五万，就是三五百也没有呀！那些伸手者哪相信腊英的话，说你别逗了，谁不知你们毕家是“大富翁”，说句痛快话，我们这些单位办的事也跟救济贫困大学生的事差不多重要，你到底给还是不给？腊英第一次碰见这样的事，她想说可又嫌自己嘴笨。最后还是父亲见识广，说同志们不要着急，这回我们出门没多带钱，只准备了给几个念不下书的大学生带了些钱，下回一定也多为大伙想着些。来来来，捐款的事留着下回，咱们先上馆子喝一杯。父亲叫腊英跟着一起去，腊英哪有这份心思，推说不舒服留在招待所。晚上十来点钟时，父亲踉踉跄跄回来了，一头栽在床上直到第二天天亮才苏醒过来。“英儿，本来我留了300元钱想给你和娃儿扯几块花布做件新衣服，不想昨晚都给那几个人吃光了……爸对不住你和娃儿。”父亲喃喃地说。腊英啥都没埋怨，说爸我们还是早点离开太原吧，保不准呆一会儿有更多的人来向我们伸手哩！于是父女俩连早饭都没顾上吃便“逃”出了山城……

其实，腊英父女俩“逃”回老家高平后，仍有人不远数百里追来向他们毕家伸手要赞助，只是当那些充满欲望的人走进毕家亲眼看到了这家“富裕户”的贫困程度才一个一个甘心自愿地主动放弃了募捐的念头。而也就是在这个时候，人们才真正相信，毕家捐助给学生们的每一分钱都来之不易，这来自毕家人的一滴滴血汗啊！

从80年代中期父亲靠三百五百捐助到现在的毕腊英能两

万三万地拿出手，毕家一共资助了贫困生十余万元巨款。可所有的这些钱，毕家人除了靠养猪生钱外，没有一分钱来自其他途径。有人给毕腊英父女算过一笔账，一年毕家饲养 50 头猪，每顿至少要喂 30 担饲料，一天就是 90 担；每一担饲料约 40 勺，从磨坊一勺一勺舀好，担到猪舍再一勺一勺地舀进猪食盆，每天毕腊英一家人就要舀 7200 多勺。一年 365 天，毕家人几乎重复着同一种繁重而单调的劳作。从早晨东方泛白到皓月当空的夜晚，毕家人忙里忙外地或是在磨坊磨粉、沥浆、搅兑猪饲料，或是大担小勺地在猪栏前一伏一起地喂食清圈。毕家是个大家，腊英的父亲和二叔老兄弟俩没分过家，这样毕氏一家便有了祖孙三代十几口人。但如此三代人并没有影响他们为了一个共同的目标，即养好猪、挣得钱去资助那些念不起书的穷学生。

1992 年，腊英的父亲、第七届全国人大代表毕生才老先生不幸惨死在一起交通事故中。当这不幸的消息传到太原的山西经济管理学院等几所曾获得过毕家捐助的大学时，好几所大学的学生们自发组织了悼念活动。那些接受过毕家资助后重新获得学习机会的贫困学生们，在悼念会上泣不成声朗读着一篇篇情深意切的奠文，学子们为自已过早失去一位可敬可爱的农民老伯而无限悲伤。可是同学们万没有想到的是，仅时隔两个月，逝者的女儿毕腊英只身带着家中全部的 9000 元积蓄和新近卖猪所得的 11200 元钱，又来到了经济管理学院。这回她是代表父亲及全家人的心愿，专程来与校方商量设定一个以先父名字命名的“救济贫困大学生奖励基金”。

“……我父亲不幸去世了，但他生前担起的支持教育事业、资助贫困生的这份责任，从现在开始由我和全家人接过来。我是一个农村妇女，不识字，也没有啥本事，还是一句话，我有力气，有力气就能种地养猪，种了地养了猪就能生来钱。我向同学们保证，只要我毕家能拿得出一分钱，就不会让没有半分钱的同学挨饿辍学！”这段话是腊英在为父亲设立的教育奖励基金仪式上说的。她说这话时，台下的许多大学生们忍不住上台把这位个头不足一米五五的妇女，高高地簇拥起来。

呵，毕腊英，一个普通的农家女，可在大学生们的心目中，你和你家人是一座耸立云端的擎天丰碑。

第十四章　为了祖坟上的那棵“弯弯树”

大千世界，草木繁茂，但到底是否有种“弯弯树”，我没有进行考证。小时候在农村时见过荒坟上常有那种长得很奇特的树木，它们一般都为丈把高，枝干细弯，皮表粗裂。当然也有个别长得参天笔直、叶茂葱郁的。老百姓有种说法，凡是坟头长着这种无论是笔直的参天大树，还是只有丈把高的细弯枝干树，其后代子孙都能千秋万代金榜题名，光宗耀祖。由于中国几千年来一直有这种说法，所以在死者的坟头栽棵树木，被认为是一种重要的出殡内容。这也是有很多讲法的，如果死者在世时鞠躬尽瘁，那他的后代便能金榜题名、飞黄腾达，其坟头也能长出根深叶茂的“弯弯树”，反之则休想长出什么“弯弯树”，只能长些荒草。

中国人受儒家思想的影响已有几千年，那种“万般皆下品、唯有读书高”的意识从来就没有断过。至于望子成龙，盼女成凤，期望子孙后代出人头地的思想，从某种意义上讲，当代人比历朝历代的祖先还要看重得多。现在比过去条件好了，不管穷人富人，男儿女娃，在读书问题上是平等的。而时代的发展，使国家和人民越来越看重“科教革命”。具有传统重教美德的中国人，自大学门向自己开放之后，年年岁岁我们都可以看到在高考的日子里，如潮的家长们那焦虑地等待在考场门前的动人场景，也可以从每个周末与星期天里见到父母驮着儿女去补课的匆匆行踪。1998 年 7 月的 7、8、9 三日，我天天在上下班时可以看到北京四中校门前那一幕幕你想象得到和你想象不到的场面：有的家长背着氧气袋，在烈烈炎日下的校门外一整天一整天地在等候；百米之外的某三星级宾馆突然人满为患，入住的竟都是本市高考学生与家长……有位家长告诉我，在这个时候，如果需要家长们为子女能考上大学而去赴汤蹈火、倾家荡产，他说所有的家长都将毫不犹豫。

我听后心头感到强烈震撼。难道不是吗？所有儿女都是父辈的希望所在。当人类发展至20世纪末的今天，这一“规律”仍颠扑不破。尤其是独生子女占绝对多数的中国城市居民中，父母们为了能让儿女们上大学而不惜一切代价的现象，越显突出。在中国广大农村，上大学则更是“跳出农门进龙门”的唯一的也是最佳的道路。尤其随着高科技越来越强大的冲击，社会职业的知识化程度越来越高，“今天不上大学，明天就没有饭碗”的现实已经残酷地摆在了人们的眼前。我们无疑相信一个事实：每一位大学生的成长路上，他们的父母与家庭是这个学生最坚固的脊梁与后盾。而那些经济条件本来就困难的贫困家庭的父母们，他们为了保证自己的子女能跃进“龙门”和完成学业所付出的代价，更令天公动颜、地母拂泪……

在渭北黄土高原上的一个偏僻山村，有个驼背的农妇，叫杨秀茹，今年53岁，她和同为农民的丈夫俩人在一座窑洞内带大了四个儿女。后来丈夫病逝了，杨秀茹一个人靠种地、卖鸡蛋和挖药硬是让三个女儿、一个儿子全都考上了大学。儿女上大学后，她又以自己那副瘦弱的肩膀，挑起了四个大学生儿女的全部学费与生活费。杨秀茹的儿女实在不忍心看着自己母亲那越来越下驼的后背和颤巍巍的双脚，便一次又一次想辙“逃学”与退学。七年前，杨秀茹刚刚借钱处理完丈夫的丧事，二女儿晓莉从咸阳师专闻讯急回。一到家，晓莉直奔父亲坟头，母女俩抱头哭成一团。入夜，少了父亲的窑洞平添了几分冷森。女儿突然一板一眼地说：“妈，我不想上大学了，回来帮你种地还债，供弟弟和妹妹上学。”

母亲一愣，随后便“噌”地站起身来，说：“家里的事就是天塌下来，你甭管，明儿就给我回学校去！”“我就不。”女儿第一次强硬地违抗道。“你敢！”母亲火了。第二天，她趁晓莉不注意时，“哐当——”一声把她反锁在里面。“娃呀，你好好在里头想，啥时候想通了妈就给你开门。”晓莉知道犟不过母亲，只好在第三天背起行李，一路抹泪地回到了学校。此事刚过两三个月，杨秀茹因过度疲劳，在抢打夏麦时连人带车从坡上翻进了几米深的山洼里，被好心人抢救起来送到医院头部缝了57针。从昏迷中醒来的杨秀茹说的第一句话就是“别给我用贵药”。那时正值三女儿亚梅上高三，女儿看到母亲伤成这个样，发誓再不上学，不声不响地跑到地里干活。母亲出院后，见此情景，便拖着虚弱的身子骨把亚梅叫到身边：“孩子，你是不是心疼妈？如果你真心疼，那就去上学。妈要看你能像大姐二姐一样进大学，啊，听妈的话，快去上学，过几天就要高考了。”亚梅就是不搭腔，就是不回学校。母亲急了，她又一次使出“关禁闭”的手段，趁三女儿不备时又将其锁在里头。她知道三女儿脾气倔，便一连三天不给她送饭。第三天晚上，亚梅终于顶不住了，只好流着泪向母亲屈服。然而学习成绩一直不错的亚梅在过后的高考中竟以30分之差与大学失之交臂。“妈，这回你该放心让我跟你一起下地了吧？”亚梅丝毫没有因失利而不悦，相反显得异常得意地对母亲这样说。母亲呢，只觉得内心很内疚，认为是由于自己的伤病影响了女儿的考试成绩，于是等新学年一开始，她便走出窑洞，连连找了好几个学校，总算把亚梅送进了一个高中班复读。但在次年预考时，亚梅再次落第。母亲这回算是明白了怎么回事，她把亚梅叫上，然后带她到了已是长满荒草的父亲坟头：“梅梅，你今天当着你爸的坟头给我说说清楚，你这样成心不好好高考，到底对得起谁？你说！”亚梅望着母亲悲戚而苍凉的脸庞，终于不忍心地跪在母亲面前，哭诉道："妈，家里这么穷，就你一个干活，我们姐弟四个如果都去上大学，万一把你累出个啥好歹，我们做儿女的对不起老天啊！妈，我求求你，别让我再上大学了……"这回轮到母亲心疼了，她蹲下身子，一把搂过女儿，爱抚地为亚梅一边擦着眼泪，一边语重心长地说："孩子，你咋不明这理：妈再苦，可要能看到你们一个比一个出息，我心里比啥都甜。你知道吗？如果你不用心，没出息，妈可是一辈子心疼，你该明白这理吧？"亚梅一听，顿时伏在母亲的怀里大哭起来。末后，她仰起脸向妈保证道："妈你放心，我一定考上大学！""这就对了。"母亲搂紧女儿，脸上充满了幸福。1994年，三女儿亚梅一举考上了汉中师范学院。同年，最小的儿子赵军也考上了省重点高中，三年后的1997年，赵军又以优异的成绩被中国科技大学录取，轰动了贫穷的偏僻小山村，当然最高兴的莫过于母亲杨秀茹。尽管杨秀茹现在仍背负着沉重的债务，而且身体也显得过早地苍老，但每每想到儿女们个个如此出息，她终于可以在丈夫的坟头欣慰地说一句："孩子他爸，我心头比过去踏实多了，你也可以在九泉之下瞑目了……"

母亲总是最伟大的，在贫困生的庞大家庭群体中，像杨秀茹这样以其瘦弱的躯体和浩瀚的母爱，编织与恩泽着一群儿女们的大学生母亲，并非少数。在北国辽宁的阜新蒙古自治县红帽子乡两家子村，有个同为母亲的农妇，在过去十二年间，在极其艰难的困苦条件下，竟靠养鸡卖蛋的双手，将六个儿女全部送进了大学。这六个儿女分别是：

长子魏广平考入北京大学电子计算机系，现在美国密执安大学攻读博士；

次子魏广利考入北京工业学院光学系；

长女魏秀玲考入东北大学自控系；

二女魏秀霞考入阜新师范专科学校；

三女魏秀云考入辽宁银行学校；

小女魏秀娥考入辽宁中医学院。

魏家六兄妹的母亲叫侯俊荣，现年62岁，但是从她那张布满皱纹的脸上，以及佝偻的身影，你几乎找不到这个年龄的妇人们应有的任何风韵。除了苍老，便是一种残烛的感觉。然而又有哪一个风韵犹存的同龄妇人可以像她那样分享如此多的幸福与宽慰？没有。这一切，只属于侯俊荣一个人。

侯俊荣跟渭北的杨秀茹一样，都是山村农妇加文盲，她们自然都不比城市那些有高等学历、有丰厚经济条件的贵夫人有什么高明之处，然而她们在培养自己的子女方面却有独到之处，那就是无法用价值观衡量的精神力量。

魏家的兄妹六人不属于“计划生育”的超标范围，因为母亲侯氏生他们的时候还没有到全党大抓人口生育的年代。但如此多的子女毕竟是个沉重的负担，而孩子们的母亲侯俊荣，字不认几个，理懂得却不少。大儿子头一个上大学，当母亲的侯俊荣格外看重，她说不出啥大道理，但知道“头羊”的作用。所以为了解决大儿子广平上大学的费用，那时没有家庭副业的侯俊荣就靠打草换钱。1斤干草可以卖3分钱，10斤鲜草只能晒1斤干草。广平上北京到学校报到时拿了家里给的150元钱，这正是母亲打的5000斤草换来的。另一件东西广平现在即使在美国读博士仍一直留在身边，那就是母亲用144块边角布亲手一针针缝成的那床褥子。大儿子上北大时还没有赶上“并轨”，学校收费没那么多。但后来几个孩子上学时就不同了，除了学校要收取的不同费用外，娃儿的生活费也逐年随着物价的猛涨而直往上蹿，侯俊荣真的感到了沉重压力。大女儿秀玲印象最深刻，她在上大学时就遇到了家里一分钱也拿不出的窘境。母亲侯俊荣头一回急坏了，因为前天她刚刚从信用社贷的钱才给了秀玲的几个弟妹交学费了，这会儿哪有人再借钱给她嘛！秀玲默默地含泪看着快急疯了的母亲满头大汗在屋里翻箱倒柜，可还是没找到一样值钱的东西。“这可咋办？这可咋……”母亲一边凄怆地将自己的头往土墙上撞，一边嘴里绝望地念叨着。突然，秀玲听母亲哈哈大笑起来：“有钱了！这回有钱了！”母亲说完这话，就拼命用双手猛抠那面土墙……秀玲吓坏了，以为母亲疯了，便带着哭腔扑过去拦住她：“妈，你别这样，我不上大学了好不好！我不上了……”不想母亲脸色一沉，说：“谁准你不上大学呀？啊，你这死丫头，说呀！”秀玲只好说：“咱家没钱就别……”母亲不等女儿说完，就像变戏法似的从土墙里取出一大包东西：“这不是钱嘛！死丫头，你点点！”这回惊呆的是秀玲，可不是一大包钱嘛！但她马上发现：“妈，这钱早没用了！”“啥？这可是我跟你爸结婚时我悄悄藏的呀，怎么会没用？”这一夜，娘儿俩一惊一乍的没少劳神，不过有一点还是让她们很开心，那就是第二天她们把这些建国初期的钱币拿到银行还真兑换了一笔现款，这使上大学的秀玲解了一难。儿女们还在一个接一个地上大学，可土墙里不可能再出现“奇迹”了。打年轻时就手脚麻利的侯俊荣思忖着老靠地里的几亩庄稼和自己零打碎敲也出不了大钱，得想点法子“致富”才行嘛！做生意是不成的，那是大老爷们干的；打草吧，钱来得太少，累死累活，也就百八十块，救不了大急。养鸡吧，听说有人养鸡能当“万元户”“十万元户”哩，对，咱也试试。于是，没有文化的侯俊荣选择了认为最适合她的副业——养鸡。头一年，她养了 80 只，纯收入 150 元；第二年养了 100 只，收入 728 元。有了前两年的经验，侯俊荣开始大干起来，第三年一下养至 2000 只，第四年增至 3000 只……侯俊荣乐了，她成了远近闻名的“养鸡大户”，更重要的是，她靠鸡生下的蛋换来了可供儿女们上大学的钞票！就这样，侯俊荣这位目不识丁的农妇，前后十二年间成功地将全家六个儿女全部送进了大学，并让他们一个个顺利地完成了学业。值得一提的是，侯俊荣不仅依靠自己那对长满老茧的双手使儿女们圆了大学梦，而且她难能可贵地用自己一针一线为每一位上大学的儿女，都缝了一床同用 144 块布角拼成的褥子，她以这独特的方式告诫儿女们：啥时候都不要忘了自己曾经是个苦孩子。

我下面要讲一位下岗女工为了上大学的儿子付出心血的艰辛经历。

她叫陈秀凤，儿子在北京航空航天大学。陈秀凤原来是哈尔滨恒丰纸箱厂工人，1995 年下岗，那时她才 40 岁，按厂里规定，只有 35 岁以下的人能留在厂里，她陈秀凤是“老龄”，厂里发了 200 块钱就把她和一大群姐妹兄弟打发回了家。开始陈秀凤还觉得下岗就下岗，正好儿子快要考大学了，丈夫为了还掉过去借的几万元债而日夜在外面开出租车，自己离岗回去撑个安宁的家也不算是件太过不去的事。可就在这个时候家里出了大难：1996 年大年初三，出车的丈夫被一群抢车的歹徒把车子抢跑后又残忍地焚尸并抛至在几百里外的荒野……

一个完完整整的家庭，一下遇到如此打击，失去工作和失去丈夫的陈秀凤面临丈夫留下的一大笔债务和一个正要考大学的儿子，而她自己也正处在没有任何生活来源的凄凉之时。沉浸在极端痛楚之中的陈秀凤度过了浑浑噩噩的无数个黑夜白昼，那颗惨遭重创的心灵无人能安抚。

“妈，高中毕业后，我不准备考大学了……”一天，儿子轻声地对母亲说。

陈秀凤仿佛一下清醒起来：“为什么？你怎么能不上大学？”

“我已经 17 岁了，我要自己养活自己，不能再让您辛苦了！”

在陈秀凤的眼里，儿子像是一夜间长大的。那一日，连遭打击的她，有一种对儿子的特别感激，因为是儿子的话使她重新扬起了生活之帆。陈秀凤觉得自己该到振奋起来的时候了。她一面坚决制止儿子的打算，一面开始寻求自己的谋生之路。

陈秀凤来到劳务市场，经过一番周折终于被一家餐馆聘用当洗碗工，月工资400元。她觉得这已经很满足了，加上原来厂子里给的200元，母子俩有600元钱便可以紧巴过日子了。后来，餐馆里有位专门负责拎脏泔水桶的男打工仔嫌活又累又脏溜了，陈秀凤找到老板说由她包下这脏活。老板正愁没人干这份差事呢，于是答应每月多给陈秀凤150元。为了这550元钱，陈秀凤每天就像是在拼命。

这年，儿子在她的勉励下终于考上了北航。可没等陈秀凤送走儿子缓口气，丈夫欠下的3万元债务的债主找上门来了。“已经过半年了。这是说好的事——还不了，房子就归我。等你什么时候有钱了，可以赎还嘛。”债主早已不耐烦了，就这么一挥手，便使陈秀凤唯一的栖身之地也失去了……那一夜，陈秀凤想往河里一跳就万事了结，但她放心不下刚进大学门的儿子。

为了儿子她必须活下来。为了儿子的四年学业，必须活得好好的。

城里的房子是租不起的，陈秀凤只得到郊区的一个农民家与房东合住了一间房，一切都为了省几个钱。而所有这一切远在京城读大学的儿子并不知道，母亲在被赶出自家门时，唯一求到的是让债主帮她接一下儿子的来信，这样她可以留下原来的地址而不被在外的儿子知道已经发生的变故。

刚刚有了栖身之处的她为了能每月按时给儿子寄生活费，马上又开始了寻找工作，以前那餐馆由于她换了郊区的住处就无法再上班，陈秀凤便在城乡接合部的一家浴池谋到了一份搓背的活。

刚到浴池上班时，面对顾客那高傲、鄙视和挑剔的目光，陈秀凤真想甩手走人，但最后还是强打着笑脸留了下来。那时的她已经顾不了自己的脸面和自尊了，她唯一想到的是自己有份工作，而儿子能把大学上好这是她全部的精神寄托与力量支柱。

第一个月发工资，她给儿子寄去了300元，并特意写信说她在一家商场站柜台，工作还算不累，待遇也挺好什么的说了一大堆，意在让儿子花她的钱少心疼些。但即便陈秀凤编织的如此美好“处境”也不长久，她干活的那个浴池因有人举报说是从事色情被查封了。

陈秀凤第三次失业了。

这可怎么是好？那些日子里，陈秀凤急得天天出外寻找工作，可偏偏哈尔滨市的下岗人员一拨比一拨多，好像这个世界就不再有她可以谋生的饭碗了。一日，陈秀凤在市里不知跑了多少家劳务市场，累得她实在支撑不住了，她不得不在马路边上捡了张旧报纸垫着坐下歇歇。望着车水马龙的闹市，陈秀凤无奈地低下痛苦与自卑的头颅……

嗯，这是什么？“一浙江修鞋匠靠在城市里几年修鞋挣得的钱，在家乡盖起一座楼房，并使全家走上了小康。”陈秀凤看着看着，忍不住拿起报纸读了起来。对呀，人家乡下人跑到城里修鞋还发了财，咋我们城里人就不能也当一回修鞋匠，也发它一回财呢？陈秀凤的这一发现不亚于当年牛顿发现苹果落地时的惊喜，她顿时眼前一亮，拾起旧报纸大步融入急急赶潮的人流。

陈秀凤尽管什么苦都吃过，她觉得自己若在人后干再脏再累再低下的活儿都不在乎，可头一回摆摊时，面对那么多行人看着自己，特别是偶尔还碰到几个熟人时，她真的有些抬不起头。更主要的是，由于起初并不熟悉修鞋技术，一向麻利的她对自己在众人面前表现出的那笨手笨脚的活计羞死了。第一天，拿锤子的右手酸得直不起，而被锤子砸了不知多少下的左手则早已皮开肉绽……

日子长了，有一天一起在街上摆摊的一位小师傅向她建议，如果想多挣点活，就得到人多的地方比如大学门口什么的，那儿人多，大学生们好动，又远离家人。陈秀凤一下想到了自己的儿子，对呀，大学生的鞋袜是破得最多的，何不上校门口去呢！陈秀凤说搬就搬，到校门口一摆摊生意真红火，特别是下课时和周末节假日里，学生们成群结队地围起来要求修鞋补袜的。看着这些远离父母的孩子们，陈秀凤呢，像是见了自己的儿子，既心疼又喜爱：“你们只管拿来，有钱的给多少算多少，没钱的算阿姨做了人情……”没想陈秀凤的实心实意，更使大学生都喜欢来找她。积少成多，小生意的收入也还可以，陈秀凤除去自己的必要生活费外，每月给儿子寄的 300 元钱又有着落了。

陈秀凤从此与大学结下了好缘。许多与她一样的下岗或做其他小买卖的人也曾在大学门口设摊做活，但最后留下的并不多，唯独陈秀凤一干就再也没有离开过大学门。他们不理解陈秀凤为什么能在同样的地段、同样的生意上却做出与众不同的结果？其实那不同点正是因为在陈秀凤的眼里，那些大学生们就好比是她自己的儿女，也正是她发自内心的那份爱，才使得学生们都喜欢上了这个热情服务的“陈阿姨”。

“陈阿姨”后来成了“陈老板”。

新年开学，陈秀凤发现她原来摆摊的那个大学的学生们也搞起了修鞋一类的勤工俭学活动。她知道参加这一活动的都是些跟她儿子一样的贫困生，所以主动地放弃了自己的摊位。不过她并没有离开校门，经历了放假和开学的两个高潮，陈秀凤发现学生们买箱用包特多，尤其是一些外地学生，放假、开学时，身上少的也有那么一两个箱包。这可是个好市场呀！如果在学校附近开设一家专门从正规渠道进货的箱包店，价格和款式上又能与年轻人合拍，生意一定不错。这时的陈秀凤已经有了不少经商意识，她拼凑了2000元钱，从十几里外的一个箱包市场批进了十几个包，第一天就在校门口卖掉了六个，第二天又跑到另几所大学门口，不想手中的货全都脱销了，虽然她出手的价格比商店里的要便宜，但毕竟还是赚了不小一笔。

就这样，陈秀凤批一回卖一回，学生们也知道“修鞋陈阿姨”变成了“卖包陈阿姨”，批发商们也慢慢把她看成“大户”客客气气待她。一日，陈秀凤又一次来到箱包市场，一位浙江温州的箱包厂经销科长把她叫住了：“大阿姐，我们看你做生意蛮好，想请你当我们‘金龙箱包厂’的业务总代理，在哈尔滨开个箱包行。你愿不愿意？”

“我？我给你们开箱包行？先生你没搞错吧，我可只是个下岗后摆小摊的呀！”陈秀凤吃惊不小。

那温州人笑了，说大姐你再看看这个包怎么样？

“这、这不是我前阵子给一个老板瞎比画的包样吗？”陈秀凤做梦也没想到，她半个来月前试着让人问问有没有她想象中的那种款式的一个包样，现在竟成批地放在了她面前。

“没错，这正是你设计的。我们只是在用料和装饰上稍稍改了一下，看看，这款式我们刚上市就有不少人订货！”温州人说得有鼻子有眼，但绝不是假话，“我们这个箱包行，实际上你是设计者加经销商，我们是生产厂家，利润嘛按营业额分成，你看怎么样？”

还有什么说的，天上掉下来的馅饼你不吃也是白不吃！

不久，陈秀凤的“金龙”箱包行正式开业，她还特意雇了三个同为下岗工人的女店员，自任总经理。箱包行开业之后，生意果真像温州人预测得那样好。此时的陈秀凤，被这意外的收获激动得不知说什么好。

1997 年春节，陈秀凤怀揣 3 万元巨款，怀着不同寻常的心情，敲开了那位占她房子的债主的大门。

“钱一分不少地还给你，你必须马上将我家的房子腾出来！”陈秀凤强忍着不让泪水从自己的眼眶里流出。几天后，当她以主人的身份再次回到失而复得的房内时，久溢在眼眶内的泪水夺眶而出……

又过了几天，儿子从北京重新回到了自己的家。当他看到母亲一脸红光，和那被母亲装饰一新的房间时，高兴得直搂着母亲连声说道：“妈，我走这么长时间后你反倒年轻了许多……真的，妈！”

陈秀凤听后，只是冲儿子笑，就是说不出一句话。她的心里有太多的泪在流淌，而所有这些在外读书的儿子则一点也不知道。如果不是后来女记者于秀文在《遭遇下岗》的文章中写下陈秀凤上面这段非同一般的经历，她的儿子和我们所有人可能永远不知道曾经有这样一位母亲为了上大学的儿子所付出的这一切。

天下的爱，莫过于母亲的爱。天下的情，莫过于父亲的情。

在北京市郊的一个建筑工地上，一位不愿透露姓名的大学生带我来见他伤重的父亲。那是一片繁忙异常的现代化新区建设工地，但这位大学生的父亲却并不在这个地方，而是在附近一个条件极差的小水泥搅拌场。我们穿过几个大水坑之后，又猫着腰才走进一个又矮又潮湿的草棚。

“就在这儿。”学生说完，自个儿先进了草棚，看样子他是这儿的常客。

我进去见到了他的父亲。学生的父亲大概并不知道我为什么而来，以为是他儿子的老师来了，便赶忙从那张用两块断了半截的水泥板拼成的“床”上支撑起身子，可后来还是非常吃力地躺下了。“老师对不起啊，我的脚……”他十分歉意地从脏兮兮的被窝里露出一条绑着纱布的腿。

“别别，你歇着歇着。”我赶紧示意，然后问，“怎么伤的？严重吗？”

“是楼板砸的。没事……”学生的父亲强作轻松地想在我面前晃动一下那条伤腿，结果“哎哟哎哟”地连叫起来。

“怎么回事？”

不想我的这一问，那学生站在一旁就哭：“他……都快化脓了，还说没事。呜呜……”

“这孩子，你哭什么！”父亲瞪了儿子一眼，又朝我很不好意思地笑笑，“小毛病，我们乡下人不当回事，隔几天我就可上工地了……”

儿子突然冲着父亲嚎起来：“还去啥？要不是你上个星期去干活，也不会又把腿折断嘛！”

“这孩子！”

我看父子俩有些较劲，便赶忙打岔：“这位大哥你能给我说说在北京做工的事吗？”

“唉，不就是为了孩子上学嘛！”父亲一声长叹之后，便是长久的沉默……

“说来话长呀……”等儿子出门打水走后，这位学生的父亲便跟我聊了起来，令我没想到的是，这位与我们同在一个城市里生活了三年的安徽汉子，竟为了儿子的学业几闯京城，历尽沧桑，且险些丧命。下面是他的话：

……说起来我家还不算乡下，不过也不算城里，是典型的南方小镇。我孩子的爷爷辈在解放前做小买卖，后来办了个小作坊，结果一解放被划了个小资本家。这好，打那时起，我们家祖坟上的那棵弯弯树就被人连根拔起并抛到荒野……其实我这个解放后才出生的“资本家狗崽子”，打生下后就没有见过家里有什么“资本”值得我能在外面炫耀的，倒是因为父亲头上的那顶帽子使我只上了初中就辍学了，之后是我被赶到公社的一个最偏远的农场落户。直到1980年所有的“狗崽子们”都开始恢复人的尊严时，我才重新获得了城镇居民的资格。但这有什么用？那时我既没有文化可以去攻读大学，也错过了当学徒工的年龄，二十七八岁的我成了一个谁也不要的“无业游民”。后来就在一家乡办小厂当看门的。那时我虽然政治上“翻身”了，但人们却已经开始更多关心物质、关心致富了。我呢，一个看大门的，既无技术又无文凭，加上几十年的“造反”早把我家的“资本”给彻彻底底地刨光了。我年纪又属高龄，经人介绍与一位农村姑娘结了婚——是一位真正的贫下中农。她不仅出身好，而且她的家一直穷到现在。不管怎么说，我们还是有了个传宗接代的儿子，且我心里踏实的是，我的儿子至少有一半血统是革命的进步家庭的。有了孩子后，我才感觉自己的生命才真正开始。可是孩子他妈身体本来就弱，生孩子后又落了病，等第二个孩子会走路时，她就瘫在床上不能动了。从那时起我一个人得管全家四张嘴，日子怎么过来的连我自己现在都说不清，反正这个世上啥样的苦活累活没有我没干过的。命里注定的，有啥法子？但我知道有一点不能耽误，那就是孩子上学的事。我这辈子是没戏了，拿你们城里的话说叫“被耽误了的一代”。我的两个孩子都还出息，大的1995年考上了你们北京这儿的大学，小的考上了合肥一所大学。看到儿子比我有出息，我心里高兴，孩子他妈也高兴。可是我一个人要供两个孩子上大学，还要管家里一个瘫在床上的病人，我知道单靠我原来在厂里看门赚那么三四百块钱是不行的。所以从大儿子考到北京后，我听说北京这儿打工能赚钱多些，于是便来了。第一年我在一个包工队那儿干活，一个月600块钱，管运砖，人家管一顿饭。我就每月自己留100元，给北京的儿子300元，给合肥的儿子200元。但是好景不长，这个包工队在一次给人家施工时出了质量毛病，被解散了。后来我又在亚运村那儿的工地找了一家施工队，可那个包工头心黑，说就给500元，而且不是全额发给大家，每人每月扣100元，说是怕我们半途跑了。400元一月，我的日子就难了，大儿子那儿只能减少成200元，小儿子给150元，自己留50元生活费。50元能够什么用？可这50元我也基本上全部省了下来，我知道儿子在学校有不少事，再说家里还有个瘫在床上的人也得吃呀！包工头很黑，一天工作十几个小时，虽说管饭，可那哪叫饭嘛！早晨是两个馒头，几块咸菜，中午又是两个馒头，多了一盆菜。晚上跟中午差不多，最多把馒头改成面条。那菜从来是不见油星和肉味的，而且长年累月不变样。包工头不怕你不干，用他的话说，在北京想承包一个工程不容易，可两条腿的打工仔是张一个口袋就套进十个八个。再说在他这儿干了一阵你再走，亏的是你自己，因为你这样走是拿不到他所扣下的一分钱。1996年春节刚过，我突发胃病，想不干了，正好大儿子也要放寒假了，我们爷儿俩想一起回老家。可是那包工头就是不同意，说拿钱必须等他的工程完后。我就跟他吵，没用。我只好留下再干，但我的胃越来越不行，一下被工友们送到医院，住了十几天。这时，儿子从家里发来电报，说他娘快不行了。于是我赶紧找到包工头要钱回家，你听人家怎么说？他说你拿什么钱？你看病住院花了我两千多块谁付？我说我是在为你工作时累病住院的，当然你该为我付嘛！他说谁规定的？我说有《劳动法》。他说那你去找《劳动法》要。等我再想跟他理论时，他干脆叫来一帮小流氓把我的铺盖往水塘里一扔，将我赶出了工地。这个时候我又接到了家里的急电，说孩子他妈已经危在旦夕。可这个时候我身上连一张火车票钱都没有呀！咋办？我开始想到孩子的学校去借，后来觉得这不是给孩子丢脸嘛！所以就没去。但几十块钱也不是白白在马路上能捡得到的呀！不瞒你说，我还真一个人偷偷到五洲大酒店、康乐宫门口转悠过，但一个下午没见到过一个子儿，倒是别人把我当做小偷似的轰了好几回。后来我到西单地铁口当了两天真正的乞丐，总算把回家的火车票钱要到了手。那天我上火车时，正是大年初一，从北京开往合肥的车上没几个人，服务员比平时服务态度好多了，她们不时推食品货车过来问你要不要这个买不买那个，我呢，心里想要可口袋里掏不出一分钱，二十来个小时，就吃了对面座位一个下车旅客留下的半截要扔掉的香肠……可是我就这么千里迢迢赶回家，却没有来得及同孩子的妈说上一句话——她在我到家的前一天夜里已经断气了。

办完孩子他妈的丧事，我又欠了一屁股债，可孩子开学又得要钱呀。有一天我看到一则报纸上说有人愿出

3 万块钱换个肾，我瞒着孩子悄悄到县医院想跟人家商量这事。不知孩子是怎么知道的，赶到医院把我拖了回去。两个儿子哭着说，爸你要是这样做我们就不上大学了。我说那怎么行，我跟人家换肾也是为了你们上大学，你们不能胡想，我就是苦到头，也全是为了你们完成学业。儿子说爸你身体本来就不好，你一旦少一个肾就全完了。无奈，我说那爸就听你们一回，但有一个条件：你们必须保证好好学习，争取多拿些奖学金，我呢也争取再谋个打工机会。孩子们答应了，就这样我们爷仨在家里没等孩子妈“头七”就分别重返北京和合肥。

我到北京后还是打工，开始听儿子劝后想找个轻松点的活，但找来找去都没成。北京这两年外地来京打工的人太多，像我这样年龄的人又没啥文化，只能到建筑工地上干那些最苦最累、待遇又最低的活。这一年多里，不瞒你说，我已经挪了七八个地方。孩子现在上大学正是花钱的时候，又是买书又是买衣服，一个月二三百块钱当然不够，所以我见哪儿钱多、哪儿能当月付工钱的就上那儿。你说苦不苦？当然苦。有时我觉得实在支撑不住了就上医院看看，医生说我的胃病该彻底治一治了，可我说不行，我要是一下不干活了，两个孩子的学业咋办？我现在想，至少等我再拼上那么两三年，让小儿子也念完大学，到那时再说……

“那时……那时你就来不及了！”我们说到这里，打水的儿子已经从外面回来。他一边抹泪，一边又怨起父亲来。

“你知道啥？现在你的任务就是把书念好，有可能明年争取考研究生！”看来这对父子总是谁都说服不了谁。

因为天黑了，所以我不得不与这位学生的父亲告辞。临别时我劝他注意身体，还是要想法把受伤的腿尽快养好。

“他从来对自己的事不在乎，看他那么可怜，我有几次都想退学了，可我知道不能，那样他会一下垮了。”回城的路上，这位不愿透露姓名的学生一直在为父亲低泣着，“他实在太苦、太可怜了。医生已经检查出他的胃上长了个东西……”

“是什么？”我心头一紧，问。

“凶多吉少。”

“那你得劝他休息呀！”

“他能听吗？只要我和弟弟在大学一天，他就是死在工地也不会停下来歇着的……”

这位学生又在悲切地哭泣。我心头也早已难受不堪……

是啊，一个贫困生，后面就是一个贫困的家庭。而每一个贫困的家庭里，又有多少像上面的这些父母们在为了他们子女的前程、为了祖坟上的那棵“弯弯树”而含辛茹苦，甚至不惜用生命的代价，在托筑起一条可以让儿女们完成学业的血路！

这些学生们的父母，有的在把儿女送上大学路时就病倒了，有的没等看到儿女们上完第一个学年回家过春节就离开了人间……虽然他们永远地倒下了，虽然连最后的一面都没来得及见上，然而他们在儿女们的心目中永远是一座不倒的丰碑。

在我采访的诸多贫困大学生中，他们中间几乎十个里面就有三四人的父母或在他们上大学之前就积劳而死，或是在他们上大学的期间不别而逝。因此，这些大学生们对用生命换取自己儿女一张大学文凭的父母们，怀有最强烈和深切的亲情。我见过许多学生或在大学期间、或在毕业时刻写给亡父亡母的悼词。这里抄下一份，一慰我对那些平凡而伟大的父亲母亲们的敬意——

爹爹：

您好吗？时值春天了，您那里还冷吗？我知道您不认识几个字，在您有生之年，在我有限的大学生涯中，我却没能给您写一封信，如今，您去了，您去了异地他乡，有哥嫂陪您，他们是识字的，在您离去百日的纪念日子，我不能去看您，便写此信给您，略表唯一女儿的思念之情。

爹，您现在是否在家歇息呢？累了一辈子，您终于有了喘息的机会，您的胸口是否还疼呢？您是否还如我最后所见的那样憋闷呢？哥哥嫂嫂是否孝敬您老人家？那么多亲朋故友，他们是否如以前一样常去找您聊天，拉家常呢？您的吃住有没有困难呢？

爹，您是搞电的，您去了，您那里是亮了，乡亲们也方便了，可是您别只惦着别人家灯黑，您要抽点空儿把自己的房子也安好灯，您年岁大了，黑灯瞎火的，走路不方便！

您离开我们三个月了，可我感觉已有百年之久了，我好想您呀！

三个月前，您连最后一面也没等我见，当我见到您的时候，您默默地静静地躺在刺骨的寒风中，看着您安详而平静的脸，没有丝毫痛苦的表情，我的爹爹呀，您那么难受，怎么不肯给您唯一的宝贝女儿说呢？奶奶说您临终前说过“不想我”，我听了泪如泉涌，这怎么可能呢？我是您唯一珍爱的女儿，是您一直引以为自豪的孩子，虽然您一直没有宠过我，可那份深挚的感情，我体会得到，您肯定在埋怨我没给您找到最好的大夫，您一定清楚女儿在骗您说您的病没什么！您肯定是怕耽误我的学习而不肯让我娘给我打电话！您觉得对不住我，因为您未能实现供我上完大学的诺言！爹爹，您有什么惭愧的呢？为了我上大学，您带病瞒着家人工作了五年，在临终前半年，病已很重，我们才发现，您还不肯住院，我知道，您是舍不得那来之不易的钱，您要留给我上学用！在我苦劝之下，您仅住院一周便非要回家，难道您为我牺牲得还不够吗？是我有愧于您，两次高考，把您的心都急碎了！然而，考上了大学，您终日洋溢着幸福的笑，把这作为对您最大的回报。

爹爹，您走了，带着我无限的眷恋与牵挂，带着我的思念永远地走了。不过，您放心，我会永远牢记您的教导，自强、自立，人前人后写一个完整、独立、自强的“人”字，您的宝贝女儿绝不会给您丢脸的。安息吧，爹，我一定会努力修完大学，以优异的成绩完成您的遗愿，在您二周年的时候，我会带给您欣慰的答案；放心休息吧，爹爹，我会尽力照顾好年迈的奶奶、母亲和幼小的弟弟，也许不及您在的状况好，可一定不会让人觉得我们母女可怜，我要用我业已挺直的脊梁在世界上闯一片灿烂的天空，为奶奶和娘创造一个安定幸福的晚年生活！

且至此吧。

女儿珍珍

第四部　中国大学『希望工程』咏叹

第十五章　大学是什么?

是啊，大学是什么?

是那围墙里的绿地、教室、图书馆……?!

是那严厉的校长、文质彬彬的老师与匆匆而行的学生?

应该是吧。可又似乎不全是……

100年前，中国的一位教育圣人说："大学者，研究高深学问也；大学者，囊括大典，网罗众家之学府也。"

100年中，又有位名士称："大学者，非谓有大楼之谓也，有大师之谓也。"

100年末，有人则如此高喊："大学者，网络上、信息高速公路上，一切全都虚拟也。"

大学是什么，依然是个令人迷惑的定义。

还是让我们看看900年前创办世界上第一所大学的意大利人波洛尼亚是怎么说的。喔，他说得多简单："大学大学，大家来学。"

这，似乎就是目前最贴切与流行的经典定义。

是的，大学应该是由许多人走到一起，组成集体，互相学习，共同研究而构成一定场所、一定环境、一定教程的"大家来"的学习地方。

是的，这是我们通常意义上可以接受的"大学"概念。但这仅仅是西方人的认识观与理解力。

中国人则完全不同。

大学，在中国人的心目中完全是另一番景象：

——120 年前，当清朝政府允许容闳、严复、詹天佑、孙中山、陈天华等人剪掉辫子去西方大学堂留学时，大学是被上面的这些有识之士当做“睁眼看世界”的窗口，后来他们靠这窗口把西方的近代科技与文化移植到中国，同时还把资产阶级的启蒙思想一起带回祖国，并在短时间内吹响了中国民主革命的战斗号角。

——100 年前，康有为、梁启超等人“公车上书”，议办“京师大学堂”，旨在推动摇摇欲坠的中国封建社会的“革新与变法”。于是，后来的“京师大学堂”真的成了百年中国伟大变革的摇篮。

——80 年前，韶山冲的一位身着长衫的青年手持雨伞，来到湘江岸头的爱晚亭旁的大学里，之后又北上到了“红楼”图书馆潜心苦读。毛泽东心中的大学，是寻求四万万同胞的解放之道。

——再后来的 40 多年，江泽民、李鹏等一批在共和国阳光下走出国门，到莫斯科郊外的列宁课堂上，那时他们心中的大学便是新中国人民也能楼上楼下、电灯电话……

——再后来的 20 年时，一声春雷，沉闷的神州大地重新出现生机。作为“被耽误了的一代”，他们心中的大学，则是知识与尊严的回收。

——再再后来，就是最近的 10 年，大学便成了新一代人必须走过的一个人生历程、一个台阶。因为有了它，可以出国，可以官场上升迁和谋一份理想的职业……

呵，仅仅 100 多年，同在一个国度，大学的概念在人们心目中却大不相同。其实，在中国人的心中，无论何朝何代，还有一个永恒不变的概念，那就是：大学是门第，大学是俸禄，大学还是光宗耀祖、恩泽后代、改变自我命运的金招牌。

有人说，这才是大学的根本。是的，应当承认，对绝大多数中国人来说，大学确实就是这样一个概念。不管你如何粉饰，如何掩盖，目睹了“京师大学堂”100 年辉煌历史后的中国人，更加坚定地认为这是个不可动摇与更改的概念。

我看过一本考进北大的“状元”们写的有关“大学梦”的书。有好几位都提到这样一段话：

> 这真是一块圣地。近百年来，这里成长着中国数代最优秀的学者。丰博的学识、闪光的才智、庄严无畏的独立思想。这一切又与耿介不阿的人格操守以及勇锐的抗争精神结合，构成了一种特殊的精神的魅力，科学与民主，已成了这圣地不朽的魂灵。

谢冕教授的这段话，激励了多少青年学子投考北大的信念，同样也激励了无数青年学子勇攀大学“象牙塔”的铮铮步履。

大学是圣地。对有知识者它是精神与灵魂的圣地。

大学是圣地。对普通百姓它是命运与财富的圣地。

于是关于大学，便有了下面的这些镜头：

镜头之一

10 年前，“万元户”的称号还只属于那些土地承包的第一批成功者和依靠走私、倒汇的暴发户。一日，在数理化方面颇有些教学成就的某中学老师，突然被一位学生家长叫住：“老师，只要你负责把我儿子辅导好，能考上大学，这 1 万块钱归你了！”那家长没说第二句话，便扔下那个鼓鼓囊囊的大信封，开着小车一溜烟地走了。

我的天哪，这么多钱呀！这位老师有生以来头一回见到如此多的钱，他真的吓坏了。如果说他贪，倒还不如说是被这么多钱吓得不知所措。他从这开始，就苦战三个月，后来那学生真的通过了高考，进了一所重点大学。学生家长又高兴地拿着 2000 元酬谢费给了这老师，得意扬扬地说道："大学，就是向着有钱人开的。"

镜头之二

中央美术学院门前，人山人海的新生初试队伍里，湖南的小杨今年已经是第七次参加考试了，而前面六次都因种种原因没被录取。这六年多中，他不顾家人的强烈反对，背井离乡，独自在京城租下一间离美院较近的简易房，然后边在美院附近那些培训班里学习，边在几个小学生家做初级美术辅导。母亲病逝他没有回家，对象吹了他抹把眼泪又专心致志上课去了。

在第四次参加考试时，美院的一位老师无意中说了句假如你真考上了也未必能上得起，干脆放弃算啦。他差点跟那老师打起来。后来他与这位老师交上了好朋友。

1998 年 4 月，小杨与 1500 多名美术学子，共同竞争美院 80 个招生指标，结果再次败北。有人怕他受不了这残酷的打击，等一到复试榜出来后马上到他租住的房间找他，可已经人去房空。后来有人在他桌子上看到留给房东的一张条上这么说："我暂时回武汉那儿打工，准备多赚点钱，明年我还要来考。因为大学对穷人而言更重要……"

镜头之三

1994 年 7 月初的一天清晨，江西某县的一个小山村，突然有人惊呼起来："快来人哪，有人跳塘死啦——！"

被惊醒的小山村男男女女、老老少少，全都从自家的屋里走出来，飞步赶到那个刚被洪水灌满了的小塘前。在村民们的眼前，清晰地看到水塘上漂浮着一具着红花衣服的女尸。等几位勇敢的汉子把女尸翻过面来时，大家一片惊呼："小琼，怎么是小琼呀！"

是的，正是小琼姑娘。一个 17 岁的少女，一个全村唯一的女高中生突然暴死水塘。小琼的父亲喊了声："小琼啊，都是爸害死你的呀！"便当场昏死过去。

村上的人都知道，小琼过几天就要参加高考了，大伙儿还不停地在夸她最有希望成为村上第一个"状元"。可是小琼这几天的脸色特难看，原来她父亲坚决不同意她去考，他希望女儿留下来与他一起种 20 亩山坡地。父亲对女儿说："女孩子念那么多书有什么用？嫁个好人家才是最要紧的，明儿我托人给你找个好一点的婆家啊！"

小琼跪下求情也不行，于是她感到了末日。她的弟弟后来发现了姐留给他的遗书，上面说："弟，咱山里人只有两条路可走，一条是留在山里等死，一条是走出山外求生。大学是你唯一的生路，姐用生命为你引路……"

你该明白和理解中国人心目中的大学是什么样的了吧！

大学，对少数人可能是一种轻松的必然选择，但对大多数人来说，那是一种企求，一种抗争，一种生命的全部意义。

中国人心目中的大学，因此不像外国人所说的"大学大学"就是"大家来学"。中国有 12 亿人，有限的校园，太少的教育经费，更使大学变成最严酷的竞争战场。越过那道分数线，你便是"天之骄子"；挡在线之外的人，你将失去尊严与价值，直至一生。

但中国人更理解"大学大学，大家来学"这个大学的定义。因为我们是社会主义，因为我们是人民当家做主，因为我们正在进行伟大的现代化建设，所以我们比谁都有权利上大学。社会主义的大学属于大家，大家的大学就应该让大家都来上，于是中国人的大学比哪一个国家竞争都激烈，激烈得超乎大学本身——人们把上大学看成了唯一的改变人生命运的"独木桥"。于是有了"黑色七月""红色九月"之说，而"万般皆下品，唯有读书高"便成了永恒的真理。

富人们一开始便知道走大学路是理所当然和必然的。

穷人们明白后便坚信走大学路是应该和必需的。

20年前，中国再度恢复高考时录取大学生数为10万余人，后来增至30多万，再后来到60多万，但面对近2亿人数的中小学生“冲刺队伍”，这个数仍然压力太大。这几年又把数字增至100万左右。而加上在校学生，中国大学目前在校生已超过500万。如此庞大的高级人才储备队伍与发达的西方国家相比也并不逊色。然而它对中国人来说依然是个小数，总数为2亿人的学生大军，在经过小学的6年，又经过中学6年的拼搏，最后仅有百万人能进大学，绝大多数的人只能在大学校门外流泪、叹息，这无疑是件极其痛苦的事。对国家、对民族都是这样。

中国是个龙的国家，望子成龙，天经地义。愿做虫的不多，除非别无选择。

这种激烈的竞争便是必然的了。但另一方面中国是个发展中国家，就其国民经济生产总值的人均数仍在全世界100多位。如此一个穷国却在办2亿人的九年义务制教育和500多万人的高等教育，俗称“穷国办大教育”。人大会上年年喊加大教育经费，可学校的校长和老师们仍然年年喊不够。到底什么时候够，除非体制彻底改革，除非国家真的强盛。但路还得走下去，改革必须深入。于是在总结经验教训和汇总各方面意见的基础上，1992年国家教委提出逐步实行高校招生公费自费并轨，并逐步完善办学机制、就业机制的思路。1993年上海外国语学院和东南大学率先进行收费并轨试点。同年，中共中央、国务院下发《中国教育改革和发展大纲》，从最高权力机构的行政法规上确立大学收费制度。1994年包括北大、清华、南京、复旦、中山在内的40所高校开始收费。之后1996、1997年开始全国所有高校除部分特殊专业外全面实行收费制度。正是一石击起千层浪！多少年来，进大学后就是“国家的人”的概念在百姓中根深蒂固，许多人接受不了目前的现实。但政府的决心丝毫没有动摇：普通高等教育、普通高中、中等及中等以上的职业教育属于非义务教育，实行缴费上学是世界上许多国家通用的做法，我们也不例外地坚持这样做下去。中国百姓这才认识到，缴钱上学看来是必然趋势，别说大学，就是高中以后也要缴费了！

缴多少？1000元一学年，也有2000元一学年的，一些热门的学科则在三四千以上……这还不算学生自己的生活费。天，一个大学生一年下来少说也得四五千元呀！

四五千元是个什么概念？那就是中国一半以上的收入中下等家庭的全年积蓄。那就是五分之二的农民家庭一年的全部收入。这哪成，送孩子上大学后，全家都得挨饿怎么行呀！太多了，收得太多了！

有关部门说，不多，绝对的不多。培养一个大学生实际每年至少需要1万元，政府现在仅收20%左右，另外的80%仍是政府在负担。不多吧？

是不多，可是……可是我们砸锅卖铁也拿不出那么多钱呀。贫苦的百姓们说：“过去上大学，是勤奋加天才，现在还要加一条，就是金钱。”

勤奋＋天才＋金钱＝上大学

这是今天的公式。因为有了这个“公式”，中国的大学才出现了过去从未听说过的“贫困生”，而且其数量和势头之大、之猛，已经关系到中国教育改革的成败。有人说，教育改革是中国计划体制的最后一座堡垒，而大学收费是教育改革成功与否的关键之关键。

我们现在该明白了为什么今天大学贫困生问题如此地引起政府、社会的严重关注！我们现在该明白了为什么要在大学进行

“希望工程”，而且这个“希望工程”与九年义务制教育的“希望工程”虽然说同为四个字，但内容与含金量是完全不能相提并论的。用一句通俗的话说：小学的“希望工程”是在为我们民族走出贫困与愚昧铺路，大学的“希望工程”则是我们民族实现伟大复兴的高速列车。

你现在又该对中国的大学有了新的理解。它是什么？

它是我们民族的脊背与栋梁，它是我们全体人民的责任与义务！

它更是我们每一个人的未来，更是我们祖国伟大复兴的希望所在！

第十六章 咏叹之一：走来的一个与溃退的九十九个

我们了解了大学，便了解了我们的目的。

9月10日，是研究生院新生报到的日子。两年前的这一天，江南著名学府南京大学迎来了一位特殊的研究生新生，他叫张宗友，23岁，来自安徽。张宗友的到来，在南京大学引起不小的震荡，原因是他是我国声势浩大的“希望工程”培养出来的第一位研究生。当张宗友在南大中文系研究生报到处签上自己名字的那一瞬间，人们看到他眼泪夺眶而出。是啊，从大学到研究生，这一大步多么来之不易——对一个全靠社会来资助的贫困学生！

张宗友想起了几天前自己离开位于大别山的家乡——安徽金寨县汤汇镇茅畈村时的情景。那是个晴朗的早晨，全村的父老乡亲站在雾霭流岚的村口，燃起串串鞭炮，为山村有史以来第一位大学研究生送行。坐在机动三轮车上的张宗友忍不住噙泪与乡亲们挥手告别。而这一次他是无比幸福的告别，因为有六年前一次完全不同的告别，所以张宗友格外激动。是啊，同一条茅畈河，同一座大别山，但六年前的告别与今天的告别是多么不同——

那是个完全绝望的日子。一场洪水把所有的庄稼与房屋给淹没了，年迈的祖母呆呆地坐在倒塌的房子边等待死亡的日子早些降临，有病的母亲伸着无援的双手扒拉着几个未被冲走的土豆，妹妹上学的路断了，父亲坐在石板上抽着旱烟眼巴巴地望着家门前的一方天空……快要开学了，17岁的张宗友正摩挲着手中的书本，向往着离家100里外的金寨县一中的教室。知道知道，父亲的心里全知道，儿子是村里第一个考上县重点中学的孩子，父亲还知道进这个学校的孩子十有八九将来能上大学。可是孩子，你都看到了，咱家就这个样！你不听这？你还想念书去？唉，是啊，穷人家的孩子能有这样的机会难得呀。父亲从石板上坐起，看了一眼儿子，背着双手朝小镇上走去。晚上回来，父亲把两张一大一小的票子交给儿子：这150元是从信用社贷来的，明儿你去县中报到吧！

第二天，儿子出发了，带着异常沉重的步履，沿茅畈河轻轻走动，他怕走得太急会撞痛父亲的心……可是仅一个月后，儿子又迈着沉重的步子回到了茅畈河：150元钱交完各种费用后所剩无几，随身带的一坛腌菜也很快吃完了，宗友觉得自己的路走到了尽头。

这次是他自己决定的：辍学。永远地与学校告别。

令张宗友没有想到的是学校和县"希望工程"办公室得知后，及时把他重新接回学校，并告诉他以后每学期到县"希望工程"办公室领取60元的特别救助。那时"希望工程"还不像现在如此深入人心，张宗友有些不敢相信这事，后来他发现真的有人每学期那么做。他因此成了中国亿万苦孩子中的幸运儿。

仅仅60元钱，但对一个山里娃来说，已经是可以改变他一生的宝贵财富！1992年夏，最早得到"希望工程"资助的张宗友，接到安徽阜阳师范学院中文系的入学通知书，成了在全国"希望工程"救助下考上高等学校的大学生。在之后的四年里，张宗友破例继续得到"希望工程"的资助，并且每学期可以领到400元的资助款。为此，张宗友感觉远方的父亲的腰杆稍稍直了，而他本人则肩负了更重的担子，那就是他必须拿出最优异的成绩与出众的品行来报答社会。他实现了自己的愿望，在大学的四年里，年年被评为“三好学生”，1995 年又光荣入了党。1996 年毕业之际，张宗友面临参加工作和考研的两种选择。前者自然会对减轻家庭负担非常有益，但张宗友深知：我的身后有一支长长的贫困生队伍，如果我考上了研究生，无疑对那些受过“希望工程”救助的弟妹们是一种鼓励与促进。于是他选择了考研究生，并又一次将命运握在了自己手中……

张宗友的到来，使本来就已经热闹的南大校园更加不平静。特别是那些仍在与贫困奋争中的大学生们，他们不约而同地来找张宗友讨教战胜困难的经验与意志。张宗友呢，也乐意同众多新谋面的师弟、师妹们侃侃而谈。一时间，他的那句“贫穷不能抹杀我们对知识的渴求，我心中永远燃起希望之圣火”的话，成了南大校园的名言。

说张宗友是千千万万苦孩子中最幸运的一个，这话没错。他之所以能获得如此幸运，有他努力勤奋的一面，再有便是“希望工程”的功劳。据中国青少年基金会介绍，自“希望工程”开始至今日，共收到各种捐款多达十几亿元，全国建立“希望学校”4000 多所，受助学生有 170 多万人。毫不夸张，在中国曾经有过的爱心活动中，“希望工程”是最成功的，它的规模、它的影响力、它的运营机制、它的深入人心度、它所维系的时间之长，都堪称全国第一。“希望工程”是我们新时期的共产主义思想和雷锋精神的最伟大的体现。

在中国 20 世纪末的最后 10 年里，我们的国家有一项特别重大的任务，那便是自 1994 年至 2000 年的《国家八七扶贫攻坚计划》。在这个纲领性文件里的第一句话如此写道：“社会主义要消灭贫困。”文件里的第二句话是：“集中人力、物力、财力，动员全社会力量，力争用 7 年左右的时间，基本解决目前全国农村

8000 万贫困人口的温饱问题。”

8000 万贫困人口的温饱问题，是共和国实现四个现代化的最沉重的负担，是中国共产党人在 20 世纪末最艰巨的任务。

“到 2000 年，人民共和国建立了半个多世纪，经过了两代人的奋斗，如果仍有几千万人没有解决温饱，生活在贫困之中，怎么体现社会主义制度的优越性，我们这些身负重任的共产党人，一想起这个问题就会寝不安席，食不甘味。”有关领导对此忧心忡忡。

“到 20 世纪末，我们解决了 8000 万人口的温饱问题，占世界人口四分之一的中国人民的生存权这个最大最基本的人权问题，从此就彻底解决了。这不仅在我们中华民族的历史上是一件大事，而且在人类发展史上也是一个壮举！”党的总书记如此说。

从 1994 年到今天，国家的扶贫攻坚计划已经走过了四年多。四年多里我们又已经脱贫了多少呢？ 2000 万？还是 4000 万？是真的全部脱贫了还是昨天摘了贫困帽明天更贫困呢？有官方的消息说，至 1997 年底，各地已有近 6000 万人口初步解决了温饱问题。“初步”是个什么概念？“初步”实际便是个可算也可不算的概念。据国务院扶贫开发办副主任高鸿宾在第一线考察后估计，目前一些边远地区的“返贫率”为 10%至 20%左右。在甘肃，曾有一年统计贫困率下降到 45.7%，岂料这年一场自然灾害就又把贫困率反弹至 56%。如此预测，中国目前到底还有多少贫困人口没有解决温饱问题，看来绝不是一个小数。再看一看今年南北大水灾的灾情，受灾人口达 2.1 亿……

中国广大地区的贫困依旧，这是不容置疑的。

再看一看中国的贫困是个什么概念。这里有段关于朱镕基同志在 1995 年 11 月 17 日考察广西大化瑶族自治县时的报道：

……群山环绕，车子在弯弯曲曲的公路上盘旋了两个多小时，才到了七百弄乡牙外屯。

半山坡一间半截茅草搭起来的破房子，住着村民蓝桂忠五口之家。朱镕基走进昏暗的屋里，打开衣箱，没见到像样的衣服。看看谷桶，只剩下小半桶玉米面。五口人有一床旧棉被、一顶蚊帐。

朱镕基问蓝桂忠："承包几亩地？"

"两亩一分山地。"

"粮食够吃吗？"

蓝桂忠摇摇头："今年玉米和木薯加起来，一共才收了 400 公斤。每年一般要缺四五个月的口粮。"

朱镕基心情沉重地又走进另一户三个孤儿的家。

四面透风、空空荡荡的茅草屋里，摆着几只盛雨水用的瓦盆、木桶。山上吃水困难，这些雨水只够吃两个来月。

十几年前，三个孤儿的父母先后去世。这些年来，他们的生活一直靠民政部门救济。由于长期得不到温饱，三个孤儿如今已是二十好几了，却长得又小又瘦。

初冬，山风硬得透心寒。老二只穿着件薄薄的单衣，还敞开着怀。朱镕基伸手要帮他把扣子系上，才发现整件衣服竟然没一个扣子。

泪水盈满了朱镕基的眼睛，他怜爱地把三个孤儿搂了过来……

这仅仅是总理所看到的情景，至于百姓自己的眼里那就更悲怆了。

回过头我们看看中国的这些贫困对教育事业造成的影响吧。虽然我们已经有"希望工程"等等措施，然而贫困地区的孩子们上学问题仍是个极其艰难的事。据说每年仍有1000万左右的孩子在校门口徘徊。这就是说像张宗友这样的幸运儿仅是一小部分中的一小部分。1998年春，新华社一记者在湖北恩施地区采访，他走访的一个村子上，本来上学的有110名学生，可新学年开学时到学校报到的仅为30多人，老师们分头动员了好几天，大部分学生还是因为家庭困难交不起学费而面临停学。这个村有史以来还没有人上过大学，高中生也寥寥无几。

贫困地区的孩子，与当年的张宗友情况基本差不多，但是能像张宗友走出山村上了大学的，更是百里挑一,千里仅一，甚至万里独一。据中国青基会介绍，挽救这样的一位失学孩子1993年时为30元，后来由于通货膨胀因素，1995年为40元，1996年为60元，现在约为80元。

因为缺少几十元钱，中国的上千万孩子上不了学。

那么，那些费了九牛二虎之力，从几百人、几千人甚至上万贫困孩子中脱颖而出，考上了大学的孩子们，现在他们又面临的是什么呢?

他们面临的不再是60元、80元，也不是100元、200元，而是2000元、4000元甚至更多的每年的高额费用!

目前教育部门提供的数字表明，实行并轨制以后的高校，平均每个学生一年需要个人承担的学费、学杂费和生活费将在4000元至6000元左右。到2000年，每个大学生每年个人承担的各种费用将为10000元左右。

这就是中国高校中约占1 / 5的总数为100万的贫困大学生们所面临的现实。张宗友幸运地成为走出这座大山的一位，但他身后剩下的99个贫困生们又能不能走出来呢?

他们是溃退还是前进，这便是中国大学所面临的世纪末大挑战。

本来就已经连温饱都难以解决的家庭，几乎是不可能负担起这么一大笔钱。那么无援的他们靠什么来上完大学？即使他们留在了大学，心头又时刻承受的是什么呢？

1997 年 3 月 4 日，一件令人震惊的事在黑龙江某大学发生了：大学四年级学生曲铭悄然从学校图书馆五楼坠下，等到人们发现时，他的头已经深插在早春潮湿的泥土里，同学们永远无法将他唤醒……

曲铭是个贫困生，但他学习优秀，是“三好学生”，几度得过奖学金。可他在仅有三个多月后便能完成学业时，却选择了与这个世界永别之路。为什么？这是为什么？

后来老师和同学们从他写得十分简单的遗书中找到了答案：“这些年我欠大家的情太多了。今生今世无以回报，只有等来世……”

在遗书中，曲铭特意提到了两件事：一件是他在上学期间向班上一位同学借了 400 元生活费没如期还上，致使那位也是贫困生的同学没能如期交上学费；第二件事是一张向他提供过捐助的人名单。

师生们反映，曲铭平时很开朗，不属于那种心理有明显忧郁症的一类。至于他的贫困早已众所周知，大家还一直在帮助他。刚入学一个月，学校根据他的情况便将其列入了特困生名单之中。一开始，他就得到了像打扫卫生、整理资料、治安巡逻等勤工俭学机会，并是全系 4 名有固定岗位的特困生之一。老师说，就在他自杀之前，学校先后给他安排工作有 17 次之多，每次的特困补助也基本都有他的份。但同学们说，曲铭仍对每年 3100 元的学费忧心忡忡，特别是在接受别人的帮助后这种忧心不仅没减少，反而加重了。1995 年秋，在他又一次交不起学费时，同学们主动发起募捐活动。为了不伤他的自尊心，捐款是秘密进行的。等到大家把 2935.5 元的钱交到他手上时，曲铭好一阵激动，可他一再表示谢绝。直到同学们同意按记名的方式捐款并把名单留在他手上时，曲铭才接受。

这样一位同学突然自杀，校园内的冲击波可想而知。其实曲铭之死原因并不复杂，他在告别人间的前几日曾对一位同学表述过自己的内心世界。他说因为自己上大学，妹妹不得不辍学，连婚都没结成；在学校，他又成了老让同学们捐款的包袱……

曲铭死于他在接受别人的帮助时内心太重的负疚感。

贫困是一种直接感受的痛苦；接受社会和别人的帮助是一种具有负担的痛苦。

直接感受的痛苦加上心理负担的痛苦，这便是贫困大学生与那些接受"希望工程"资助的贫困儿童，及其他如贫困母亲、贫困残疾人的不同之处、复杂之处、严重之处。

你可以拿 50 元或 100 元，就能拯救一个失学儿童；但你却常常难用 5000 元或 1 万元拯救一个贫困大学生。

东北林业大学学生李静明说："我读第一年大学时就靠吃馒头、咸菜过来的，是很苦，是很难。天天开饭时，我总最后一个到食堂，悄悄买点东西就走了，但那时我心里还是踏实的。后来呢，学校和同学都知道了我贫困，于是就都来捐助，我也很感激。可以后总觉得走到哪儿别人都在背后指着我议论说：他就是贫困生，我也给过他捐助！我反而觉得不如自己过去吃馒头、咸菜香。"

中国农业大学女学生李颖说："开始有人给我们资助，让我们介绍自己的贫困情况还挺觉得是那么回事的。后来一次又一次后就感觉自己像是动物园的猩猩给人家展览一样，那种心理感觉特不好。现在我就不大愿意接受别人的捐助，宁可自己苦一点，倒也落个心里清静。"

这就是贫困大学生的心态。这就是一个完全特殊的贫困群体。

中国大学“希望工程”比任何工程都为之艰巨，因而更迫切。否则走过来的真可能就是张宗友一个，而溃退的也许是九十九个……

第十七章　咏叹之二：漂泊的高级盲流与依旧的贫瘠山丘

1997年7月初的一日，北京白石桥路边的某高校的毕业典礼刚刚开完，毕业生赵小刚激动地双手捧着盼望四年之久的红皮烫金大学毕业证书，他面对西北方向，泪流满面地断断续续说着："……爸，你儿子终于拿到大学毕业证书了！你那年在小煤窑用生命给我换来的2000元学费没有白花呀，爸——！"赵小刚"扑通"一声双膝跪在地上，久久没有起身……等他从悲喜交加中清醒过来时，发现同宿舍的人都不知到哪儿去了，连床上铺盖也不知何时不翼而飞。赵小刚本来也准备下午离开学校，只是觉得同学一场，该相互打个招呼，于是便留了下来。入夜，往常热闹异常的宿舍变得静悄悄，这更勾起了赵小刚的浮想联翩——

是啊，四年的日子，对赵小刚来说似乎太漫长，太不堪回首了。他情不自禁地想起四年前自己捧着大学入学通知书又不敢给父亲看的那一幕：那是一个天气非常晴朗的日子，可赵小刚觉得自己像是犯了什么罪似的，站在父亲面前半天不敢说话。"啥事？快说嘛，我还要去矿上干活呢，要不全家就快掀不开锅了。"父亲有些不耐烦地看着儿子。赵小刚不得不把揣在怀里的大学入学通知书拿出来："我考上大学了。"儿子早知道父亲听到这事后不会兴高采烈，但他还是没有想象出自己的父亲竟会朝他发怒："你、你咋考上了么？"赵小刚听了这话，眼泪一下夺眶而出："爸，你就让我上大学去吧。家里的债等我上大学后也像城里人那样赚大钱，我保证全部还掉它！”“真的？”父亲一脸严肃。“真的。等大学毕业后我再挣不了大钱我就不是人！我也再不回这个山寨！”儿子跪下双膝，面朝父亲，对天发誓道。父亲终于受感动了：“成，你就去念吧，把大学里的书好好念，我不死就可以看见我们赵家的祖坟上也能长大树了！去吧！”父亲转身从里屋那个谁也不能动的箱子底取出2000元钱，交给儿子，“这是我刚刚从矿主那儿借来的，本来就准备给你念大学用的。我没跟你说，是不相信你会考上，说实话，心里确实也不想让你再去念书了。你莫怨爸，谁叫咱们这家小的小，病的病……”那一夜，从小不爱跟父亲说话、打心里嫌父亲目光短浅的赵小刚，一下对父亲有了重新认识。他终于明白，父亲平时常打他骂他，但心里同样是深爱着他的，就像别的父亲对自己的儿子一样。

赵小刚就是拿着父亲从矿主那儿借来的2000元，走进了大学门，并且艰难地跑完了对他来说是太漫长的四年血路。他已经记不清多少次因为自己是“贫困生”而屡遭冷眼与歧视，这些他都不在乎。他最刻骨铭心的是，在他第一年回家过寒假时父亲为了还矿主的那2000元债的事。那天已是大年三十了，儿子问父亲为什么还要到矿上干活，父亲告诉他，矿主要让他还钱，因为还不出就只好给人家加班出苦力呗。父亲临走时，朝儿子重重地看了一眼，说：“以后就看你的了，爸这一辈子只能给人做牛做马，可也没养活好一家人。唉——！”长叹一声后，父亲驼着变形的腰背，消失在晨雾之中。那一天，赵小刚仿佛有一种预感似的，他觉得父亲这一走就再也不会回来了。后来父亲真的就再也没有回家。几小时后，矿上的人前来报信：小煤窑崩塌，包括赵小刚父亲在内的五个人埋在百米深的井里……

日后，矿主还曾为2000元的借款找过赵小刚的家人和他本人。这种黑了心的要求理当被拒绝，但此事却一直像一团阴影似的跟随着赵小刚的四年大学岁月。在赵小刚的潜意识里，父亲的生命就是他上大学的2000元学费，如今他捧着这鲜红的毕业证书，如同捧着父亲的那颗埋在九泉底下的滴血的心。此时此刻的赵小刚思绪万千，他恨不得长上翅膀飞回贺兰山，在埋下父亲的那片凹陷的墟土前磕上一百个头，以奠亲情。

“小刚，你怎么还没走？”突然，一位同学闯入宿舍。

赵小刚从遥远的思绪中回到了现实。他有些发愣地问同学：“我们宿舍的几位都跑哪儿去啦？招呼也不打一个……”

同学笑了：“人家都快当上某外企主管了，你倒好，一点也不愁呀！”

赵小刚觉得奇怪：“我愁啥？现在大学毕业证书都拿到了，有啥发愁的？”

“哈哈哈……看看，我以前就说过，我们现在的大学方向有问题，专门培养高智商而忽视社会实践能力。眼前的你不就是一个很好的事例吗？”同学犹如在课堂里高谈阔论开了，“赵先生，你以为一张大学文凭就可以救你了？可以使你一个山娃娃一夜之间变成大富翁？错了！尊敬的赵先生，你要清楚地明白，现在的你，跟四年前那个土得身上掉渣的赵小刚没有多大区别。一句话，你依然是个穷光蛋！不是吗？”

“我？我怎么还是个穷光蛋？你看看，我的毕业证书少别人一个角吗？”赵小刚急了，拿着红皮毕业证书像要说明一个几千年颠扑不破的真理。

这回轮到同学摇头了：“赵先生呀赵先生，真没办法跟你说。我问你，你现在身上除一张毕业证书外，还能不能拿出100块钱去买张回家的火车票？我再进一步问你，你即使回得到家，你想过没有，你是骑着毛驴在那美丽的贺兰山小村庄上走‘信息高速公路’，还是扛着扁担去进行‘网络’耕作？想一想，我亲爱的同学！”

是啊，我回贺兰山能干什么呢？是带着一个鲜红的毕业证书去与那矿主讨回父亲的生命？还是拿着这鲜红的大学文凭放在正屋里的桌台上，每天让全家人供着？不，我不能这样空着双手回家，我要成为一个富有者！赵小刚想起了他在拿到大学入学通知书时曾经在父亲面前许下“日后要像城里人一样赚大钱”的愿，顿时他有些激动地拉住同学的手：“你一定帮帮我，让我跟你们一起去发财……”

从此，茫茫人海的北京城内，又多了个每天匆匆忙忙又不知在干些什么、收获些什么的“盲流”。而赵小刚则是京城百万盲流中的几万“高级盲流”之一。所谓“高级盲流”，有位社会学家对此做了这样的定义：泛指那些脱离人事关系、户口关系在外地工作或找工作的知识分子、技术人员等。而这中间，高校的毕业生最多。据某高校学生部的一位老师介绍，现在大学生的毕业分配已渐趋自由择业，所以学校除国家部分指标外，一般已不管你毕业后的去向，换句话说，只要你有能耐，就是留在皇宫当天王老爷也没有人管你。因此，大学目前实际出现的又一种情况是，辛辛苦苦四年间动员各方力量帮助那些有困难的学生完成学业，而一旦帮助他们走完这四年学路后，至于再下面的路，学校一概不管，也管不了了。

我们济困助学，挽救贫困，让苦孩子能读完大学到底为了什么？

一个天大的误区！

一个不得不正视的现实问题！

在赵小刚毕业近一年后的某一天，我在军博后面的一个俗称“京城白领雅士”的居住区见到了他。现在他与一位同乡合租一间老乡的房子，很小，一看就是属于临时建筑。房子内除了两张床外，便是一大堆各种广告宣传材料。小赵告诉我，他现在与几位同是大学毕业后没有回原籍而留在京城的“哥们儿”，一起在为中央电视台几个栏目拉广告、做专题。

“这儿离中央台近，走几步就到‘梅地亚’了。我们几乎天天要与客户们谈生意，可我们自己又不是中央台的正式工作人员，进台里不方便，所以利用‘梅地亚’这块宝地做事。”看来走出校门后的小赵早已脱胎换骨，不再是那种傻乎乎的书呆子，变成很有一套的“商务专家”。他一听我的奉承话，赶忙谦逊道：“只能算刚刚入门。”

“能介绍介绍经验？”

“哪是啥经验，教训倒是挺多！”下面是赵小刚给我讲的毕业后的那不同寻常的经历：

一开始，我跟着几位同学就像瞎子摸大象似的，在北京城内到处转悠，就是不知哪是头来哪是尾。出了校门就不像在学校，别看有时吃不上饱饭，但毕竟有人管呀，总不愁半夜被民警叫起来查你身份证。这会儿可不行了，开始我们没有找到一份正经的活儿，就五六个同学合住在一间十来平方米的小房子。白天你睡，晚上他睡，反正我们有人是干白天的活，有人是整夜去录制节目，倒也能对付。但主要还是为了省些钱。我们搭帮的六个人都是大学毕业后没有回原籍的，而且基本都是在学校靠吃特困补助过来的。你问他们为什么也不想回老家？想法跟我差不多，就想在外面挣点钱。大伙儿说，过去我们这些从穷地方来的学生想得太简单，以为拼死拼活跳出“农门”，把大学文凭拿到手后就可以改变自己的一生。可一到现实社会，才发现我们的思维太落后了，比时代发展至少慢了几个节拍。换句话说，如果在五六年前，可能是这样，现在就不行了。我们中间有人还是硕士毕业的，他说他毕业那阵子以为自己在大学苦读六七年后就可以安安稳稳给安排个什么国家科研部门或大型企业的科研岗位，结果他等啊等，就是没有等到。后来他自己跑，一跑才发现像他这样的硕士生满北京城都是。好不容易有家单位愿聘用，他上班一看，是让他给一位只有初中文化的科长当助理。他气得找头头说理，人家告诉他你是个外地户口，又没正式工作关系，这个位置给你已经是照顾的了，像你这种情况，在我们这样的国家正式编制单位，你就是博士也永远是“打工仔”。我的这位哥们儿气坏了，从此就打消了再找单位的念头，开始自己独闯天下。后来他靠自己的经济管理学硕士的渊博知识与吃苦耐劳精神，赢得了中央台几个经济栏目编辑的好感，就开始给了他些活儿，就一直干到现在，成了我们圈里的老大。你问我？嗨，比他差远啦，一辈子可能没法跟上人家。我与这帮哥们儿合伙时间不长，过去干过许多活，比如在昌平给一家私营企业的老板当过助理，也在延庆的一家饭店搞过促销，后来在一个连锁店搞过派送，多了，我现在已经记不清到底干过多少地方。但有一点你不知发现没有，我一般都找那些有住的地方和管饭的活儿。刚开始打工你没有钱呀，如果自己再租房、买饭，你在北京就是最次的农民房一个月也得二三百吧！打工一个月才赚多少工资？五六百元，你花去房租、饭钱不等于白干了么？可要找那些既管饭又管住的单位，没有几家不是苦力的活。他们才不管你是不是大学生，只要有力气就行。有一次在一家矿泉水公司干活，一天在烈日下要跑十几个单位，还是蹬大车的，累得你晚上睡觉被推到火葬场烧了都不知道。你问这么累又不赚钱咋没想回原籍？我咋不想？有一阵还真回了一次老家，可一到家里我就想哭，咱那儿，没法提。别的不说，光吃水这一条，祖祖辈辈的人都要赶着毛驴走上三四十里弯弯曲曲的山路才能担上几桶水。那次我回去因为要喝水，便重新掌起了赶毛驴的鞭子，我一路赶，一路就有大爷大妈问我，说小刚你在外面见得世面多，知道不知道我们这儿啥时候吃水不用赶毛驴哪？我摇摇头，说不知道。他们又问，你是大学生咋会不知道？要不你读了那么多书，帮着村上修口井吧！看着乡亲们一双双企盼的目光，我就差没入地三尺。是啊，我是读了十几年书，是个大学生，可我哪会打井找水？但大学生在我村上的百姓眼里是无所不会的才子呀！我觉得自己不能再待下去了，因为我知道我这个大学生是不会给老乡们找出水井来的，如果我留在老家结果连口水井都找不出来，老乡们会对大学生多失望呀！他们还在为了儿女或孙辈能像我一样读上大学而不辞劳苦地拼挣着，我不能让他们对儿女、孙辈们的企盼落空。另一方面，我想自己用父亲的生命换来一个大学毕业生的崇高荣誉，结果我连一口小井都不能帮乡亲们打成，我这个大学生的脸面还不都丢尽了？再说，即使有人把井打成了，有没有水呢？如果有又能怎样呢？还不照样见不到“信息高速公路”、“网络世界”嘛！我就是在这种情形下重新回到了京城，带着对故乡那种说不出滋味的情感回到了至少可以随便能喝上自来水、可以不花钱上一回“信息高速公路”和“网络世界”的大都市……

“你对今后有什么打算？”我问。

“说实话，很茫然。”赵小刚抓过一把广告宣传材料，说，“这些活倒是能赚点钱，但不是我的专业，我是学农艺技术的。在首都这个现代化大都市里，这门技术用不着，可这儿能赚到钱，可以让我随时随地看到未来世界的最新发展动向。我的老家虽然可以用上我学的农艺技术，但没有钱呀！连口水井的钱乡政府都不知勒紧了多少回裤腰带，我这一身技术又有什么用？与其那样，还不如先给老家那儿减少一个吃国家救济款的人……”

我无法断定赵小刚的理论是对还是错，但是他提醒我们一个不可否认的事实，那就是：一部分大学毕业生不愿回到边远和贫困地区，是因为他们的价值观发生了变化，以追求个人前途与改善自我生存环境为中心的这部分学生，从他们发愤读书想跳出“农门”的那时起，就已经失去了对故乡的回报之心；另一部分大学生确实有志愿到大学里好好掌握知识后，将来回到贫困的家乡改天换地干一番大业，然而贫困落后的故乡却不能给他们提供施展才能的战场，使之慢慢丧失了原先的那份改造与建设家乡的热情与抱负。这就不得不使我们的大学尤其是在进行对贫困生帮助的工作上提出更深层次的要求，单一的为解决他们在大学完成学业而去为他们减免学费、为他们寻找勤工俭学岗、甚至为他们不辞劳苦地到社会上，求爷爷告奶奶地拉赞助远远不够。更重要的一点是，还要给他们在理想与人生观上进行“精神帮困”。有资料表明，1997 年教育部直属院校共有本、专科毕业生 64990 人，到广东、江苏、山东等发达地区和留在北京、上海的就达 34502 人，占毕业生总数的 53%，而回到十大边远省区的只有 3793 人，仅占总数的 5%。如此巨大的反差说明了什么？说明了至少约有一半以上的贫困地区出来的贫困大学生没有回到他们本该回去的地方。中国社会调查事务所有一项调查显示：大学毕业生中有 78.3%人明确表示不愿到贫困地区工作。我也曾对中国农业大学的10名贫困生进行抽样调查，结果10人中有6人表示只要能在北京找到一份可以每月赚到800元以上工资的工作，就不会再回老家了——需要说明的是他们所指的工作都在不能解决工作关系和户口的前提下。那天在林业大学采访时，正好有两位女生在与老师商量留在北京自谋职业的事。这两位女生都是林业大学的“委培生”，现在她们毕业了，照理应该回原籍，可她们说：“我们宁可出几千块钱还清委培费也愿意留在北京。如果毕业回去给你分配到一个永远出不来的地方，一辈子不就完了！”我问她们在北京有没有工作意向，她们说还没有找到，“反正慢慢找呗。”看来她们的决心很坚决，大有一种义无反顾的气概。其中的一位说：“留在北京一方面能赚点钱，另一方面我们还想考研。假如回到老家，这种机会几乎可以说是天方夜谭，但在北京是可能的。我们的师姐们有好几个走的都是这样的路子。”原来她们心目中还有另一番天地，谁能说这不是一种健康的心态，一种符合时代精神的追求？可是——我们的问题还是在“可是”上，可是如果我们国家每年为贫困地区培养的20来万学生（全国高校每年招生约100万，贫困生的比例按官方所说的20%计算）都不回原籍，那么我们那些贫困地区是否就永远地不辞辛劳地送出一批批秀才又永远地照样没有知识、没有文化？我不禁想起有篇报道说，甘肃有个贫困县，每年都培养出许多大学生，乡亲们年年敲锣打鼓欢送他们离乡求学，但几乎不见一个学子毕业后回来，小县城依然一贫如洗……

说不清是我们的帮困工作助长了贫困生们更加立志离开故土的心愿，还是济贫本身就在造就人们追求富有的心态？但有一点是可以肯定的，即：有些贫困生在被别人真诚帮助与关心时，他的思想和意识却在悄悄发生另一种变化——

南开大学学生处的刘老师给我讲了这样一位学生：

此人姓洪，是95级学生，家在江西农村，是个孤儿。在接到入学通知书后就因交不起学费而迟迟没来校报到。我们就写信打电报告诉他不管什么情况，你把家里的事安排妥后来学校报到再说。后来他果真来了，一看是个非常可怜的苦孩子，什么东西都没带。我向领导反映这学生的情况后，学校一路开绿灯为他注册免学费。我们南开大学的党委书记那天正好看到这个学生，便问寒问暖，又把他领回自己的家，让老伴给他做好吃的，用自己的钱给这学生添置了许多必备的物品。当时这个学生感动极了，说一定要好好学习，将来报答社会和所有关心他的人。因为是个贫困典型呀，所以这学生后来时时处处受到资助和照顾。后来发现资助他的钱老是不够，一查，这倒好，他竟抽烟喝酒都学会了。学校组织贫困生勤工俭学，让他去干点活，那么简单轻松的活他干几下就甩手走了，你说哪像个贫苦家庭出身的孩子嘛！

上海高校里出现了更出奇的事：有位贫困生多次得到学校的补助与社会赞助，反正学校有什么贫困生好处的事他都比别人伸手伸得快，可是在毕业时这位学生为了不去教师岗位，脱离师范生身份，竟一下拿出了一笔不小的现金。与师范大学毗邻的上海某大学这几年为了援助贫困生，该校从1994年以来，每年给贫困生们提供无息贷款，可是不少人宁愿不要毕业证书也不还贷款，至今这个大学有1000多个毕业证书锁在学生处的铁柜里。上海还发生了一件更令人哭笑不得的事：前年香港某公司到某高校兑现自己每年向25名贫困生发放每人每月150元生活补助费的承诺。这天公司老板派代表前去学校向贫困生发钱，学校为了让贫困生们接受一次爱心教育，便把几个年级的贫困生都召去一起参加兑现仪式。公司代表向25名大学生发完助学金后说：尽管我们今天只发给了25个同学，但你们中间确实还有非常困难的同学，我们公司也将视情况予以考虑。他的话刚完，台下的学生竟在没任何指挥下排着长长的队伍，雄赳赳、气昂昂地向台上走去。那公司代表惊得目瞪口呆，站在一旁的老师们则面红耳赤地冲上去拦住自己的学生，但为时已晚……

曾有一位教育家早已这样呼吁过：贫困其实并不可怕，可怕的是因贫困而扭曲了的心态。我们全社会现在都在济困，都在向贫困挑战，但那些贫困地区的县太爷、乡干部，则心甘情愿地坐在那儿被人高高地戴上“贫困县”“贫困乡”的帽子，为什么？因为“贫困”这顶高帽子值钱，可以坐吃不愁，伸手来钱来物。我们的大学贫困生中有没有这种现象？我看是有的，且为数不少。因而在解决这些学生的物质贫困同时，解除他们的“精神贫困”工作更为重要。因为物质贫困是暂时的，精神贫困将是一生的。

我以为此乃警世之言。中国的高校“希望工程”一大内容，便是解决贫困生们的心理贫困，这个心理贫困集中体现在人生观的教育上。阳光和雨露可以使小苗长成参天大树，但高耸的大树未必能成栋梁，如果是棵空心的树干那只能当做柴火。我们所要扶助的是一代健康无私并勇于接受挑战的新时代大学生，当然不是那些目光短浅、极端自私的庸才，不然，我们学校的领导、老师的爱心与苦心和社会上那么多挚爱与善良，有可能付之东流，我们的许多广袤山区也将永远地依旧贫瘠下去，父老乡亲们欢送的小锣鼓最终也会不再响起……

其实有一点需要特别指出：一些贫困生们的“心病”并不全是他们内在因素。社会分配的不公、就业本身存在的问题，同样使他们受伤的心灵又一次次地受到重创。

我看过一位自称是患了“忧郁症”的大四学生给报社写信诉

说自己心头的万般无奈：

……已近毕业的我，本应该忙于找工作的事了，但现在我只能默默看着来招聘的十几个单位把同学们招去，而我不能参加。原因只有一个：因为我是来自边远省份的，有规定必须回原省工作。有人会说："回去建设家乡，有什么不好？"其实，我心中何尝不想回去？而实际情况是，每年有数万名毕业生回省工作，由于省内就那么寥寥几家比较景气的单位，因此关系网"广"不"广"、后台"硬"不"硬"便上升为第一条件，而成绩、在校表现只能退居次要。我一想自己几年学习的成绩被人忽视与践踏，就感到心里有气。每当我回想起四年大学寒窗，自己苦下功夫，从班尾升至班级前列，在班上也担任过干部，校级、国家级的奖励也拿过，就觉得自己应该不比别人做得差。但为什么在就业时就被无情地剥夺了与内地省份的同学的平等权利（他们中间有相当多的人条件远不如我，却能去待遇好、发展前途大的单位）？我知道来自边远省份的同学中有的条件比我还好，剥夺他们与内地学生竞争的权利同样不公平。……一说到工作艰苦的地方，我们这些贫困地区来的学生，似乎就要理所当然地打头阵，凭什么我们就天生该得有这样的"特殊待遇"？如今已不是那个论出身的年代了，但"生源"这个出身却时常在提醒着我："你来自边远地区，是与人不同的！"

这坦诚的女大学生给人们提出了一个非常现实而严肃的问题，这便是不容忽视的大学生分配的合理性与科学性。特别是一些所谓的政策性，常常照顾了“强者”，却忽视了“弱者”，这也是当今中国大学贫困生面临的一大难题。

他们由于“出身”不好，在内地就业时，无论你成绩多好、表现多佳，还是拿过什么奖项，但只要一看你是边远省份的，就会一连串“不要！不要！不要！”为此，他们满怀希望地回到属于他们自己的熟悉地区，可是当那些单位看着他们一张张金色的证书与奖状时，不好意思地笑笑：“我们要不起，要不起！”偶尔也有要得起的，但却轮到我们的大学生自己要不起，因为进一家打破头都想挤进去的好单位，你没有当局长、书记的爸爸，你至少得送上千儿八百的。如此种种，贫困大学生们就会发现，当他们满怀喜悦手拿毕业证书走出大学门后，自己却依旧是个赤条条的穷汉！

……你问我是谁，我也不知我是谁。

你问我到哪儿，我也不知我到哪儿。

于是，他们又一次漂泊在人生十字街头……

第十八章　咏叹之三：日进斗金的学府与举目无援的校族

1998年4月30日，一列特殊的火车从深圳出发，沿着新建成的京九线飞速向北，直驰向祖国的心脏北京……

“到了，快到了！”在临近北京的时候，全车人顿时沸腾起来。当他们走出车站时，无数彩旗与喧天的锣鼓声使得站前的广场沉浸在一片欢庆之中。

“老兄，你们真够款的！”

“师弟，你们创下中国列车旅行史上一个奇迹！”

“那当然，要不我们怎么叫‘北大人’！”

“是啊，我们是独一无二的‘北大人’！”

这一天，中国和诸多外国新闻媒体都报道了有关一趟特殊列车的消息。原来这是在深圳和广州工作的600多名老北大生为参加北大百年校庆而特意包下的一辆“专列”。

北大人真牛！那几天，我一连听到好几位北京市民在评说有关此次“专列”时如此感叹。北大人确实很牛，像这样包着专列去参加校庆，恐怕只有北大人才有这般气魄。其实，包括我在内的全体中国人都为北大人的这种气魄而自豪。因为北大人“包”之无愧，我想如果有一辆能载千人的“空中大客车”，北大人定会毫不犹豫地登机腾飞……

1998年5月初的那几天，中国教育史上出现了从未有过的热闹与喜庆，这就是北京大学的百年大庆。那几日，从共和国的主席到中央人民政府的总理，从第一代北大人的百岁老翁，到刚刚踏进未名湖畔的年少学子，都在为同一件事兴奋。不夸张地说，北大百年校庆的隆重程度是中国几千年教育史前所未有，或许也可能是空前绝后的。如果孔圣人活着，肯定也为此不亦乐乎。先不说国家元首携中国全体主要领导者亲自出席在人民大会堂的纪念集会，也不说世界著名百校校长云集一堂的盛典，我所关心的是另一点，那就是北大百年大庆时所收受的“红包”有多少！

这一颇为敏感的问题，在北大筹备校庆开始校方有关方面就公开明确原则：百年校庆不流俗，拒绝商业味。给许多单位和校友的一份《北京大学百年校庆指南》上，更加清楚地标明了校庆的宗旨是“弘扬传统、繁荣学术、面向未来、促进发展”，力图把校庆办成一个“教育节”“文化节”和“艺术节”。后来的事实也证明北大的百年校庆确实办成了全中国的“教育节”、全中国的“文化节”和全中国的“艺术节”。我强调“全中国”，是其声势、其规模远远超过了中国曾经举办过的历届此类全国性的节庆。

但是北大人很会办事，他们在把如此规模盛大的校庆办成具有世界影响的名校校庆的同时，却又喜气洋洋地在后台大大地收受了一串数目惊人的“红包”。下面是校庆办对外公开提供的一个数目：至校庆前一个月的1998年3月31日，25家中外企业向北大共捐助总额达1.5亿元人民币。其中香港著名实业家李嘉诚为北大图书馆新楼捐助1000万美元；香港泛华老板何柱国先生捐资3500万人民币；香港企新公司捐资200万人民币；日本企业捐资27亿日元；戴姆勒－奔驰公司捐资100万人民币；美国宝洁公司捐资100万人民币；三金公司捐资100万人民币……除此，校庆办还透露了另一笔“红包”账单：至4月9日，北大已与20多家厂家签订了价值共约3000万元的自负盈亏性质的制售纪念品合同。读者可以注意到，上面总值约为1.8个亿人民币的捐资中，都是百万元以上的大“红包”，至于那些几十万、几万元的小“红包”则完全上不了榜。另外一个情况是上面的这些数目都是在离校庆高潮还有很长一段时间内收受的，可以想象，中国人过节都有一个传统习惯，那就是带礼参庆。北大在后来的4月30日至5月9日的十天大庆时间里，先后接待了万人以上的各界名流与校友，那么这些人所带的“礼”是多少就可想而知了！我只听说许多企业与许多北大校友——现在也都是大亨，他们此次对北大的捐资，全都不约而同地采取了低调处理，即不张扬、不宣传的做法。像印尼金光集团捐资的200万元，其集团杨丽珠小姐把钱一放，只说“捐资教育”四个字后绝不多吐一个字……

北大校庆到底收了多少“红包”，是对外公开的2亿？还是实际的3亿？其实我们并不需要那么认真地去探秘。但有一点是可以认定的，那就是北大确实在校庆的那些日子里成了“日进斗金”的富校。中国之所以举国为北大百年校庆欢呼，就是因为它是名副其实的中国最高学府，它的百年也正是中国百年进步的历程，而中国的百年进步有很多动力便来自这个“皇家学府”。

北大成了“日进斗金”的富校理所应当。北大天天“日进斗金”是中国人的骄傲。然而我在这里要说的是另一种现象，那便是在中国现有的2000多所高校中（其中包括1034所普通高校，1000所成人高校）也存在着严重的“贫富差异”，而且随着市场经济的不断向前迈进，高校与高校之间的这种差异已日趋严重。这一现象，同样也反映到了解决贫困生的问题上。由于穷校与富校之间每年所获得的资金来源差异之大，致使在各自的教育与发展、投入与保障方面也出现了巨大差异。

我们先来说说一些类似北大、清华的“富校”。如果按照比例划分，它们的贫困生比例也在10%至15%左右，然而它们这儿的贫困生，基本不存在无法生存下去的情况。理由是，他们的生源差不多全是全国各地的高考“状元”，一个贫困家庭出身的高考“状元”，一旦成为事实后，一般都能得到几千元甚至上万元的社会或政府部门的奖励。特别是前几年，像江苏、上海、广东、山东等沿海地区，一个学生成了全省、全市的“状元”，乡里要奖一笔，县里也要奖一笔，到市里、省里还要奖一笔，江苏的一个“状元”生最多曾拿到过30000元。这还不算了结，到大学后，你如果是“状元”，还会得一大笔奖金。如果你是贫困家庭出身的“状元生”，你除了享受上述奖励外，还将免去一切学费，如此里外里，一个原无分文的“状元”一夜之间成了小“富翁”。至于高考成绩的第二名、第三名也水涨船高，也能有几千甚至上万元的进账。有了这么多钱，别说一年学费，就是四年大学也可基本对付了。这是其一。其二，那些名校、富校，它们的生源相对而言，更多的是家庭富有的孩子。那些家里一贫如洗而又能考进北大、清华的毕竟是凤毛麟角。我们看到的是，在这些高校中，校长们都早已向社会发出响亮的承诺，即绝不让一名学生因家庭困难而辍学。校长之所以有如此坚实有力的底气，除了他们自身的教育责任感外，重要的原因是他们的口袋里拿得出这么一些“小数目”，来解决本校负担不算太重的贫困生经济困难问题。

在南国古都南京采访时，东南大学学生处给过我一份该校的材料，我们不妨公布一下：

东南大学现共有全日制本专科生8000多人，月平均生活费在150元以下的约占4%，计350人左右；月平均生活费在200元以下的约占15%，计1300人左右。应该说，东南大学对特困生和贫困生的划分标准是略微放宽的，一般高校的划分标准比他们月生活费平均低出50元左右，即把特困生的生活费月平均算至100元甚至更低以下的水平。再看东南大学是如何解决20%的贫、特困生的。以1997年为例，该校第一个措施是“面广钱重”的奖学金。面广是指他们每年会有70%的学生可享受到年1000元至4000元不等的奖学金（本科生），即你只要学习努力，争取达到70%以内的人数之中，你就有了基本的生活费。这笔奖学金在东南大学叫“综合奖学金”，除此还有“三好学生标兵”“优秀学生干部”奖，每年每名获得者可得1000元。第三笔奖学金是“企业、校友”专项奖学金，即社会捐助的钱，获得者可年得500元至3000元。以1997年为例，全校共有243人获得此项奖。第四项是企事业单位捐赠的奖学金，约五六项，每年有近百名学生可获得，年人均得1000元至2000元不等。第五项是单项奖学金，每年初，学校根据各系院的学生人数，以毕业生每人每年27元，非毕业生每人每年44元下拨至各系院，由下面奖励根据学年成绩评选出的优秀学生，全校每年此项奖金共约35万元。第二大措施是专门用于解决贫、特困生的助学金。也分两大块：学校给各系院按在校学生总数下拨，平均每年约为十几万元，另一块是由学生处直接使用的定期与临时发放的困难补助。凡是没有获得上面70%的大面积奖学金的贫、特困生，可享受每月100元的补助。每年用于突发性的困难补助约3万余元。第三大措施是学校组织和设立的勤工俭学岗补贴，每年约20万元。能成为学校勤工俭学岗的人员一律都是贫、特困生。除上面三大块外，他们的最后一项是贷款制度。如果那些贫、特困生从以上的三大措施中仍然不能解决困难的，便可向学校贷款。1996年，东南大学准备贷款金达40万元，实际贷出18万元；1997年准备贷款金为61万元，实际贷出18万元。为什么实际贷的少很多，其中一个重要原因就是因为学校的贫、特困生们已经有了上述几大措施，基本或多或少地有了一笔或几笔的奖学金与助学金，他们用不着再为生活而发愁。

东南大学的贫、特困生们是幸运的，即使在这所著名学校内也有1300多人的一支庞大的“贫困生”大军，但他们因为有学校坚厚的经济实力而省去了不少苦与愁、汗与泪……然而我还是要说明一点的是，东南大学还不是最好的“富校”，它比起北大、清华、复旦、中山、南大等学校，还只属于“小康水平”。

可是当我向山西农业大学、华北工学院（现中北大学）等属于“高校贫困族”的学校介绍东南大学的情况时，我看到这些校长们不是目瞪口呆，就是羡慕得要流口水。

“唉，真是人比人，气死人。要是他们把那几位来不及接待的赞助者让给我们学校，我也就可以睡几个好觉了！”当听我说北京某高校学生处的人有一天因为连续接待好几位捐助者而忙不过来，竟把两位带了10万元巨款的捐助者给气跑了的事后，山西农大党委副书记王杰敏十分感叹。

“你想得到多少捐助？”我开玩笑地问王书记。

他很认真地想了想，然后慎重地说：“5万元。5万元我就能基本解决贫困生问题了！”

“5万元就够了？”我吃惊不小。因为我刚刚从他们学生处了解到，山西农大这座拥有4000多名学生的农校，其90%以上的学生来自农村，而这些学生之所以上农大，一是录取分数线要低于其他重点高校，另一方面就是知道农业大学是国家给奖学金的（其实并轨制后农校等专业学校也有相当一部分学生是要交学费的），所以他们才冲这样的学校而来。我还知道，这个学校的近一半学生在上学时是家里拍卖掉了家产才进了校门。

王书记很歉疚地苦笑说：“我们全校六七千师生员工都是些苦惯了的可怜人，你都看到了，虽说我们山西农大也是省重点高校，离太原不算远，走高速公路也不到一小时，但我们是真正的‘村办大学’——学校四周全是生产队的农民，两年前学校的教职员工的户口还都是在离这儿好一段路程的太谷县城上。我们许多农村来的学生一进农大门，就叫冤道：这大学怎么跟我家那儿差不多呀！你问我们的贫困生比例，怎么说呢？如果按照北大、清华的标准，或者按东南大学的标准，我们的学生可能都得算贫困生。现在各高校划分贫困生的依据主要看学生饭卡上的消费来衡量，当然还有个地区消费水平不一样问题，但现在有些情况也在变，你说我们学校就在农村，可物价并不比你们北京便宜多少。肉菜供应也不是要啥有啥，反而有的比大城市还贵。就是这样，你知道我们的学生平均每月生活消费是多少吗？告诉你吧，我们的男生月生活水平是 140 元，女生是 90 元，这是平均水平啊！说起那些困难生的生活消费，你可能听都没听过，我们有个同学三个月没吃掉 100 块钱！你问怎么吃的？你想能吃什么呀！有人看他每顿就吃一个馒头和一碗不要钱的稀饭！他是农学专业的，学校每月发给他 72 元补贴，照理也不至于这么惨嘛。可我们一调查，这学生每月得向家里倒贴三四十，家里不但不可能给任何经济资助，相反还要学生给寄钱。有的学生家长说你娃儿上大学了，就是国家给钱了，有好吃好穿的了，你就得往家里寄钱嘛。那都是些没有文化又穷得叮当的国家重点贫困地区的农民，你摊上这样的一大批学生，学校能救助得过来吗？肯定不行。学校本身的教育经费就紧张，再加上校舍已经老化陈旧，早需要改造修缮，这些都等着要钱。可国家给的钱又基本只能维持‘人头费’，想干点其他事就难了。你问有没有社会捐助？刚才我不是跟你说，咱这儿离省城有一段路，又是农业学校，有钱人是不会到我们这儿来的，他们捐钱是讲究回报的，我们要名没名，要利没利，自然人家不愿把钱扔到我们这儿。我们学校这么穷，可这么多年来唯一的一笔捐助 2 万元还是我们自己的一位老教授拿出来的，他在八十大寿时不为自己祝寿，而把这笔钱拿到学校让捐助那些贫困学生。精神可贵啊，我们也是十分看重这笔钱的，专门设立了一个奖学金，奖励那些家庭贫困又能自立和学习好的学生。话得说回来，这 2 万元钱要用在我们这么上千人的贫困生身上能够解决什么问题呢？所以说，我们多么想呼吁呼吁那些有识之士，不要总把目光放在那几所名校上，我们是农业大国，农村的人才是关系我们民族能不能振兴的大事。再说，农业实际上也是非常非常有远景经济意义的。要说起贫困，像我们这些专业学校才真正需要、而且是迫切需要解困的。因为我们这样的学校贫困生是最多、最集中的地方。”

王书记有倒不完的苦水，他所反映的问题，也正是中国高校中目前存在的事实。我到过农、林、渔还有地质、石油、煤炭等专业学校，这些院校的贫困生问题是最严重和突出的，而它们由于受到国家产业调整的大局影响，又受到行业自身机制的局限，加上环境、地理等条件的不利因素，其自身的造血功能匮乏，故很难有力量像那些著名的高校大量投入资金用于对贫困生的奖、贷、助、补、免等工作。这些高校又基本都不会得到社会的赞助，所以，贫困生的问题更加突出，而且几乎又在短期内难有改观的可能。据资料表明，我国目前的专业高校在大学总数中占1/3之多，而这些学校的贫困生总数约占全国高校贫困生总和的2/3还多。重视和关注这一层面的高校贫困生问题已迫在眉睫，因为单靠国家和学校自身，这些专业院校是很难真正走出困境的。

1998年7月初，就在高校放暑假前夕的两三天内，我分别对同在首都的北京大学和中国农业大学再次进行走访。我先到北大的“昌平园”，这是他们的分校，每年文科的大一学生都在这儿。去之前我已经翻阅了1997年考上北大的几位“状元”贫困生的材料，所以一到那儿我便期望能从他们身上找到些贫困的感觉，但我“失望”地没找到。第一个是黑龙江的文科“状元”刘某某，他在考大学之前曾经有过一段极为悲惨的经历，母亲重病几年里他或打工辍学或跳级以缓家庭负担。这样的学生如果在某个农大什么的高校，也许可能在进入“龙门”后又不得不退学，或者即使在校继续学习也肯定十分艰难。但我见到刘某后，他第一句话便说："我现在不是贫困生了！我不贫困，真的，我没什么说的。"第二位是位山东女生白小姐，也是1997年的"状元"。她的家在沂蒙革命老区，靠玉米面长大的白小姐家里至今仍很穷，父亲在她上中学时就病逝了。因为是"状元"，所在的中学奖给了她3000元钱，她靠这个钱到了北大，后来学校马上给她按特困生免去其所交的2500元学费。白小姐告诉我，这一年中她没花过家里一分钱，她说估计以后也不会要家里再负担了，因为她每年的学费学校基本都可以给免，她的生活费便是学校的奖学金。"加上每月80多元的副食补贴，我的生活费足够了。只要好好学习再拿点奖学金，四年学业就不成问题了。"白小姐非常自信地说。最后一名被采访者是"昌平园"有名的"贫困生"朱峰。小朱是河南信阳人，老家是个贫困地区。当年为了跳出农门进"龙门"，小朱从初中时就咬破手指，在自己的小日记本的扉页上写下了两个血字："北大"。他用心中的信念时刻勉励自己，并终于在1997年的9月圆了北大梦。我问他现在的生活情况怎么样，他说按照苦孩子的标准已经没问题了。学校减免了他的学费，又发给了他2000元的助学金，加上每月的副食补贴和交通补贴，"生活绝不会成问题了，剩下的只有一个问题，那就是看自己能不能保持'状元'的成绩优势了。"

这就是北大，虽然这里也有许多需要北大人做的贫困生工作，但与那些无援的贫困校族相比，这已完全不是一个层面的问题。与此同时，我到了曾在四五月份采访过的8亿农民的最高学府——中国农业大学。此次我去的那天已经放暑假，但这儿的校园内仍然有很多的学生，一打听，才知道他们都是些不回家的学生。他们中间95%以上的人是为了省一笔路费而放弃了与亲人团聚的机会，同时他们还有一个极为重要的考虑，那就是争取利用一个多月的假期，把下学年的学费挣出来。

“打工活好找吗？”

“太难了，今年比任何一年都难。”一位同学说他从5月份就开始跟有关公司或单位联系，可至今没有落实一个地方。

“如果假期打不上工，你新学年的学费和生活费怎么办呢？”

那同学一脸茫然，又摇摇头：“愿老天保佑。”

身在北京的农大学生是这样，地处省（区）和边远地区的其他农大就更不用说了。至于那些全行业都处于低迷的纺织、煤炭、地质、铁道等专业高校的日子就更不言而喻。

但是农大一类学校还并不是最可怜的。1998年5月初的一天，我来到华北工学院这所原兵工专业大学，才发现还有一类更困难的“贫困校族”。

这所学院在对外的通讯地址上标明的是太原市某某路，实际在离太原还需开上好一阵子车的偏僻山洼洼里。弯弯曲曲的公路，起伏连绵的大山，一看便是“三线”的神秘产物。如果不是早有所知，你绝对不会相信在那大山弯里还有一所上万人的大学。学校的人则告诉我，他们的学校已经有50年的历史了，是一所曾为建立共和国和保卫共和国立下汗马功劳的兵工大学。就在十几年前，谁能走进这样一所名字用代号的大学，那是一种无法言喻的光荣与自豪。那时北大、清华生与他们相比也不过如此。然而历史仅仅多走了十来年的光景，这所令每一位校友骄傲的兵工大学已落到了十分尴尬的处境：皇帝女儿不愁嫁的华北工学院，其兵工专业已渐失优势，而对当兵和到“保密单位”工作大多数人不再感兴趣。改革开放后还有更璀璨的世界与地方可以去，何必要到那些又艰苦又边远的老山沟呢！于是学校只能根据行业低迷的实际与社会需求，调整扩展其他专业，并面向全社会招生。而这时候他们发现，往日的那些优势现在全变成了劣势。过去山洼洼里的神秘，现在成了“傻人才去的流放地”；过去红星闪闪的高政治待遇、高工资收入，现在一提起人们甚至觉得可笑，有个方便的留洋出国机会或在外企谋个职难道就拿得比你少？兵工大学失落了，没人再被它们的金牌子所迷惑，就连招生也只能招些不想出学费的、最好还能倒贴一点的边远的、贫困的农家子弟或城市的下岗职工子女……好可怜哟，国家的政策则是一样的，该实行并轨的就得实行并轨，该交多少学费的还得交多少。结果，来报到的学生们发现上这个学校没占任何“便宜”，而学校则更加发现它们肩上的负担比别的大学要重得多！

那日，我是不到下午 6 点从山西省团委出发的，但一路堵车，二三十公里的路程走了两个多小时。晚 8 点 20 分左右到学院后，早已等候在那里的校党委副书记杨波与学生工作部的吴俊清部长、团委李树雪书记一见我，就像见了哪一位高级首长似的热情、客气，直叫人感动。

“同学们等您来已经在会议室有一个多小时了。”主人说。

我一听便受宠若惊，忙说：“那就随便吃点，然后咱们就去见见同学？”我毕竟是当兵出身的，发现自己并没有失去十年前的那种部队生活习惯。

草草吃过晚餐后，我被前呼后拥般地带进了会议室。一间三四十平方米的大房子里，整整围了一圈人。主人说，他们都是贫困生代表，他们听说你是专程来了解大学贫困生问题的，所以都想跟你说说。

这是再好不过的事。“那么让同学讲吧！”我只说了几句开场白，便打开了笔记本。

但是我很快发现自己错了，因为我无法记录下去——第一个同学还没有讲完，接下去的就已经哭成了一片……我至今仍无法忘却那晚的一幕，这也是我生命中曾经经历过的那种很遥远的感受的再一次复现，那便是在二三十年前我们经常遇到的“忆苦思甜会”……

真的，我没有半点夸张，也根本没有考虑这相隔二三十年的类似的集体式的哭泣之间有什么本质的不同。我只是感到我们的大学生们太艰难了！我只是感到共和国都快走过半个世纪了，为什么我们的人民有些还过着如此贫困的生活？当时我只有一个愿望，就是尽量让每一位参加座谈会的同学都能详细讲一讲自己的情况，然后我想法在作品里都把他们写进去，之后再希望有钱人都出来帮助这些困难同学……

这一夜，我进行了少有的最紧张和最漫长的采访。从晚 9 点一直到午夜。第二天早晨 6 点刚从床上起来，就又开始接待同学，直到中午。之后，我又参观了一下学校环境以及仅有的一个学生勤工俭学社团。在这里的采访和亲眼所见，使我完全证实了学院几位领导反映的问题：华北工学院是个几乎与世隔绝的大学，校园周围所发生的一切变迁与革新，都得他们自我消化。像贫困生问题，他们是最无援的高校之一。由于这几年兵器行业的不景气，国家对学院的实际投入有减无增。学校有限的如一些辅助设施的管理，基本只考虑安排本校教职员工的家属子女等就业人员。因而贫困生的勤工俭学岗就只能是很少了，绝大部分需要帮助的贫困生无岗可上。这里想做家教或打工什么的也几乎是没有可能。有个同学说，他曾在前几个月走出校门找过一个家教，得走十几公里的山路，还是个农村的孩子，每小时才给 5 元，后来他不干了。华北工学院离城里几十里路，学生打工、家教，只能像这位同学的结局。而学校也同样像山西农业大学一样，没有人给过他们一分钱的社会捐助。几位学校领导干部因此对我说，我们欢迎作家同志来，就是希望通过你的笔，给社会和有关部门提个醒，要想做件善事，那就多做点雪里送炭，而少去做那些锦上添花的活计。像我们华北工学院这样的“贫困户”才真正需要帮助。你作家同志就帮我们做一回广告吧，我们有言在先：只要有人捐助，就是一两万元，我们学校也会让第一把手出面隆重接待!

我答应照办。至于有没有人向华北工学院这样贫困大学生很多的“贫困大学”捐助，那就要看老天是否开眼了。

从华北工学院出来，我以为有关高校中那些“无援校族”的话题可以了结。但我又错了。

1998 年 6 月初，在我完成对陕西几所高校的采访后，准备从咸阳国际机场回京。但我必须在咸阳停两天，因为离京时团中央的有关负责同志特意关照我一定要去看看在咸阳的西藏民族学院。西藏民族学院怎么会在离拉萨千里之外的陕西咸阳？这正是我和很多人都感兴趣的事。加上采访少数民族高校又是求之不得的，我决定前往。

接待我的团委副书记拉巴次仁是位年轻的藏族小伙子，能说一口流利的汉语。一路上，他给我介绍了他们学院的历史。原来，西藏民院是在 42 年前的 1957 年根据中央批准正式成立的，最早的名字叫西藏公学。1956 年，随着西藏自治区筹委会的成立，中央组织部从各省、市抽调了大批干部准备进藏，同时又吸收了大量藏族干部群众加入到革命队伍中来。由于当时西藏地方政府和上层反动集团抵制改革，局部地区经常发生叛乱，又考虑交通运输、财政支出等问题，中央决定在对西藏实行改革条件尚不成熟的情况下，着手培养干部人才。于是经中共中央书记处批准，自 1957 年 6 月起，西藏筹委会将筹建中的原西藏干部学校和西藏团校的 3400 多名学生及 700 多名职工，从西藏各地先后迁到甘肃的兰州、山丹，四川的成都、雅安和陕西的西安、虢镇等地，开展边筹建边教学的工作。1958 年初，所有这三省境内的学校集中到陕西咸阳合并为一，就成了现在的西藏民族学院。这是西藏自治区第一所高等学府，至今仍是西藏的最高民族学府。一个自治区的所属高校在自己的区域境外，这是西藏特定历史背景与特定地理条件所决定的。该学院自成立以来的40多年间，为西藏和平解放及之后的社会主义建设起了无可替代的作用。特别是1959年3月，原西藏地方政府和上层反动集团公开发动武装叛乱，该校遵照上级指示，先后派出2000多名师生进藏，充实骨干队伍，为平叛胜利发挥了不可磨灭的特殊作用。在和平建设时期，学院先后为西藏输送了近20000名毕业生，其中80%以上是藏族为主的少数民族学员，现在他们都是西藏各级、各条战线的带头人。拉巴次仁告诉我，而今全自治区州以上领导干部中有60%以上是这个学校出来的，自治区政府、人大、政协班子中的负责人一大半也都是他们的校友，民院在西藏人的心目中是“西藏的北大”。

然而，这所昔日曾辉煌一时的西藏高等学府，在今天则面临着异常困难的处境。除了对着正门的那栋因校庆40周年才得到上级拨款建起的新楼外，整个校园内给人一种就是“边远地区”和“少数民族地区”之感。以往那种远离自治区境内，在内地办学及培养人才的优势，在现在则越显劣势。不是吗？一个堂堂自治区第一学府竟不在自治区政府鼻子底下，而在千里之外的他省境内，首先是情理上就不畅，再就是管理上也不便呀。管吧，去一次还得来回一星期，不管吧，也不是事嘛。托兄弟省代管一下吧，人家打哈哈说这哪成，我们可不敢与少数民族同志抢人才哟！如此这般，西藏民族学院这颗掌上明珠渐渐丧失了它应有的光泽。有限的拨款，光人头费就占去了73%，剩下的27%只能支付全校的水电费等日常开支。至于学校建设和提高教职员工的待遇，那就很难列上议事日程，其实校领导想做也是巧妇难为无米之炊。最苦的还是我们的那些学子，他们比任何一个高校的大学生都承受着更贫苦的困扰……

院长次旺俊美向我介绍，他们的学生之所以贫困面比哪个高校都大、贫困的程度比哪个高校都严重，是由于特殊的生源所决定的。西藏民族学院目前有三大块生源，一块是区内的农牧民子弟。这一部分学生的家庭大多数在藏区的边远，甚至许多地方是荒无人烟的高寒地区，学生们没有一个固定的家，他们的家是在马背上，是在帐篷里，并且随草场而走，随风雪而行。多数学生打上学出来后就没有收到过一封家信，一方面家人没几个会写信的，即使写了也不知在哪儿能找到邮局。指望家里给你寄点生活费来，这几乎是不可能的事。牧民们本来就比较贫困，有的即便你出家门时还有千头牛、百头羊，但可能就是一夜风暴，你家会一下从富有户变成了贫困户。藏族子女们想得到家庭的经济支持是不太容易的，再说即使想给你寄样东西，也许夏天用的物品你收到时就是寒冬了。再有一种情况是，在西藏，九年制义务教育都是国家包的，学生进校后一切负担基本全是靠政府来承担，农牧民们可以放心地去远方游牧。但大学不行了，根据自治区文件，从 1997 年开始，西藏的高校也要同全国的高校改革接轨。新生也要拿出 1600 至 1700 元的学费，而在校的学生除了一部分师资教育外（即师范生能有每月 100 元补贴），其余学生的生活费都得自己掏。藏族农牧民们不习惯，也不太了解这种新政策，在他们的意识中，孩子交给学校后就不去操心了，别说是大学，从小学开始就一直是这样。因为过去国家从来都是这么做的。有的学生对上学交学费也不甚理解，他们报到时身无分文，老师让他交钱，他反问你为什么让我交钱，不是上学国家全管吗？最后他用狐疑的目光，扔下一句“我从小就没听说过啥叫学费”的话就走了。西藏民院的第二块生源是部队战士。考虑到特殊的地理条件等因素，根据国家建设西藏的需要，学院按照自治区指示精神，每年从驻藏的部队战士中招收一批学员充实自己的生源。而这部分学生大部分家在内地，之所以招他们是以后需要他们长期留在西藏工作。对这一批战士学员事先是有约的，基本都是那些家庭十分贫困、子女又多的农家子弟。这就是西藏民族学院背负沉重担子的又一个原因。还有一个生源就是从 1993 年开始，国家特别指示的从内地 10 个省区招收像战士学员一样的以后要长期留在西藏并在县以下基层单位工作的学生。同样道理，这样的学生只有在边远省份的那些贫困的农家子弟里招到。这 10 个省、区是：四川、云南、山东、山西、河南、青海、甘肃、贵州、陕西、宁夏。看一看这些省份，个中的意思不言而喻。次旺俊美院长说，我们的学生贫困是“先天”决定的，由于学校经费严重不足，所以目前他们在学生中只有一块奖学金可以为一些同学缓减部分困难。但由于学校拿不出钱，故奖学金的奖励面只有国家给的 30% 那一块，其余 70%的学生无法解决，尤其是那些家庭困难的学生。

后来听学院各系主任、书记介绍，更令人痛惜不已。

语言系的老师说，他们有 390 个学生，是西藏民院的大系，区内生 120 个，区外生 270 个。“我们是自己给自己背包袱——到边远的贫困地区招最贫困的学生。”老师自嘲起来，“这些学生中许多人上大学时身上什么都没带，别说钱，就是最基本的生活用品都没有。冬天到了，我们下去检查一看，学生睡觉的铺垫只有一张牛皮纸，人往被子里一裹，就算睡觉了。好在学校有暖气，否则真会冻坏身体。最恼人的是每年新学年开学，学校让学生们交学费，有的同学实在拿不出。他们平时就靠学校发的几十元补贴，光糊弄一张嘴就已经极其困难，哪弄来几千元的学费？这些学生的家庭本来就属于贫困，你问他要学费，人家反问：我把儿女都交给了国家（即一辈子到西藏工作），你还到我家拿什么钱？没辙。我们老师说多了，学生双手一摊，说我就是没钱，要不你开除我算了。97 级就有一个男生不辞而别，离开了学校。”

预科班的老师说：“咱们西藏民院地处咸阳，按说也不算太困难地区，可由于我们的学生不是少数民族就是来自边远地区，语言和能力上有障碍，全校没听过有人出去搞家教或啥勤工俭学的。所以学院虽在闹市之中，却又是个与世隔绝之地。像名气很响、到处赞助的 505 集团就在我们这儿，可人家也不愿给我校赞助，啥原因？就是因为你是个与世隔绝的大学，赞助了你等于把钱白扔了，没有一点商人们追求的效应嘛。我们学校自己又没什么勤工俭学岗可设，设了你也拿不出补贴给同学们做劳务费，还是不设的好。有一次我们试着把装垃圾车的任务交给贫困生干，装一车 8 块钱，每车两个同学装。可后来同学们不愿干了，说干半天活，就得回来洗个澡，累一天，两三天才能缓过劲，而且要多吃几块钱的饭菜，里外里一算没赚一分钱，还累了个半死。最可怜的是放假不回家的同学，像今年寒假时我们预科班有 17 个同学没钱回家，我们只好给他们腾出一间大房间集体用。他们自己开灶，天天白菜面条，但就这还是过不起，没钱呀！我们几位老师只好借些钱给他们用吧，要不怎么办？大家都知道我们民院的学生穷，其实我们民院的老师也穷，好多都是被学生借穷了。没法。”

成人部的女老师抢过话头，说：“前年有个叫李华的同学，是学生会主席。他帮团委搬家，看到我后便说老师我实在又饿又累不行了。我说你先把活干完了再慰劳你。后来他真到我家来了，我问他你爱吃什么，他说爱吃羊肉。我就上街买了 5 斤羊肉，回来用高压锅煮好后，摆在桌上看着他吃。结果他竟然狼吞虎咽地全吃光了，我站在一旁看他那饿样，眼泪哗哗地往外流……同学们太可怜了。”女老师最后补充说，“这个李华同学现在毕业了，思想基础很好，自己要求到孔繁森工作过的西藏最艰苦的阿里地区，一年了，进步非常快，听说已经提了一级职务。”

政法和历史系的老师说他们班上有几个宿舍的同学自己组织起来，成立了生活互助小组，搭帮过日子。这可是个从来没听说过的事，于是晚上采访时我让老师把两个不同类型的“搭帮社”的同学找来介绍情况。

刘圣育同学先发言，他是文秘专业的学生，入学前是在西藏驻军某部当战士，初中文化，军龄四年。他的老家在四川德阳，1995 年考上西藏民院。他说到这个学校上学后，生活费不够，一个月 100 元只能天天吃馒头和豆腐，他很不适应。在部队工作也艰苦，但吃饱饭绝不成问题。但到学校不行了，长期下去身体会垮的。刘圣育在部队当过班长和团首长的公务员，心眼就是比别人多一些。他想到了部队的集体伙食，于是先同一名要好的同学合帮搭伙，俩人早晨打两个馒头，一人一碗稀饭，两毛钱一份辣豆腐；中午吃米饭，可打一个菜，晚上同中午基本一样。一月下来每人 90 元就差不多了，比单吃省 10 元，菜略好些。刘圣育就想再多几个人就可能更省钱吃得更好些，于是他就联合了五个困难生搭帮合伙。“不能太多了，五个人比较合适。”他说，“五个人搭帮打饭打菜就可以有所选择了，通常我们打三四个菜，有荤有素，这样不至于天天光吃馒头不吃菜，没营养。我们平时五个人只用两个人的饭卡，尽量先省后宽，把省下来的钱备急用。五人合伙后每月每人花上六七十元就够了，省下的钱就可以买些日常生活用品和买些书。另外有时五个人中有人病了，需要营养，我们也好有钱给他补补。从 1996 年初到现在，我们五人一直在一起吃，这样做解决了各自的经济困难。过去一人单吃，看到别人吃好的自己心里就很不平衡，时间长了会不同程度造成某种心理畸形，现在我们就是吃得再不好也是几个人在一起，不会觉得怎么着。长期吃在一起就吃出感情来了，互相之间有什么问题有什么困难都能照应。去年我们‘搭伙’中的一个同学得了肺炎住院，如果他是一个人就难了，后来我们另外四人便用课余时间轮换去陪床，并且用我们共同的饭卡为他买些好吃的，尽力帮助他渡过难关。几年来，我们五个人就像自家兄弟，生活上互相照顾，学习上互相促进。班上许多有困难的同学向我们学习这种做法，现在我们全班几十个同学基本没有一个人是单吃的，这是我们穷学生想出的穷办法，毛主席说‘穷则思变’，看来管点用。”

接着发言的是藏族学生索朗加措，他说他是历史系的，他们是以宿舍为单位合帮搭伙，互相帮助。全宿舍七个同学，六个是藏族，一个是回族。索朗加措说：“刚进校时大家互相还不了解。后来其中有个叫普琼的同学家庭特别贫困，身上带了1000元钱以为就可以把学业念完了，可一交学费后两手空空，连馒头都吃不起。我们同宿舍的人知道后，便自发起来帮助他，可我们又都很穷，给钱是给不起呀！后来一商量，这样吧：让普琼与我们一起吃，我们六人也合起来用餐，我们有啥好吃的，普琼也吃啥。就这样，几年来普琼一直跟我们生活在一起。他家里从没给过他钱，如果不是大家的帮助，普琼说早想退学了。现在不一样了，他成了我们大‘家庭’里的一名成员，有饭一起吃，有书一起看，即便用牙膏也是大家一起使。我们的宿舍还被系里评为‘文明宿舍’，某种意义上讲，这个先进是‘穷’出来的。”

同学们互救的行为与精神，谁听了都会感动。我甚至想，对那些目前因经济困难而尚不能生活自理的贫困同学来说，西藏民族学院的同学们的办法，不失为一种“经验”。然而尽管同学们想尽了一切可以想到的做法，西藏民族学院的领导们头痛的事还不少，那就是困难学生的身体问题。照理这个学院为国家培养进藏人才除了学习知识外，还应当有强健的体魄。可是由于同样的原因，贫困地区招收的学生，其身体素质也同样存在不少问题，加之上大学后必要的营养不能跟上，一些过去潜在的病况便不断暴露出来。目前这个学院光患肝病的学生就有6名，光这6名学生一年便要花去学院几万元医疗费。就在我到咸阳不久，学院又有一名重病号需要急救，一次就得花去2万多元。这事拿到校长办公会上研究了几次，最后还是无可奈何地由校长亲自批了。一位老师说，去年我们全校总共花了十几万医疗费，现在他一个学生就花掉这么多，还剩下我们几千人咋办？校领导们对此只好回避，其实谁都知道，校领导们比谁都害怕学生中突然冒出个重病号来，那重病号一出，要命的不光是病号本人，可是全校几千号人哪！

再来听听几位病号学生是怎么说的。

王辉，政法系97级学生，湖南人。父亲于1982年去世，在上大学前他家里已借债近万元。1997年10月王辉查出患乙肝，按规定他应休学治病，由于贫困的家里不可能让他得到很好的治疗，于是他申请边上学边治疗。学校最后便同意了。王辉现在在学院医院治疗，至今他本人已花去5000多元，另还欠1500元没付。他的这些钱都是从叔叔、姑姑那儿借的，现在他说已经借不到了。可他的病在前些日子检查时有几项指标仍不行，医生说他必须注意休息与营养。可王辉说这两项他几乎无一项可能做到，因为他要跟上课程就必须天天上课和把住院时间缺的课补上。另一方面为了能在学校生活下去，他必须做点事，比如帮助哪个同学或哪位老师干点抄抄写写的活，由于目前他的吃用什么的都是同学和老师在帮助，他觉得自己不能不劳而获太多。他说这样下去快到一年了，自己对能不能在休学的期限内把病看好表示悲观。“如果到时病治不好，学校若要我退学，我觉得自己难有勇气再活下去……”王辉说得很凄凉。

郭明，95级行管专业。家住河北省最北的张家口某小山村。父亲是位月收入80元的民办老教师，母亲是地道的农民。郭明原来是94级学生，因有病休学一年。他的四口之家在他上大学开始就连遭不幸。1995年元旦，弟弟心脏病猝发，全家变卖了全部家产仍未挽回一个年轻的生命。两年之后的1997年元旦，郭明重涉弟弟之难，也被从西安急送到北京安贞医院，被确诊为死亡率极高的家族遗传性心血管疾病——“马凡氏综合征”，生命危在旦夕，急需手术，而做这样一例手术需八九万元。一个尚未从沉重悲痛与债务负担中缓过劲的贫困家庭，无论如何也无法承担如此巨大的经济负荷。因此，郭明的父亲急得团团转。郭明的学院尽了所能，在经费极其困难的情况下拨出2万元，但这还差得很远很远。郭明的事被《北京青年报》的一名记者知道后，及时在报上向社会连发了两次求助报道，共捐得1.9万元。后又经多次努力及医院的慷慨相助，郭明的生命终于得到了挽救。郭氏一家真是祸不单行，就在父亲为儿子到处磕头求助时，郭明的父亲也被确诊为同一种病，并送进了同一所医院……郭明为了抢救父亲的生命，自己还处于治疗阶段便不顾一切地提前出了医院。他拖着瘦弱的身体回到老家，挨家挨户磕头，又到地方政府请求帮助，他的孝心与一家人的不幸感动了父老乡亲和有关部门，安贞医院也给予了极大的援助，花最少的费用从手术台上抢救回郭明的父亲一条命。郭氏父子的命保住了，但并没有根治病魔。郭明说：“我父亲那头先不提，现在光我一个人，仍要不停吃药，而且每半年必须上北京检查一次，每次检查500元，还不算来回路费。我是学生，哪儿来钱？只有靠学校了。我知道学校已经为我付出了很多钱，但没法，我还得找学校，要不只有死路一条！”郭明不像王辉，他看待生命似乎就是那么回事了。但毕竟他还年轻，他说他现在最期望有个好身体，将来虽然可能不允许再上西藏了，但还是能拿到个大学文凭的好，否则像自己的这种情况哪个单位还要嘛。

王辉和郭明仅是西藏民族学院一批病号学生中的两个例子，

那些躺在医院的学生我来不及采访……

临别那天，院长次旺俊美与我进行了长谈。他指出：尽管他们的民院面临很多困难，但民院上上下下从来没有一个人跟别人横向比，他们的心目中始终把国家和西藏建设的重任放在第一位。在这里的教育工作者，他们都清楚地明白自己肩负的特殊使命。而在这里上大学的学生更明白，他们的前途，不是毕业后拿到高工资和留洋出国，而是义无反顾地去最艰苦的地方工作，并且通常是一辈子献身在那渺无人烟的雪域高原。次旺俊美让我转告全国人民：他们的学生和学院暂时遇到的困难，并没有消磨他们为建设西藏而献身的革命意志，他们只是希望祖国人民和所有热血的爱国者，能在可能的情况下，不要忘了他们这批人……

我向次旺俊美院长保证，祖国人民绝不会忘记他们，并且一定会有人向他们伸出援助之手的！

我们一起期待吧。

第十九章　世纪涅槃歌

1994年9月中旬的某一日，国家教委大门口来了两位穿着破旧衣衫的青年学生，不顾门卫的阻拦，高声朗诵起来：

当金质钟锤在你们的公馆里敲响，
呵！你们是否想到也许有一个穷人，
挨着饿，停留在阴暗的十字街头，
从金碧辉煌的客厅的透明的玻璃窗上，
望见你们婆娑起舞的身影？
他在灵魂里把你们的华宴和他的家相比，
在那里
从来没有一丝炭火燃烧的火焰，
他的孩子们饿着肚皮，他们的母亲衣不蔽体，
老祖母躺在几根稻草秆上，沉默无语，真可怜！
严寒的季节已经把她冻得足够入土归天！
施舍吧！为了得到为人类受难的基督的抚爱，
为了使恶人也称道你们，
向你们致敬，
为了你们的家庭永远和睦与安宁：
施舍吧！
为了有朝一日，
在你弥留的时刻，
天上有一位神灵，

为你们祈祷，
超度你们的灵魂！
……

“喂喂，报告报告，门口有两个学生模样的人在大声喊着内容不好的反诗，要不要处理他们？”年轻的门卫紧张地抓起电话。

“先不忙，等我出去看看。”

不一会儿，教委大院内走出一位某部门负责人。他已经远远看到了那两位学生：“就是你们俩？”

“没错，就是他俩。”门卫十分严肃地报告道，“刚才他们在这儿大声念着不好的诗！”

“是这样吗？”

“我们是念了诗，但那是好诗，是伟大诗人歌德的那首《为了穷人》。”学生开始反驳，并重新向那位教委官员朗诵了一遍，“他不懂。这是坏诗吗？”

“对，这是首好诗。可你们有什么事吗？”官员问学生。

学生激昂地说：“我们只想问一句，国家教委为什么提出让我们交学费？我们是山区来的，根本交不起。请问先生，难道社会主义大学要把穷人赶出大学门？”

原来如此！

教委的官员和颜悦色地把学生请到接待室，因为这样的事已经发生过多起了。

是啊，为什么突然要让学生们自己交学费！收了学费又是为什么呢？

只有一个答案：一切为了教育体制的改革！

震荡最后的堡垒

20 世纪末的中国是什么？

是一头已经昂起头在呼啸的雄狮。

是一列已经启程并在快速道上飞速前进的战车。

政治体制改革不断深入，市场经济革命风起云涌，有特色的社会主义成就让全世界为之惊叹！

开放与革新，成为不可逆转的时代潮流。

然而在这伟大历史进程中，人们却意外地发现一向缔造革命理论与改革模式的中国教育界则仍然拖载着那辆旧体制的老破车，与时代格格不入。

谁都知道，中国的每一场伟大变革总是先来自于教育界，但而今的教育战线为什么走在了中国体制变革的后头？

原因只为两个字：缺钱。

可有谁能不承认这个事实：改革开放近二十年的每一年人大会议上，“增加教育经费投入”的议案，年年被写入政府工作报告。但又为什么始终得不到最终的解决？

原因还是两个字：太穷。中国仍然太穷。

12 亿人口的一个国家，有 2 亿多人要接受义务教育，几千万人的中等教育与职业教育，500 多万人的高等教育，还有近亿人的扫盲工作，近千万教职员工的待遇……统而言之，国家需要在教育上的投入，如果按西方国家的人均标准，则至少将我国 50% 以上的国民收入投进去。怎么？就不管 12 亿人的吃饭啦？

于是，研究来研究去，每年的教育经费仍然像大饼上撒落的芝麻——看得着而吃不饱。

不去说全民教育，单说高等教育。

在中国人的心目中，上大学后就是国家管了，既然“管了”，当然连吃连住连学习连分配就该全管。事实上在计划经济模式下，国家真做到了这“全管”的“统一招生、免费入学、困难补助、统一分配”的大包大揽。应当承认，在人民的经济收入很低的情况下，为解决历史遗留下来的经济差别，鼓励工农子弟上大学，培养优秀人才，确保国家重点行业需要等等，这样的办学模式有过积极意义。但随着整个国家的社会经济结构和运做方式发生的变化，原有的国家大包大揽已经跟不上形势，且日益暴露出问题的严重性。如把大学当做社会福利事业，国家出钱，学生免费，学校有多少钱办多少事，那样极大挫伤了教育单位的积极性与创造性。随之而来的便是宏观教育机制、办学机制到微观的专业设置、课程设置等等的严重滞后与社会发展步子的停滞。国家教育经费长期徘徊在12%的水平，只能维持教育单位的“人头费”，所有其他想做的事只能是“巧妇难为无米之炊”。

教育部门曾经在80年代和90年代初探索推行过委培、代培、自费等制度，并想以此缓解教育经费的不足。结果不是出现“分数不够钱来凑”的问题，便是有的大学坚持教学质量而拒绝招收这一类的“委培生”，加之委培生在分配上也带来诸多问题。1994年，国家屡经调查论证，决定由开始的试点到最后的高校全部实行收费上学制度。

为了什么？很清楚，为了国家不能永远背大包袱。在西方发达国家，公立学校仅占百分之二三十的比例，而我们一个发展中的穷国家，竟百分之百的全是由国家出钱来办高校。一座大学一年需要多少投入且不论，光一个学生一年平均就是10000元，500多万学生就是500多个亿！需要特别指出的是，在国家日益为这样的学生包袱喘息的时候，另一方面全国居民家庭的银行存款却每年以30%的速度在增长，至1997年底个人存款总额达50000亿！

个人的腰包在不断膨胀，却不愿为自己的子女接受高等教育掏一分钱，这样的国家最后不被拖垮几乎没有可能。

再看看这样一个现象：1997年7月浙江温州的一家酒店老板在当地报上刊登广告，为其女儿公开招聘一名专职家庭教师，许诺执教后学生年度成绩跃居班级前五名的，奖家庭教师3000元，成绩居年级前10名的奖8000元。如果最后考取大学，一次性重奖15万元。家庭教师平时的待遇：包吃包住，卧室配空调、电脑、电视，月工资1200元以上。

可以为了儿女上大学出巨资请家教、找好中学，这几乎是社会的普遍现象。你只要看一看“中考”那弥漫的硝烟和家长们为了给子女择所好校而不惜代价的举动，谁能说有几个不是为了儿女能上大学？既然上中学愿意或完全承担得起几千、几万的高额费用，那么大学收费该是理所当然的事了！

政府和教育部门出于大局和国民的实际情况，最终作出了今后再上大学就得交费的重大决策。

这对中国百姓来说是个惊雷。其实它已经来得晚了，它之所以要响起也实出无奈，它之所以迟至今日才响起同样出于无奈——中国还有上亿家庭仍处在经济不能自足的低水平上。国家因此而仍然承担了每个学生80%左右的教育总费用。

人民共和国想的是人民。国家同时考虑到一些特殊行业的专业高校情况，规定农林、地质、石油、师范、体育、航海、民族等专业学校享受国家专业奖学金的大学生免缴学费。

据教育部门和有关社会调查机构测定，收费后的每个大学生，每年的各类费用在6000元至10000元之间，这个数目大部分家庭可以承受得起。教育部门以为，按照市场经济理论，一个大学生在毕业后的一生中所得到的回报将是巨大的，相比之下在大学期间所花出的两三万元投入则很小。

国家的账目，清白优惠，无可非议。

然而大学收费仍是震荡千千万万个家庭的惊雷。

之所以有如此巨大的震荡，是来自两个原因：传统的习惯意识和确实难以承担的经济困难。

前者是一种观念更新，是靠说服教育能解决的问题。后者则是非一日能跨越的沟谷，谁来为之填平？

资料表明：在大学中来自农村和边远地区的学生，占总数的60%以上。

同样有资料表明：目前我国农村的人均年收入在1200元左右。

两项资料说明了一个问题，即在农村，如果一个家庭中出了一名大学生，那么全家的全年经济收入基本都将用于这个学生身上。如果这个推测成立，那么凡是农村出来上大学的孩子家庭里，至少有一半将因此而受到经济的困扰。注意：这里我们并没有说那些生活在贫困线以下的家庭。

另一个不可小视的现象是近年城镇居民中下岗人员大幅度增加，10%以上的城镇家庭的大学生也面临交不起学费和没有生活费的困扰。

大学的贫困生因此而产生，其面占学生总数的20%左右，其中5%至8%为特困生。

1/5左右的数目不可谓是小数，100万的贫困生如果每人每年国家助困100元，就是1个亿。每年100元解决不了任何问题，若解决问题则需要每月助困100元左右，这便是10个亿。

10个亿对国家来说并不是大数目，但国家全年的教育总经费才多少？于是中国体制改革的“最后堡垒”——教育改革要突破，100万的贫困生是其“堡垒”中的“堡垒”。

出路何在？

出路只能是两条：社会与学校自身。

哈佛真的学不到?

市面上有本叫《哈佛学不到》的书已经流行了很长一段时间。

哈佛作为世界著名的商业管理人才摇篮，有其了不起的卓越天才式管理机制。单看看那见不到校门的开放式校园，到处都充满学术氛围，以及学生们那气昂昂的步履、目不斜视的神色，你就会有种这里是“世界第一”的感觉。

是啊，哈佛为什么就如此牛？ 1997 年 12 月的一场冬雪后的一天，我站在哈佛大学的缔造者哈佛面前，默默地请教这位半身披着雪花的学界斗士。哈佛没有回答我，只有阵阵寒风吹得我吃不惯西餐的肚子难受不堪，并不得不迅速离开。一趟哈佛，除了留下几张照片外，什么也没有学到。

所有旅游者大都是这样。

但教育家难道也是这样?

哈佛确实不同寻常，每年光从政府那儿可以获得 10 亿美元的经费，这还仅仅是个零头，哈佛所获全世界各种社会资助高达 100 多亿美元。这便是哈佛最强大的后盾。虽说 100 多亿美元与产生十几个诺贝尔奖获得者没有必然联系，但哈佛大学教授的年薪绝对是世界高校中最丰厚的。在这里，教员的工资超过美国总统薪金的大有人在。哈佛的学生奖学金最高奖过 10 万美金，一般学生的奖学金也有几千、上万之多。哈佛的学生是真正的“不因为贫困而辍学”。要进哈佛校门，一年没有四五万美元就别往这个地方探头探脑，当然假如你是富翁你还必须有个天才的脑袋。

哈佛是典型的社会办学楷模。你想获得哈佛的荣誉，这里的大门敞开着，什么某某研究中心、某某教学大楼、某某图书馆，你只要有钱，你就可以在这里建立永久的丰碑。像小富翁们扔个三万五万人家当然不要，但上线却从不限定，几百万、几千万甚至几亿美元的赞助，哈佛从来轻松“笑纳”。不像英国牛津，1996年沙特阿拉伯一位富翁出于感激要资助3400万美元给学校，牛津大学的董事们竟以259票反对、241票赞成而拒绝如此一大笔款项。哈佛不会这样做。这便是美国绅士教育家与英国绅士教育家的区别所在。

中国大学能从哈佛大学学到什么？有人也许马上会说根本不可能。

但这样的结论下得太早。

社会力量办大学过去在计划经济下的中国教育界是不可想象的事，而这几年随着改革开放政策，中国的社会力量办大学已经初见端倪。李嘉诚出资40亿元建起的汕头大学就是中国经济特区内的第一个“小哈佛”，这里的学生就没有贫困一说，除非你不努力。再到北大、清华、南大、复旦、中山、浙大等著名校园走一走，你就会发现，凡是校园内最新最好的建筑，几乎都是冠以某某名字的，就是说都是某某人赞助而建的。

清华大学教育基金会的负责人向我介绍，清华自90年代初开始，每年社会和学校自筹的资金投入就已经超过了国家的拨款。以1995年为例，清华的总收入中，政府的事业费拨款只占29%，学校的社会资助与科研、生产、委培等的收入占70%多。可见，争取社会捐助已经是目前中国那些著名大学之所以能过上相对好一点日子的重要途径。这位负责人说，清华大学的贫困生数量并不小，每年有1300多名。这几年清华之所以能做到使这支庞大的“贫困军”没有一位因经济贫困而辍学，很大程度上是他们除了按照政策被减免学费外，还从社会资助中拿出大量经费保证贫困生们人均不低于1000元的各种补助。在清华大学基金会小楼里，有一行字非常醒目：“一年之计，莫如树谷；十年之计，莫如树木；终身之计，莫如树人。一树一获者，谷也；一树十获者，木也；

一树百获者，人也。”清华人太清楚育人之计，所以他们把建立社会捐助为主要来源的教育基金看做是“大树”培之植之。“大树”叶茂，“大树”底下的人便好乘凉。

值得欣慰的是，像清华这样的情况并非一家，许多高校如今都已纷纷把争取社会资助当做办好学校、减轻贫困生压力等资金筹集的重要渠道。实践也证明了这一点：凡是社会捐助搞得好的学校，那儿的贫困生工作就会做得扎实有效。反之则不然，像上面我提到的那些“无援的贫困校族”之所以陷入困境，就是他们没有“源头”，没有“大树”，赤条条下的贫困生们只能更加艰难。这里需要注意的是，除了学校本身应加强工作之外，社会的捐助者也要注意捐助的投向面，不应光把目光盯在那几家著名学府，盯在可以提高眼前的名声、名誉上。其实，一桶之水对已经盛茂的参天大树可能并不起什么作用，而一桶之水对那些因干旱垂死中的禾苗来说，将是生命的重新复活。

一切有识之士应当多做些雪里送炭的事。

中国有一句古话叫做“众人拾柴火焰高”。然而纵观中国大学在改变自身经费压力问题上，真正运用此话的并不突出。目前我们的高校大部分只把眼睛盯在“港澳台”那些巨富身上，还很少有序地注意运用自身的特殊优势，将目光投向国内的那些富有阶层。中国的穷人很多，但中国现在的富人也很多。美国的《福布斯》杂志曾载文说中国现在至少有4000万人进入富有阶层，有1000万户家庭的年收入在5万元以上。这些家庭与富有者光每年的存款利息收入人均5700元左右。早听说有人一桌饭花去十几万元，一个澡也能“泡”掉万儿八千。通过多种方法，让这些人从牙缝边省下那么几餐，我们的百万贫困大学生就能一年不愁了！

这，并非是梦。你到国外走一走，就可以在图书馆和书店里，找到众多关于私人奖学金的信息手册。入册的捐助者未必都是富翁，相反大都是普通的公司职员、退伍军人、神职人员，甚至还有继承遗产的小孩。这很有点像中国的“希望工程”，但他们则更加规范，更加让捐助者视之为一种神圣的义务，并对所捐之款采取了透明的追踪而放心。

西方人在组织社会公益事业的捐助活动时，与我们的区别在于，他们几乎不采取任何运动式的宣传，却十分注意科学与规范。中国人要学的东西很多，这便是一例。

中国暂时没有阿拉伯的石油巨富把堆山的黄金，用大“林肯”向哈佛送去，但中国有比世界上任何国家都多的众人之手，每一人拾一根柴火，那么拾起的可能就是几个哈佛的金山！

呵，话到此处，不要以为哈佛就这么容易轻轻松松地学到了。哈佛还有它永恒的魅力。曾经有一家世界著名的计算机软件公司的总裁，以每年1亿美元为条件要求哈佛接收其不学无术的孙子，并且要求今后两年中课堂案例应至少有一半以上是有关他们公司或计算机行业的。哈佛校董事会当即拒绝，他们说，招收一名不学无术者进校，便意味着另一个本应进入哈佛的优秀青年被拒之哈佛门外，这是对哈佛的一种侮辱。这一例子，使我想起了全国学联负责人曾经提到的一件事：即作为校方和贫困生本身，在“众人拾柴火焰高”面前，如何合情合理处置社会捐助，这同样是个不可忽视的问题。我们是个行善积德的民族，几千年形成的“一方有难八方支援”的传统美德，时时处处可见。而今，当贫困大学生问题被摆出来后，社会各界慷慨解囊者亦非少数。面对“天上掉下来的馅饼”，绝大多数贫困生能正确对待，也能妥善处置所得捐助，并以自己刻苦学习、走上工作岗位全心全意为祖国服务之心报答人们所给予的爱心。然而也确有一部分受助学生一旦有了“馅饼”吃后，“食欲”越来越大，以往那种与命运抗争的精神也随之消失了，有的甚至拿别人捐献的一片爱心去追求奢侈的生活。为此，全国学联负责人指出，希望社会各界在为贫困生献爱心、搞捐献时，最好能通过如“全国学联济困助学中心”等专门组织部门。这样不仅可以采用形式多样的途径，保证每一笔捐款落到实处，而且可以避免个别受助者因一夜间突然“致富”所带来的弊病。规范、科学、合理和有效地使每一分钱发挥作用，这也是“哈佛精神”的重要内容之一，我们不妨同样拿过来。

校园自有黄金在

唱完了中国“哈佛”的美妙之曲，我们还不应该忘却大学自身的优势。几乎一切权威人士都这样认为：中国的教育改革最终决战的战场在校园。作为决战内容之一的贫困生问题，最终出路自然也在校园。

校园能提供什么？有人问。

校园能提供一切。有人答。

这是狂想。有人说。

这是事实。有人道。

其实，狂想与现实之间仅为一步之隔。那就是：穷则思变者，大路通天；穷则懒怠者，有路亦为沟。

1998 年 7 月 10 日，我到高校勤工俭学最早并颇具优势的北京师范大学调查。我得到的一个简单数据是，这个学校 6000 余名本科生中，贫困生占 16%，即 930 名左右。而这个学校自十年前建立“家教中心”以来，仅家教一项勤工俭学，每年就有 1200 人左右参与。这还不算另约 1000 人自已联系的家教。一个家教学生一月所得的收入在 200 元，一年按 10 个月计算，全校学生们每年仅家教一项可获取至少 240 万元的勤工俭学收入。这里的贫困生们绝大多数是靠从事家教“脱贫”，甚至“小康”。

北师大得天独厚的优势非旁人所及。那么身处下岗“重灾区”的鞍山钢铁学院则可以让那些同为“无援的贫困校”在思维上冲击一下了吧。

鞍山钢铁学院除了学校内部有限的一些岗位让贫困生们承担起来之外，校门外的所有勤工俭学岗几乎被社会上的下岗大军占尽。怎么办？学院领导灵机一动，校区北边不是有块荒地一直闲置在那儿！对，开荒种地。于是学院上下齐动员，很快开辟出了80多亩可种蔬菜作物的耕地。“种子和耕作经费由学校出，劳务和耕作管理由你们来……”校长一声令下，那些贫困生们学着当年的“南泥湾”精神，每天利用课余时间和节假日，举镐挥锄，施肥除草，无限情趣。春天，他们播下种子，秋天收获硕果，学校的食堂因此而增添了美味佳肴，贫困生们则用劳动的汗水换得了可喜的报酬……

有人会说，我们校园没有荒地可垦。

那就比比徐州煤炭建筑工程学校吧。

生活费从来就是贫困生们最大的一笔开支，每月150元以下的生活费可以统归为“贫困族”了。但学生们感到沉重的是，这150元一月的生活费又能解决多少饥荒呢？有限的钱，仍填不饱饥饿的肚子，贫困生们莫不痛苦于此。许多学校对此束手无策。

但是，徐州煤炭建筑工程学校不这样。他们对此进行改革，把后勤管理人员精简下来，伙食部门不留一个闲人；食堂化整为零，由个人独立经营；学校不给食堂下拨一分钱，只管煤、电、水费；所有摊点、食堂的价格与利润、种类与质量，必须按照规定执行，超一罚十，损一扣百。如此一来，学生们真正成了上帝，经营者为了吸引众多每月生活费在100元左右的学生，便尽量压低成本、增加种类、提高质量。如今的校园内，你每月100元左右的钱，可以吃得不显寒酸，颇为自在；你如果花150元，则能吃好有余。不信，你可以到徐州煤炭建筑工程学校走一走，那100多种小炒、30多种主食，任你享用。如此低价美味，贫困生还求什么呢?

以上仅仅是一种借鉴。然而滴水之中可见太阳影子。

校园是个小社会，一所万人的大学便会带来一个万人的小社会，他们依靠校园的万人在生存，甚至在致富。地处陕西咸阳的西藏民族学院，可以说是中国千所高校中最底层的学校，那儿的贫困程度触目惊心。但就是靠他们墙外那条马路繁荣起来的“十字街”，在当地十分闻名。每当夜幕临至，此处便灯红酒绿，热闹非凡。据学校的人讲，光这一条街，当地街道一年所得税收就达230多万！而西藏民族学院的院长说，他只要每年有其1/10就可以使全校贫困生们基本“脱贫”。

为什么就在眼皮底下的肥水被别人截去了？这固然有地方上的问题，难道与学校本身缺乏开拓精神无关吗?

北大的一个“方正”可以打到美国去赚“洋钱”回来花，那么我们的“东大”“西大”是否可以动些脑子挖掘自身的优势，弄点“土钱”给穷学生们添个菜、送件衣呢?

都有可能。只要我们真的努力了。

让“象牙塔”对贫困说声告别

在国外，你常能听到这样一句话：“如果你想活路，你就宣布破产；如果你要生存，你就赶快信贷。”

信贷上大学，这在美国等西方国家是普遍又普通的事。接受高等教育，就是一种投资，西方国家早已对此深入人心。因而他们把面临“投资”困难时向金融机构伸手借款，看做一种权利。

中国人则不然。中国人太爱面子，明明自己是个瘦子，也要打肿脸蛋充胖子。

早在1986年高校尚未实行收费制时，国务院就在当年下发了［86］号文件，规定学生贷款“由中国工商银行提供，并列入国家信贷资金计划”，“学生偿还贷款资金，只还原额。银行按低利率计算的利息，由学校从国家核定的高等学校事业经费预算中支付”。

从那时起，高校便有了学生可以贷款念书一说。并轨制后的全国高校里，几乎都把“贷”作为奖、助、勤、补、免等六大解决贫困生问题的重要措施之一。然而与其他贷款所形成强烈反差的是，学生贷款却始终推广不开。许多大学每年预先安排的贷款额年年贷不出去，学生一边在大喊贫困得不行，另一方面几十万甚至几百万的贷款却躺在那儿无人问津。

有人说，这是中国人的心理病态，也有人说中国人太缺乏金融意识。其实，学生们不愿贷款的主要原因还在于贷款本身的不完善性。通常是，学校惧怕学生借了不还，于是用扣发毕业证书来抑制这种行为，这无疑使学生们丧失了许多贷款的热情。另一方面贷款的学生惧怕本金加利息，更加增添重负。

透过这一现象，当我们深入进去时便会发现，原来根本的原因还是政策与机制上的不合理性。国家工商银行［86］第351号文件规定：“普通高等学校必须将主管部门核拨经费划出一部分，存入中国工商银行学生奖、贷学金账户，作为对学校学生贷款的资金来源，……贷款不得大于存款。贷款利率由工商银行给予优惠，暂定为月息0.25%（年息3%）按季计收，学校存在工商银行的奖、贷基金，银行不计利息。”按照这一规定，工商银行收了学校的经费，不付利息，学校反而要向银行缴纳学生奖、贷学金的利息，这显然不能为学校所接受。

现在各校的贷款金大多是学校自己内部垫支，为了怕贷出后收不回，所以普遍采取了扣压毕业证的消极做法，致使学生贷款形若虚设。西方国家把信贷这样一项如此重要的措施，广泛用于解决那些交不起学费的读书人身上，可中国则出现这种消极局面，实在令人费解。可见，我们在体制上的某些混乱与毛病已到了非改不可的地步。

从 1994 年开始，国家为了缓解高校贫困生问题，曾先后动用“总理基金”5 亿多元。国家的每一次困难补助发至学生手中时，他们的心中都充满了感激之情，眼里溢着晶莹的泪花。但是，没有多长时间，学生们又开始痛苦地挣扎在无援的贫困线上。他们期待着什么时候再一次发放“困难补助”，可更多的只是失望……于是学生们呼唤国家出台一种替代的措施，一项符合中国国情的大学生信贷政策。

围绕贷款的核心问题，是学生能否按时偿还贷款。目前通用的“上学借款、毕业还钱”之所以行不通，是它不切贫困学生的实际。可以设想，一个靠贷款来完成学业的大学生，如果没有非正常的行为和手段，怎么可能在毕业时就一下还得了高额资金呢？看一看国外高校的做法，也许会有些启发。如英国规定学生在毕业后 5 年内分 60 次还清便可，美国规定是 10 年内分 120 次还清本金及利息。瑞典则是每半年还一次，20 年内还清。

以上可见，这些国家采取的办法一是时间长，二是次数多，这样做正是考虑了大学生们就业后的实际情况，即知道你毕业后工资还不是很多，或者还有一定困难，但你还必须时刻记住你有还贷款的责任在身。正如专家所言：“贷款上大学，对特困生来说多了一种债务，多了一种压力，但更多了一种自立意识。借款要还，与其说多了一种压力，倒不如说是多了一种动力，多了一份毅力。”

随着观念的改变，贷款上大学如今已开始被越来越多的人所接受。有人预言这是贫困大学生走出精神误区和物质困境的一场不小的革命。但愿有关信贷的政策更加规范，更加便于操作。

然而，我们在欢呼某一种新政策的出台时，千万别忘了解除高校贫困生问题必须治本治根。这个本就是动员全党、全民、全社会的力量一起来努力。这个根就是必须时刻牢记我们生存在一个贫困的国度。

水涨才能船高。只有筑起我们与民族贫困决战的血肉长城，只有我们高举起“发展是硬道理”的大旗，我们才能最终告别令人痛苦与无奈的贫困。

借助“上帝”的力量，让“象牙塔”说声：我们与贫困告别!

1998年又一个“黑色七月”的日子，这正是我挥汗完成此书的写作阶段。偶尔休息打开电视，正巧有一日的新闻节目里说：“我国第一批贫困生经过四年努力，今年全部毕业……”报道称，自国家教育部门1994年对40所高校实行收费并轨制的试点后，在各级教育部门和学校以及全社会的帮助下，数以万计的贫困生圆满完成学业，开始走上工作岗位。这是我国教育改革迈向成功的重要一步。

第二则报道是今年我国长江和东北嫩江、松花江流域全线遭受历史特大洪水，受灾人数达2亿多，上千万人失去家园，经济损失达2000亿元，灾情超过历年……

前者使我感到欣慰，后者令人担忧。两者相抵，我还是忧心忡忡。因为，第一个新闻消息，我认为只能是基本准确，事实上除了北大、清华、南大、复旦等这样的著名大学外，据我实地了解，仍有不少普通高校出现过贫困生半途退学的现象。其二，许多贫困生的家在农村，本来就困难的他们，如今不少人家里又遭没顶之灾，无疑对他们以后的新学年将是雪上加霜。而就在这个时候，中国大学的1998年度百万新生已经启程。在这支浩浩荡荡的新军里，我们不会少见那些光着脚板、挑着两个塑料袋行李、脸色明显缺少营养的莘莘学子那可怜巴巴的身影……他们必将毫无疑问地成为“百万贫困大学生”中的又一部分。

令人欣慰的是，大灾之后，从中央到地方，各级政府和各大学纷纷采取措施，为一些灾区来的同学特设了入学“绿色通道”，使其不为交不起学费而发愁。

但灾区来的学生还有几年的学习时间，他们的家园需要重建，经济贫困困扰他们的时间将会很长，如何面对他们，他们又如何面对校园，这是我们的政府、学校和全社会所有有良知的人都要共同思考的新问题和长期任务。

而且必须看到，今年灾区入学的大学生仅占高校贫困生总数的2%，我们特别关照好了灾区贫困生，那么还有98%的在校贫困生又如何关照呢！怎样关照？关照到什么程度？这难道不是我们更需要认真考虑的事？

如今中国社会走到了一个特别的转型时期，连像贫困这样的问题也似乎一下全都冒了出来。例如8000万贫困地区的贫困百姓，以及“贫困母亲”、“救助千万残疾人行动”，还有早已声势浩大的“希望工程”等等。中国社会承负的担子太重了，一个“希望工程”还没有解决多少人，又来了个近亿人的下岗大军，偏偏亚洲金融危机又来凑热闹。唉，真难为了我们的中央领导和各级政府！

然而，我还是想提醒人们：

中国正处于一个伟大的发展时代，国际国内形势对我们极为有利。江泽民同志也在九届人大会上庄严地向全世界宣布：在21世纪中叶，中国将出现伟大的民族复兴。

那么，民族复兴靠什么？当然最主要的是靠科教事业。科教靠什么？自然靠从事科教的人。大学生则是从事科教的绝对主力。于是由此推论我们不难认识到，今天我们解救一个贫困生，也许明天伟大祖国的复兴时间表会快出一秒或一小时。

谁能保证在今天的百万贫困大学生中不出一个“诺贝尔奖”获得者？不出一个完成哥德巴赫猜想的数学天才？不出第一个在宇宙间找到另一种生命的探索先锋？不出一个使人类生命永恒不灭的遗传学大师？一切都有可能，只要我们每一个人都能伸出一双温暖的手。因为探索知识，是解救人类自己。解救有知识的年轻人，便是让所有被解救的人们获得明天最根本和最彻底的幸福与光明！

最后，我借用“复旦沙龙”一位贫困生写的一首诗权做结束语，一方面我很喜欢这首小诗，另一方面这首题为《请为我保留一面向阳的山坡》的诗，道出了中国当代一群不惧贫困而仍在发愤读书的学子内心的真实企盼。诗这样写道：

请为我保留一面向阳的山坡
如果可能我们还会
沿着你意味深长的笑容走去
当青春回转漫过夜的边缘
许多只眼睛亮若星辰
没有名字的人从蚕茧中抽出
一山一山雪白的丝
于是我们掩面哭泣于是失眠
闭上眼就能看见风中激烈舞蹈的葵花
大红的旗帜在空中猎猎翻卷
在黑暗的春天鲜明地勾画走动的人影
通过黄金的天堂我们的目光穿透黑夜

惊讶地发现一切事物从此变得透明
而我们飘扬的长发将成为
一条河流永不衰落的背景
这时葵花已盛开着站在一切生灵背后
我们珍惜如初的丝线和
被践踏的泪水
而我们还要一如既往地从白天穿过黑夜
骑马走过缤纷的花地和无数汹涌的暗流
从此岸到彼岸
从眼睛到眼睛
从有一天到又一天
便再度相遇新一茬的葵花
正沐浴着山坡上大片大片的阳光……

出版说明

何建明先生是中国文坛著名作家，长年坚守在报告文学一线。“非典”、汶川地震、天津大爆炸、利比亚撤侨等重大事件发生时，何建明先生都尽可能出现在第一时间、第一现场，将第一手材料及时地呈现给读者，将中国故事讲深、讲透、讲生动、讲精彩。他强烈的责任感和使命感让人感动，其直面真相、忠于现实的精神令人钦佩，是中国当代报告文学界极有影响力的领军人物。

有感于斯，我社特收录何建明先生近40年创作的报告文学作品，结集为《何建明文集》三十卷出版。这些作品是对时代、社会、自然和人文的记录、呈现与见证，是作者响应时代的召唤，置小我于大我之中，循着时代背景和社会需求而创作的，完整、真实地表现了社会各个层面人物的喜怒哀乐，代表了当代中国纪实文学、非虚构创作的高峰水平，大气磅礴、激情豪迈，极具胸怀和气量。其中多部作品获得鲁迅文学奖、国家图书奖、“五个一工程”奖、徐迟报告文学奖等。

每个时代都有自己的特征，每部作品都有自己的特点。为了全面展示何建明先生历时40年创作内容、使用语言和文学风格的变化，本文集对何先生已发表的所有作品原则上不做修饰和润色，除特殊情况外也不做大的删节和修改，以保证今天的结集出版，仍不失当年作品的激情和味道。